A VIDA SABE O QUE FAZ

ZIBIA GASPARETTO

PELO ESPÍRITO LUCIUS

ZIBIA GASPARETTO

Sobre a Autora

Sou muito grata a Deus por ter aberto minha sensibilidade. Através do exercício da mediunidade, durante mais de sessenta anos, pude manter contato com espíritos evoluídos e aprender com a sabedoria deles.

Sou médium consciente. Quando um espírito de luz se aproxima e nossas auras se tocam, minha lucidez aumenta, meu conhecimento se amplia e fica muito mais claro. Às vezes, as sensações são tão fortes que os ensinamentos recebidos ficam registrados na minha mente, permitindo que eu note detalhes mais sutis e esclarecedores. Eles nos inspiram a agir no bem, a sermos otimistas, a valorizarmos nossos espíritos, a confiar em Deus e cooperar com a vida.

Mas a luz que esses espíritos possuem é mérito deles, pois se esforçaram para conquistá-la. Ela não acrescentará nada em nosso progresso. Esse é um trabalho pessoal e intransferível.

A mediunidade nos faz sentir com mais força o teor das energias que nos rodeiam, as quais, quando são negativas, além de perturbar o mental, podem atingir o corpo físico e criar sintomas de doenças de difícil diagnóstico.

Durante dois anos, passei por esses problemas. Ficava mal, os médicos não achavam nada, os calmantes me deixavam pior. Eu culpava os maus espíritos pelo assédio, mas era eu quem os atraía por não assumir minha própria força, não cuidar do meu mundo interior, não melhorar meu nível de conhecimento espiritual. Eu nunca fiz mal a ninguém, mas isso não é suficiente. É preciso elevar o espírito, aprender a viver melhor, evoluir. Esse é o preço do equilíbrio, do progresso e da paz.

A mediunidade revela o nível espiritual, pressiona para que ocorram mudanças e, se nos ligarmos à luz e persistirmos no bem, é uma fonte de conhecimento, saúde e lucidez.

LUCIUS

O Guia Espiritual

O romance *O amor venceu* foi a primeira obra ditada pelo espírito Lucius que publiquei, e, quando fui pela primeira vez a Uberaba, visitar o Chico Xavier, dei um exemplar a ele e ao doutor Waldo Vieira, que na época trabalhava ao seu lado. Depois de alguns meses, quando voltei a visitá-los, o Chico, depois de me abraçar, pegou esse livro e, folheando-o, comentou sorrindo:

— Que bons aqueles tempos em que você e o Lucius estavam no Egito. Quantas coisas aconteceram!

Esperei que continuasse, mas ele se calou. Apesar da curiosidade que senti, não perguntei nada. Sei que os espíritos só dizem o que podem e querem, mas eu sinto mesmo que os laços que me unem ao Lucius são muito fortes.

Por sua sabedoria, conhecimento e visão elevada da vida, muito o admiro. É um mestre. Ele tem ditado todos os romances. Apesar disso, tenho notado que em alguns o estilo muda. O Lucius tem muita facilidade de ligar-se comigo, o que pode não ser comum. Acredito que outros autores o procurem, contem algumas histórias, e ele as repasse para que eu as publique, divulgando seus ensinamentos.

Que Deus abençoe sua trajetória e permita que continue nos ensinando o que é espiritualidade e ajudando a olhar os fatos do dia a dia com os olhos da alma.

Capa e Projeto Gráfico: Marcelo da Paz
Diagramação: Cristiane Alfano
Revisão: Melina Marin e Juliana Rochetto Costa

1ª edição — 22ª impressão
3.000 exemplares — abril 2022
Tiragem total: 497.000 exemplares

Dados Internacionais de Catalogação na Publicação (CIP)
(Câmara Brasileira do Livro, SP, Brasil)

Lucius (Espírito).
A vida sabe o que faz / pelo espírito Lucius;
[psicografado por] Zibia Gasparetto.
São Paulo : Centro de Estudos Vida & Consciência Editora.

ISBN 978-85-7722-168-4

1. Espiritismo 2. Psicografia 3. Romance espírita I. Gasparetto, Zibia. II. Título.

11-04938 CDD-133.9

Índices para catálogo sistemático:
1. Romance espírita : Espiritismo 133.9

Este livro adota as regras do novo acordo ortográfico (2009).

Vida & Consciência Editora e Distribuidora Ltda.
Rua das Oiticicas, 75 – Parque Jabaquara – São Paulo – SP – Brasil
CEP 04346-090
editora@vidaeconsciencia.com.br
www.vidaeconsciencia.com.br

A VIDA SABE O QUE FAZ

ZIBIA GASPARETTO

PELO ESPÍRITO LUCIUS

Os últimos raios de sol coloriam o céu naquele fim de tarde e Isabel olhava sem pôr atenção, perdida em seus pensamentos. Nem o mar, em seu vaivém, espalhando sua espuma branca na areia molhada, conseguia fazê-la notar a beleza da tarde e a paisagem à sua frente.

Desde que chegara ao Guarujá, não conseguia pensar em outra coisa. Precisava tomar uma decisão, mas estava confusa, não tinha certeza de nada.

Como seria seu futuro? Deveria ficar com Carlos ou com Gilberto? Carlos fora seu grande amor e desde criança eles haviam se prometido um ao outro. Quando ela completou vinte anos e ele, vinte e cinco, ficaram noivos. Ambas as famílias aprovaram o noivado e o casamento era coisa decidida. Isabel nunca imaginara sua vida longe dele.

Mas a guerra na Europa estava no auge. O Brasil havia declarado guerra contra o Eixo, aliando-se aos Estados Unidos e convocando rapazes para combater na Itália.

Carlos foi um dos primeiros a ser convocado. Isabel precisou aceitar sua partida no primeiro batalhão da Força Expedicionária

Brasileira. Chorosa, despediu-se dele rezando para que voltasse são e salvo.

O tempo foi passando, e ela lhe escrevia todas as semanas, apesar de as respostas serem raras. Nas três cartas que recebeu, durante todo o tempo que durou a guerra, ele falava da saudade que sentia de todos, especialmente dela, e do horror da guerra, revoltado com a violência que era obrigado a suportar todos os dias.

Finalmente a guerra chegou ao fim e o coração de Isabel encheu-se de esperança. Fazia mais de seis meses que ela não tinha notícias e esperava com ansiedade a volta de Carlos.

A cidade de São Paulo engalanava-se para receber os soldados que retornavam da guerra e desfilariam pela avenida São João. O povo foi para a rua saudá-los, e Isabel estava lá, esperando ver Carlos entre eles.

Quando começaram a desfilar, o povo misturou-se a eles, que só conseguiam andar em fila indiana, parando aqui e ali, sendo abraçados e beijados pelas moças que festejavam a volta. As pessoas aplaudiam com entusiasmo e faziam com os dedos o V da vitória.

Foi com o coração aos saltos que Isabel viu um por um desfilar entre os abraços e beijos da multidão, porém Carlos não estava lá.

Quando o desfile acabou, ela voltou para casa decepcionada. Sua mãe tentou consolá-la:

— Não desanime. Outros batalhões vão chegar. Eu li no jornal.

— Amanhã mesmo vou procurar notícias no regimento dele.

No dia seguinte, Isabel foi ao quartel, mas não conseguiu as informações que desejava. Havia muita confusão e eles a aconselharam a esperar um pouco mais.

O tempo foi passando e ela não obtinha nenhuma notícia de Carlos. Nenhuma carta ou bilhete. Foi diversas vezes à casa da família dele em busca de notícias, mas todos estavam apreensivos, porquanto todos os batalhões já tinham voltado e ninguém sabia nada sobre ele.

Por fim, Carlos foi dado como desaparecido. Nos primeiros tempos ela manteve esperança de que ele voltaria, mas depois, à medida que o tempo passava, foi desanimando. Três anos depois, certa de que ele havia morrido, como a maioria das pessoas acreditavam, ela decidiu reagir e tocar a vida.

Trabalhava como secretária bilíngue em uma grande empresa, esforçou-se para progredir na carreira e retomou vida social e habitual.

Apesar da saudade que sentia de Carlos, procurou a prima Diva, com quem frequentava teatros, cinemas, bailes.

Em um dia chuvoso, quando as duas, tendo saído do cinema, abrigaram-se embaixo de uma marquise próxima esperando que o tempo abrandasse, um rapaz aproximou-se correndo, esbarrando nas duas.

Ele as olhou e disse sorrindo:

— Desculpe. Foi sem querer.

As duas, que haviam se encolhido um pouco, sorriram e não disseram nada. Ele olhou a chuva caindo e considerou:

— Está ventando muito. Se ficarmos aqui até a chuva passar, ficaremos muito molhados.

— Se formos embora será pior — considerou Diva dando de ombros.

— Tenho uma sugestão melhor. Caminhando alguns metros, no fim desta marquise, há uma confeitaria onde poderemos nos sentar, tomar alguma coisa e esperar a chuva passar.

Elas se olharam indecisas. Ele continuou:

— Permitam que me apresente. Meu nome é Gilberto de Souza Mendes. Médico. E vocês?

— Eu me chamo Diva Santana.

— E eu, Isabel Marques.

— Já estamos apresentados. Vamos?

— Tem certeza de que há mesmo essa confeitaria? — indagou Diva. — Não quero estragar meu vestido novo.

— Claro. Já estive lá algumas vezes.

Eles foram caminhando com alguma dificuldade, tentando não desviar da cobertura, uma vez que várias pessoas estavam abrigadas ali.

Foi com alívio que entraram na confeitaria.

— Vamos procurar uma mesa.

Gilberto conversou com um garçom, que lhe indicou uma mesa em um dos cantos. Era pequena, mas havia três cadeiras. Ele esperou que as duas se acomodassem e sentou-se também.

As moças seguraram o riso. Gilberto, alto e de ombros largos, teve certa dificuldade para se acomodar. Foi então que os três se olharam.

Diva era magra, morena, cabelos lisos, traços delicados. Já Isabel era alta, corpo bem-feito, cabelos castanho-claros, ondulados e na altura dos ombros.

Gilberto sorriu e seus olhos cor de mel brilharam maliciosos quando perguntou:

— Passei no exame?

As duas riram e foi Isabel quem respondeu:

— Desculpe se nossos olhares foram indiscretos. Lá fora estava escuro. Foi aqui que realmente nos vimos.

— Eu logo vi que vocês eram bonitas.

— Ah! Foi por isso que se preocupou em nos abrigar? — indagou Diva, maliciosa.

— Claro. Se fossem feias, eu as deixaria na chuva.

Elas riram e a conversa fluiu fácil enquanto tomavam um café e saboreavam alguns salgadinhos que Gilberto pedira. Apesar da brincadeira, Gilberto não demonstrou interesse particular por nenhuma das duas. Mais tarde, quando a chuva passou, trocaram telefones e se despediram.

Uma semana depois, Gilberto ligou para Isabel convidando-a para sair. A princípio, ela não se entusiasmou, mas tanto Laura, sua mãe, como Diva incentivaram-na a ir.

— O rapaz é bonito, agradável, educado. Você deveria conhecê-lo melhor — disse Laura.

— Mas não estou interessada — replicou Isabel.

— Pois eu, se ele me convidasse, iria.

— Vá você em meu lugar, Diva.

— Claro que não. Ele preferiu você. Depois, você não está sendo pedida em casamento. Poderá passar algumas horas agradáveis e, se não quiser continuar, não precisa.

— Você vai querer ficar sozinha em casa pensando nos problemas da vida? — indagou Laura.

— Está bem. Eu vou.

Laura continuou:

— Ele disse aonde vai levá-la?

— Convidou-me para jantar. Vai passar em casa às oito para me buscar.

— Já pensou em que roupa vai pôr? — perguntou Diva.

— Não. Resolvo na hora.

— Que falta de entusiasmo! Se fosse comigo, iria ao cabeleireiro, compraria um vestido bem bonito.

Isabel deu de ombros e encerrou o assunto.

Oito horas em ponto a campainha tocou e Laura foi abrir. Gilberto estava na soleira, e ela disse sorrindo:

— Você deve ser o Gilberto. Entre, por favor.

Ele entrou e Laura continuou:

— Isabel está se arrumando. Sente-se. Vou mandar avisá-la que chegou.

Laura foi ter com Berta, a empregada da família, e pediu-lhe que avisasse a filha. Depois se aproximou de Gilberto, dizendo:

— Meu nome é Laura, sou mãe de Isabel.

Ele se levantou e apertou a mão que ela lhe estendia com certa reverência:

— É um prazer conhecê-la.

— Sente-se. Aceita tomar um copo de vinho, uma água ou um café?

— Não se incomode. Estou bem assim.

Laura acomodou-se na poltrona ao lado, mas não teve tempo de continuar a conversa porque Isabel logo chegou acompanhada pela prima.

Gilberto levantou-se e estendeu a mão a Diva, que estava na frente, dizendo enquanto sorria:

— Como vai?

— Estou bem. E sua aparência está ótima.

Isabel, por sua vez, aproximou-se estendendo a mão para cumprimentá-lo. Estava linda em seu vestido de seda verde-escuro, e os grandes olhos cor de mel de Gilberto fixavam-no curiosos. Ele não se conteve:

— Você está linda!

— Obrigada. Você também está muito elegante.

Ele sorriu e, olhando para Diva, convidou:

— Você vem conosco?

— Não. Hoje tenho outro compromisso — mentiu ela.

Sentiu que ele a convidou por gentileza e que realmente estava interessado em Isabel, o que a deixava muito contente, pois desde que Carlos fora dado como desaparecido e a prima soubera que ele provavelmente não voltaria, nunca mais se interessara por outro homem.

Diva gostaria que ela se apaixonasse de novo e voltasse a viver.

— Vamos? — perguntou Gilberto.

Isabel concordou, eles se despediram e saíram. O carro dele estava diante da casa e ele abriu a porta para que Isabel se acomodasse. Depois deu a volta e sentou-se ao lado dela:

— Você tem preferência por algum lugar?

— Não. Escolha você.

— Eu reservei uma mesa em um restaurante muito agradável. Espero que você goste.

Isabel assentiu. Ele colocou o carro em movimento e pouco depois disse:

— Desde aquela noite em que nos conhecemos venho pensando em você.

Isabel fez um gesto quase imperceptível de contrariedade, mas ele notou e mudou de assunto. Perguntou que tipo de música ela preferia. Ela disse, ele ligou o som, começou a comentar sobre as músicas em voga e, para alívio de Isabel, não voltou mais ao assunto pessoal.

O restaurante era muito elegante, estava lotado, e Gilberto comentou:

— Se eu não tivesse reservado, não poderíamos jantar aqui.

— O lugar é muito agradável.

Foram conduzidos a uma mesa perto de uma janela, ao lado de um grande vaso com um maravilhoso arranjo de flores naturais. Isabel não se conteve:

— Que lindo!

Gilberto puxou a cadeira para que ela se sentasse e perguntou:

— Nunca veio aqui?

— Nunca.

— Meus amigos gostam muito deste lugar.

— Além de tudo tem música ao vivo.

— Você gosta de dançar?

— Adoro.

Pediram uma bebida. A música estava convidativa e Gilberto a chamou para dançar. O rapaz dançava muito bem e, a partir de então, começaram momentos de encantamento para Isabel, que esqueceu todo o sofrimento da espera pela volta de Carlos, sua solidão e a frustração de seus sonhos da adolescência.

Para ela, naquele instante, só havia a beleza do lugar, a pegada firme de Gilberto, que a conduzia de maneira leve e gostosa, e o delicioso perfume que vinha dele.

Dançaram muito e Isabel, rosto corado e sorriso de prazer, sentia-se feliz. Jantaram muito bem e continuaram a dançar.

A partir daquela noite, começaram a sair e Isabel cada vez mais apreciava a gentileza de Gilberto, sua firmeza, seu temperamento alegre, sua inteligência, sua postura elegante e bonita.

Envolveram-se e começaram a namorar. Uma noite, ele a pediu em casamento e Isabel aceitou. A lembrança de Carlos estava distante e esquecida. Até o dia em que recebeu um telefonema da mãe de Carlos, dizendo haver recebido uma carta do filho. Ferido e encontrado sem documentos, fora feito prisioneiro de guerra. Estava na Alemanha Oriental sob o domínio russo e tivera dificuldade para conseguir ser libertado.

Quando conseguiu, a confusão era grande e ele não pôde obter documentos para regressar. Além disso, não tinha dinheiro para passagem e não conseguia um passe para voltar. Precisou trabalhar, ganhar algum dinheiro e, por fim, através da Cruz Vermelha, enviar a carta.

Nela, pedia à mãe que procurasse Isabel e lhe dissesse que estava com muita saudade e em breve voltaria para ela.

A notícia caiu sobre Isabel como uma bomba. Ficou alegre por ele ter sobrevivido, mas sua vida tinha mudado. Estava apaixonada por outro e muito feliz ao lado dele.

Naquela noite, encontrou-se com Gilberto e contou-lhe a novidade. Ele, que sabia de toda a história do noivado, permaneceu sério enquanto ouvia as notícias. Ela finalizou:

— Eu sofri muito por ele não ter voltado, julguei-o morto. Procurei virar a página, conheci você e minha vida mudou.

Voltei a ser feliz. Agora, de repente, ele vai voltar de uma guerra, procurando aconchego com as pessoas que ama.

— O que pensa em fazer?

— Sinceramente, não sei.

— Consulte seu coração. Eu a amo de verdade e sinto que sou correspondido.

Ele segurou as mãos dela e continuou:

— Quando estamos juntos, a vida corre alegre, somos felizes, nos compreendemos. Temos afinidade em muitas coisas. Sinto que nascemos um para o outro.

— Também sinto isso. Mas como lidar com uma situação tão triste? Como dizer a ele que mudei, que não o amo mais, e deixá-lo ir, depois de tudo que ele sofreu lá fora?

Gilberto abraçou-a e beijou-a longamente nos lábios. Foi um beijo emocionado, em que ele depositou todo o seu sentimento, como a dizer-lhe o quanto a amava.

Isabel correspondeu. De fato, Gilberto a fazia feliz e os momentos ao lado dele a deixavam de bem com a vida.

Sentia-se bem por saber que Carlos estava vivo, mas ao mesmo tempo se perguntava por que ele tivera de voltar em um momento em que não o desejava mais. Ao pensar assim, ela se sentia culpada e se questionava: será que aquilo que sentira por Carlos era realmente amor? Se fosse, por que o teria esquecido e trocado por outro?

Nos dias que se seguiram, ela não conseguia encontrar uma saída. Quando recebeu uma carta de Carlos dizendo que dentro de uma semana estaria de volta, apavorou-se. Precisava decidir o que fazer.

Teve vontade de sumir, desaparecer para não ter de decidir nada. Reconhecia que não tinha condições para isso. Por esse motivo, resolveu ir para o Guarujá. Acreditava que longe de todos, sozinha com seus pensamentos, encontraria a solução. Mas estava difícil. Já estava lá há cinco dias e ainda não tinha tomado uma decisão.

O sol havia ido embora, estava escurecendo e Isabel levantou-se, apanhou suas coisas e dirigiu-se ao hotel onde estava hospedada. Andava devagar, envolvida em seus pensamentos íntimos, querendo que o tempo parasse para que ela não precisasse fazer nada.

Isabel acordou e olhou as horas assustada. Passava das onze. Levantou depressa e lembrou-se de que era o dia da chegada de Carlos. Suas mãos estavam frias e sentia arrepios pelo corpo. Ainda não havia tomado nenhuma decisão.

Na véspera, conversara com Gilberto, pedindo-lhe um tempo para decidir. Ele reagiu:

— Diga a verdade. Quer esse tempo porque decidiu ficar com ele?

— Não é isso! Na verdade sinto que desejo ficar com você, mas não encontrei um jeito de dizer isso a ele. Vou conversar, saber como ele está, prepará-lo para contar-lhe a verdade. Não quero provocar um choque. Em sua carta ele conta comigo, com meu amor, não quero magoá-lo.

— De qualquer forma, se ficar comigo ele irá se magoar. Se eu fosse ele, preferiria que fosse sincera.

— Você está bem, não esteve em uma guerra cruel, nem foi prisioneiro do inimigo. Não sabemos as feridas que ele carrega dentro de si. Pretendo fazer as coisas de maneira mais delicada.

— Está certo. Não me deixe esperar muito tempo. Ligue assim que resolver a situação.

Isabel sentia a cabeça pesada e decidiu tomar um banho. Precisava conservar a calma para conversar com Carlos.

Ela havia dito à mãe de Carlos que não iria à casa dele no dia da chegada, para que a família pudesse usufruir mais de sua companhia. O que ela desejava era ganhar tempo, mas Albertina, mãe de Carlos, não concordara, objetando que Carlos desejava vê-la assim que chegasse.

Eles só sabiam que ele chegaria depois das duas da tarde, e, apesar de desejar retardar esse momento, ela prometera estar lá naquele horário.

Tomou um banho, deixando-se ficar embaixo do chuveiro um bom tempo enquanto tentava se acalmar, mas, apesar disso, suas pernas tremiam quando, depois de pronta, desceu para conversar com a mãe.

Vendo-a chegar, Laura não disse nada, olhou-a e percebeu logo o quanto ela estava nervosa.

— Filha, quer um café?

— Não, mãe. Vai me deixar mais nervosa.

— Tem razão. O almoço está quase pronto.

— Estou sem fome.

— Foi o que pensei. Não pode ficar de estômago vazio. Vamos à copa, vou preparar-lhe um chá.

Isabel aceitou e acompanhou a mãe. Enquanto ela esquentava a água, Isabel disse:

— Fico imaginando como Carlos estará.

— Certamente feliz por estar de volta para a família.

Isabel suspirou e não respondeu. Laura fez o chá e colocou a xícara fumegante na frente da filha.

— É melissa. Beba. Vai fazer-lhe bem.

— É difícil para mim conversar com Carlos. Ele vai querer me acariciar, me beijar. Como aceitar isso se em meu coração só há amor por Gilberto?

— Você está se sentindo culpada por não tê-lo esperado. Mas ele foi dado por morto, passou muito tempo. Você tinha todo o direito de refazer sua vida.

— Você leu a carta dele. Continua apaixonado. Isso me penaliza.

— Quer saber? Você está fazendo uma tempestade em um copo de água. Se fosse comigo, eu lhe diria que o tempo passou e muita coisa mudou. Não há nada melhor do que a franqueza. Ele se decepcionaria, sofreria um pouco, mas você ficaria livre para continuar sua vida com Gilberto e ele pensaria em também refazer a dele.

— Eu não tenho essa coragem. Gostaria de ter, mas odeio ter de machucar os outros, principalmente Carlos que me ama tanto.

— Você não quer machucá-lo, então prefere machucar-se. Está errado. Você deve se colocar em primeiro lugar. Pensando dessa forma, você acabará por sacrificar-se para não decepcioná-lo e poderá fazer três pessoas infelizes.

— Como assim?

— Está muito claro. Se ficar com ele mesmo amando Gilberto, ele acabará percebendo isso e serão três infelizes em vez de um.

— Não posso ser egoísta pensando só em mim.

— Não é egoísmo. Casar com um homem amando outro é enganá-lo e levá-lo a casar-se com uma mulher que não o quer. Quem pode ser feliz em uma situação dessas?

— Começo a pensar que você tem razão.

— Pense, filha, e, assim que estiver a sós com ele, abra seu coração e diga a verdade. A vida é assim mesmo e ele terá de conformar-se, afinal esteve ausente por alguns anos e as coisas mudaram.

— É. Quando penso em tomar essa atitude, sinto um grande alívio. Seria bom que eu tivesse força para agir assim.

— Peça ajuda espiritual. Sozinha você pode ser fraca, mas se unindo a Deus vai se tornar forte. Depois, Ele sempre ajuda quem pede para fazer alguma coisa certa. Essa é a atitude certa.

— É uma boa ideia.

Laura segurou as mãos da filha, fechou os olhos e fez uma oração pedindo a Deus que lhe desse força para tomar a melhor atitude.

Isabel sentiu uma onda de calor agradável envolver seu peito e a inquietação desapareceu como por encanto.

— Tome o chá, filha.

Isabel bebeu e sentiu-se bem mais calma.

— Se soubesse que você tinha a resposta, não teria ido isolar-me no Guarujá. Agora penso que estou fortalecida para encontrar-me com Carlos.

Às duas horas em ponto, Isabel tocou a campainha da casa de Carlos. Imediatamente Albertina abriu. Seus olhos ansiosos pousaram em Isabel, que notou logo o quanto ela estava nervosa.

As duas abraçaram-se e Albertina comentou:

— Entre. Quando a campainha tocou, pensei que fosse Carlos. Nem parece verdade que ele está de volta!

— De fato, eu já havia perdido a esperança.

— Eu não. Deus é grande. Desde que ele partiu, não deixei um dia sequer de rezar por ele e pedir que Deus o trouxesse de volta são e salvo.

— A senhora foi ouvida.

O pai e a irmã de Carlos foram para a sala ao mesmo tempo e também não escondiam a ansiedade. Abraçaram Isabel. Inês, olhando-a fixamente, disse:

— Não pensei que viesse.

— Carlos me escreveu, eu não poderia faltar.

Inês lançou-lhe um olhar inquisidor, mas nada disse. Várias vezes ela vira Isabel na companhia de Gilberto e sabia que ela estava namorando.

— Obrigada por ter vindo, minha filha. Eu temia que não quisesse vir — comentou Antônio.

— O que vocês estão dizendo? — tornou Albertina. — Isabel ama Carlos. Ela pensou que ele tivesse morrido e tentou retomar a sua vida, mas agora que ele está de volta, tudo será como antes. Um amor como o deles não acaba nunca.

Isabel tentou dissimular o desagrado. Sentiu que tanto o pai como a irmã de Carlos a estavam criticando por estar namorando Gilberto. O fato de Albertina dar como certo que ela voltaria para Carlos começou a incomodá-la. O clima não era favorável para que tomasse a atitude que desejava.

A campainha tocou novamente e, dessa vez, era Carlos que chegava. Assim que a porta abriu, os pais e a irmã dele correram a abraçá-lo, dando curso à emoção. Isabel, mais atrás, esperou que eles se acalmassem.

Enquanto Albertina beijava o filho e deixava as lágrimas molharem seu rosto, Isabel notou que Carlos estava diferente.

Mais alto, um pouco mais magro, seu rosto adquirira traços mais firmes, seus olhos verde-claros, que ela achava lindos, tinham se tornado mais escuros e revelavam a emoção do momento. Assim que se libertou um pouco da família, ele fixou Isabel, correu para ela e abraçou-a com força, beijando seus lábios com paixão.

Isabel sentia o coração bater mais forte, preocupada com a atitude dele. Diante da família que esperava e dava como certo que ela voltaria para os braços de Carlos, ela sentia-se sem forças, desejando sair dali o quanto antes e acabar com aquela cena desagradável.

Naquele momento, percebeu o quanto havia mudado durante aqueles anos todos. Lembrou-se de que tanto o pai como a irmã de Carlos não viam com simpatia o relacionamento deles, sempre procurando alguma coisa para criticar. Já Albertina, extremamente apegada ao filho, uma vez que ele sentia-se feliz ao lado de Isabel, não questionava nada. Aceitara o namoro com alegria e desde o começo tratara Isabel com carinho e atenção.

Cenas daquele relacionamento que tinham vivido passavam pela cabeça de Isabel, que não encontrava palavras para dizer.

Ainda abraçado a Isabel, Carlos disse com emoção:

— Você não imagina como sonhei com este momento! Durante todo o tempo, imaginava estar chegando aqui, com minha família, abraçando e beijando você!

— Nesse caso, seria bom marcarem esse casamento o quanto antes — sugeriu Inês, olhando maliciosa para Isabel. — Vocês precisam recuperar o tempo perdido.

— É o que eu mais desejo — disse Carlos. — Mas primeiro preciso retomar minha vida. No momento não tenho nada para oferecer a Isabel nem como sustentar uma família.

Albertina veio em socorro dele:

— Nós estamos aqui. Apoiaremos tudo. Vocês podem se casar quando quiserem. Depois você tratará do resto.

Os três olharam para Isabel, que a essa altura não sabia o que dizer. Notando que eles esperavam sua resposta, disse:

— O momento é de alegria pela sua volta. Mais tarde conversaremos sobre o futuro.

— Eu temia que você tivesse me esquecido. Tive alguns pesadelos em que você me dizia que estava apaixonada por outro. Sem poder me comunicar, sem notícias, sofri muito por causa disso. Felizmente, nada disso era verdade. Você está aqui, ao meu lado, ficou me esperando.

Isabel tentou sorrir, mas não conseguiu dissimular totalmente o que sentia. Inês comentou:

— Parece que você não ficou muito contente com a volta de Carlos. Dá para notar que não está à vontade aqui.

Isabel apressou-se a responder:

— Claro que fiquei. Saber que ele está vivo deixou-me muito feliz. Mas a emoção do momento me fez ficar sem palavras e não estou em condições de falar sobre o futuro.

Albertina tinha preparado um lanche com algumas das guloseimas prediletas de Carlos e convidou-os para comer na copa.

Isabel sentiu-se aliviada, notando que as pessoas desviaram um pouco a atenção dela. Procurou recobrar a calma e não demonstrar o desagrado. Sentia-se como um peixe fora da água e, naquele momento, perguntava-se como podia ter se dado bem naquele ambiente um dia, desejado casar com Carlos. Pela circunstância ou pela emoção do momento, o que ela mais queria era ir embora, não ter de dar satisfações de sua vida a nenhum deles.

Instado a responder às perguntas dos pais, Carlos começou a contar tudo o que lhe acontecera sem muitos detalhes. Isabel notou que era penoso para ele falar sobre a guerra e que, ao mencionar certos momentos, seus olhos tornavam-se frios, impessoais, como se ele não tivesse sido o personagem principal naquela história.

Quando foi feito prisioneiro do Exército russo, estava sem documentos e foi levado para o quartel general que atuava em Berlim. A guerra tinha terminado e as potências vencedoras dividiam os louros. Berlim ficou dividida e os russos ficaram com o lado oriental.

A disciplina era dura. Os prisioneiros eram obrigados a trabalhar exaustivamente na reconstrução da cidade, mantidos sob severa vigilância.

O tempo passou e os prisioneiros de guerra comuns foram aos poucos libertados. Carlos contou com a ajuda da Cruz Vermelha, que tinha trânsito livre entre as potências e realizava o trabalho humanitário.

Foi assim que conseguiu a liberdade, mas os registros de documentos estavam confusos, muitos tinham sido destruídos. Uma vez livre, ele procurou trabalho a fim de conseguir recursos para voltar. Se ele tivesse os documentos, teria sido repatriado com mais rapidez. Mas não os tendo, só depois de muito tempo conseguiu comunicar-se com a família e pôde voltar.

Isabel olhava o rosto de Carlos pensativa. Aquele homem na sua frente lhe parecia desconhecido. O Carlos que tinha amado era outro.

Rosto mais leve, sorriso fácil, gestos delicados. O homem que estava diante dela parecia tenso, inquieto, o olhar perdera a ternura de antes. Isabel sentia que havia qualquer coisa nele que a intimidava e que a fazia desejar ir embora o quanto antes. Seu beijo tinha sido desagradável e fora preciso controlar-se para não empurrá-lo para longe.

Depois do lanche, Isabel levantou-se dizendo:

— Eu preciso ir. Você deve estar cansado da viagem, deve descansar.

Carlos a abraçou e respondeu:

— De maneira alguma. Você vai ficar aqui. Tenho todo o tempo do mundo para descansar. Hoje quero ficar com você.

— Não vai dar. Estou preocupada. Mamãe não está bem e preciso ir para casa — mentiu ela.

— O que é que ela tem? — indagou Inês, provocativa, completando: — Ainda ontem eu a vi fazendo compras e parecia estar muito bem.

— É verdade. Mas hoje pela manhã passou mal. Eu deveria tê-la acompanhado ao médico para uma consulta. Nem poderia ter vindo aqui.

— Mas você veio, o que me deixou muito feliz — respondeu ele, olhando-a firme nos olhos, como se quisesse penetrar fundo nos íntimos pensamentos dela.

Isabel baixou o olhar e apressou-se a responder:

— Desculpem-me, mas tenho mesmo que ir — e, dirigindo-se a Carlos, continuou: — Foi muito bom vê-lo de volta. Muitas coisas mudaram em nosso país depois dessa guerra. Ambiente-se, integre-se aos novos tempos, retome sua vida. Mais tarde conversaremos sobre o futuro.

— Faremos isso juntos. Conto com seu apoio para retomarmos nossas vidas.

— Está bem. Dona Albertina, obrigada pelo lanche.

— Eu vou com você até a porta — disse Carlos.

Isabel despediu-se e foi saindo. Carlos a acompanhou, abriu a porta e Isabel saiu para o jardim. Não queria que ele a beijasse novamente e, por esse motivo, apressou-se a estender a mão e a dizer:

— É muito bom tê-lo de volta. Até outro dia.

Ignorando a mão estendida, ele a abraçou com força e beijou-a várias vezes enquanto ela se esforçava para se desvencilhar de seu abraço.

Quando conseguiu afastá-lo, ela disse com raiva:

— Não devia ter feito isso.

— Por que não? Quero que saiba que você é minha. Pertence a mim. Só Deus sabe o que passei longe de você.

— Você está agindo de forma diferente do que era. Não parece mais o mesmo.

— E não sou mesmo. A vida me ensinou que é preciso tomar o que se deseja. Você me pareceu distante e eu desejo que saiba que o tempo só fortaleceu meu amor, que de forma alguma vou abrir mão de você.

Isabel sentia a cabeça rodar e tinha vontade de gritar que ela não pertencia a ele nem a ninguém, que não gostava de seus beijos e que ele se tornara um estranho para ela. Mas achou melhor ir embora, tentar se acalmar para resolver o assunto de uma vez por todas.

— Tenho que ir. Até outro dia.

Ela abriu o portão e saiu quase correndo sem olhar para trás. Foi para o ponto pegar o ônibus, que felizmente estava chegando. Subiu, sentou-se e, quando o coletivo passou diante da casa de Carlos, ele ainda estava lá olhando para ela, que fingiu não tê-lo visto.

Quando Isabel entrou em casa, Laura notou logo que ela não estava bem. Olhou-a em silêncio, esperando que ela falasse.

— Mãe, foi horrível. Carlos é outra pessoa, está muito diferente e eu não gostei de tê-lo encontrado.

— Calma, filha. Ele enfrentou uma guerra sangrenta. Ninguém sai ileso de uma tragédia dessas.

— Eu não sei como pude gostar dele, querer me casar. A Inês, detestável como sempre, fica fazendo ironias, joguinhos para me deixar sem jeito. Seu Antônio, sempre antipático, com cara de poucos amigos. Só dona Albertina é agradável.

Laura fixou-a séria e comentou:

— Pelo jeito você não teve como dizer-lhe o que planejou.

— Como poderia? Com os dois abutres torcendo para eu me perturbar e Carlos deixando claro que é meu dono?

— Como assim, dono?

— Pois é, mamãe. Foi como ele se posicionou na hora em que nos despedimos. Garantiu que eu pertenço a ele e que não vai aceitar um rompimento. Chegou a parecer ameaçador. Odiei a atitude dele.

— Carlos sempre foi tão delicado.

— Foi, mamãe. Mas voltou diferente. Há algo nele que me intimida. Sinto que preciso acabar com as pretensões dele o quanto antes.

Laura ficou alguns momentos pensativa, depois disse:

— Se é assim, você precisa ter cuidado, fazer o que deseja de uma forma sensata e esperar o momento certo.

— Foi você mesma quem me aconselhou a dizer a verdade. Por que mudou de ideia?

— Porque precisamos saber se ele estava tenso por causa das emoções da volta ou se o que ele viveu durante esses anos todos causou danos mais sérios em seu emocional.

— O tempo passou, ele foi dado como morto e eu não fui responsável por isso. Desequilibrado ou não, não vou aceitar ficar com ele, uma vez que eu mudei e não o amo mais, se é que um dia amei de verdade. Nós crescemos juntos e ele foi meu primeiro namorado. Se fosse mesmo amor, agora eu o receberia de braços abertos, mas não foi o que aconteceu.

— Está bem, filha. Você também está muito nervosa. A tensão em que viveu nos últimos dias a está atormentando. Agora precisa se acalmar. Sente-se aqui no sofá ao meu lado.

Isabel obedeceu e Laura segurou a mão dela com carinho.

— Vamos nos ligar aos nossos amigos espirituais, que sempre nos auxiliaram. Feche os olhos, mentalize uma luz azul descendo do alto e chegando até nós.

Depois de alguns minutos de silêncio, ela começou a falar com voz calma:

— Nós somos pessoas do bem, estamos ligadas com a luz da espiritualidade. Somos gratas à vida que tem nos favorecido com o amor divino. Pedimos à inteligência universal que nos inspire e mostre o melhor a se fazer nesse caso, que beneficie todos os envolvidos. Vamos ficar em paz e esperar um sinal das forças divinas indicando o momento de tomarmos nossa decisão. Enquanto esperamos confiantes, ficaremos em paz.

Laura calou-se, Isabel abriu os olhos e suspirou.

— Obrigada, mamãe. Sinto-me aliviada. Abençoada ajuda espiritual.

— Ela sempre está disponível, basta abrirmos o canal para que se manifeste.

Isabel respirou mais calma:

— Vou descansar um pouco antes de ligar para Gilberto, conforme prometi.

— Sinto que você já escolheu com quem quer ficar. Não deseja refletir mais um pouco?

— Não. Ao rever Carlos, tudo ficou claro em minha mente. Não quero ficar com ele. Vou para o meu quarto, estou com um pouco de dor de cabeça.

— Vá. Vou lhe levar um chá de melissa.

Isabel foi para o quarto, tirou os sapatos, afrouxou a roupa e estirou-se na cama pensativa. As cenas que acabara de viver persistiam em sua lembrança. Ao fixar o pensamento na figura de Carlos, sentia um aperto desagradável no peito e arrepios pelo corpo.

Pouco depois, Laura levou o chá. Isabel sentou-se na cama e segurou a xícara, dizendo:

— Não sei se conseguirei descansar. Não gostei de ter visto Carlos nem de ter ido até lá.

— Esse encontro mexeu muito com seu emocional. Tente mudar o foco de seus pensamentos. Desde que chegou a carta de Carlos, você tem vivido em um clima de muita tensão. Procure não levar esse fato tão a sério. Você não é obrigada a ficar com ele se não quiser. Estou certa de que, com calma, tudo vai se esclarecer e voltar ao normal.

Isabel devolveu a xícara já vazia à mãe e deitou-se novamente, dizendo:

— Assim espero. O chá me fez bem. Vou tentar dormir um pouco para ver se minha dor de cabeça passa.

Laura deixou o quarto e Isabel fechou os olhos. Sua mãe estava certa. Ela não tinha obrigação de se casar com Carlos só porque ele insistia nisso.

Assim que se sentisse mais calma, conversaria com ele, esclareceria sua posição. Ele teria que aceitar sua decisão.

Esse pensamento a ajudou a relaxar e, dentro de alguns minutos, conseguiu adormecer.

Depois que Isabel tomou o ônibus e se foi, Carlos entrou em casa irritado. Notou que ela tinha mudado. Durante todos aqueles anos de separação, nas situações mais difíceis que vivera, sonhara com a volta e principalmente com o amor dela, idealizando o momento em que se veriam novamente. Imaginava--se abraçando-a, beijando-a com paixão e sendo correspondido.

Esses pensamentos tinham povoado sua mente durante todo o tempo. Estava sofrendo, tendo que suportar a violência, o desconforto, o medo, a insegurança e, na tentativa de preservar sua lucidez, mergulhara em um faz de conta no qual Isabel era um prêmio que receberia ao voltar e que o faria esquecer tudo o que sofrera.

Contudo, ela não correspondera aos seus sonhos. Parecera distante, indiferente, como se eles não tivessem vivido tantos momentos de amor.

Nervoso, passou a mão nos cabelos, como se tentasse jogar para longe aqueles pensamentos ruins. Tentou conter a raiva.

Talvez Isabel estivesse muito tensa, tentando controlar a emoção. Julgara-o morto, assim como pensaram sua própria família e seus amigos. Tentara seguir com sua vida, buscara esquecer para não sofrer. Mas agora ele estava de volta, e aos poucos tudo voltaria a ser como antes.

Tentando controlar a contrariedade, entrou em casa. Foi ter com seus familiares, que estavam na cozinha conversando.

— E agora, meu filho, o que pensa em fazer para recuperar o tempo perdido? Vai continuar os estudos? — indagou Antônio.

— Ainda não sei, pai. Quando fui convocado, estava no segundo ano, mas agora não sei se teria paciência para continuar.

— Você queria muito ser engenheiro. É uma boa profissão. Fácil de arranjar emprego e ganhar muito dinheiro.

— Vai demorar muito até eu me formar. Preciso refazer minha vida depressa. Perdi muito tempo. Quero me casar, ter família. Preciso encontrar outra forma de ganhar dinheiro rápido.

Albertina interveio:

— Seu pai tem razão. O melhor seria continuar os estudos e se formar. Não precisa concluir o curso antes para depois se casar. Vocês podem morar aqui, seu quarto está disponível. Nós o ajudaremos no que for preciso.

— Não sei. Tenho que pensar.

— Vocês estão decidindo o futuro sem perguntar para Isabel se ela quer se casar com Carlos — disse Inês.

Carlos olhou-a desconfiado:

— Por que está dizendo isso?

— Porque ela já deve estar em outra. Há pouco tempo eu a vi com um rapaz, dançando de rosto colado.

— É mentira! Isabel não faria isso!

— Por que não? Você ficou cinco anos desaparecido, julgamos que tivesse morrido. Acha que ela ficaria chorando todo esse tempo? Claro que arranjou outro. Um rapaz bem bonito e rico.

— Você está exagerando — atalhou Albertina nervosa. — Ela pode mesmo ter tentado refazer a vida com outro, mas ela gosta mesmo é de Carlos. Não tenho nenhuma dúvida de que ela quer é se casar com ele.

— Você, sempre muito crédula! — comentou Antônio meneando a cabeça. — Ela pode muito bem ter se deixado seduzir por um homem bonito e principalmente em boas condições financeiras.

Afinal, Carlos voltou da guerra, terá de recomeçar a vida, ainda não tem muita coisa a oferecer.

— O amor é o mais importante! — tornou Albertina. — Isabel adora Carlos. E vocês, parem de colocar caraminholas na cabeça dele.

— Só estou tentando impedir que ele continue se iludindo. Precisa abrir os olhos — interveio Inês. — Afinal, cinco anos é muito tempo e Isabel não me pareceu muito saudosa. Estava inquieta o tempo todo, não via a hora de ir embora. Eu, se fosse você, não alimentaria muitas ilusões com ela.

— Talvez Inês tenha razão. O melhor é ficar esperto, não se deixar enganar — reforçou Antônio. — Se ela estiver em outra, deixe-a ir. Estou certo de que você vai refazer sua vida, sua situação financeira e mostrar pra ela o quanto você vale.

— Não se preocupem. Eu resolvo isso. O que eu quero mesmo é esquecer os momentos duros que passei. De qualquer forma, é muito bom estar de volta, deixar aquele inferno.

— Isso mesmo, meu filho. O melhor é esquecer o passado. Acabou. Você tem a vida toda pela frente. Descanse, reflita. Não se precipite.

— Tem razão. Eu vou subir, tomar um banho, descansar um pouco. A viagem foi cansativa. Depois, quero rever os amigos, saber o que aconteceu por aqui enquanto estive ausente. Estou precisando me situar, voltar a levar uma vida normal.

Todos concordaram, ele subiu e Inês acompanhou-o até o quarto.

— Arrumamos tudo do jeito que você gosta!

Carlos olhou em volta emocionado. Havia flores no vaso, roupas novas na cama, um cheirinho gostoso de alfazema no ar.

— Estou em casa! Parece mentira! Houve momentos em que cheguei a pensar que nunca mais voltaria para cá.

Inês o abraçou:

— Mas você conseguiu. Agora está aqui, junto com as pessoas que lhe querem bem. Não tome nenhuma decisão apressada, não se amarre em um casamento que pode trazer-lhe muitos problemas.

Carlos colocou as mãos nos braços dela com firmeza, olhou-a nos olhos e disse sério:

— O que mais você sabe sobre Isabel? Do jeito que está falando, dá para entender que ela não gosta mais de mim.

— O tempo não passou para você. Noto que continua gostando dela como sempre. Só que ela não quis esperar. Ela deve estar namorando! Tem sido vista com um rapaz em todo lugar. Eu acho melhor que você saiba a verdade. Para mim, se o amor que ela dizia sentir por você não foi suficiente para que ela, mesmo julgando-o morto, continuasse fiel, não merece sua confiança.

Carlos franziu o cenho nervoso. Inês tinha certa razão. Se Isabel estivesse mesmo namorando, ela o traíra. Mas agora ele estava de volta e disposto a lutar para reconquistá-la.

Houve um tempo em que a única coisa que o fazia suportar o sofrimento era o amor de Isabel. Se isso também lhe fosse tirado, o que lhe restaria? Seria o caos total. Não. Ele não desistiria nem aceitaria que ela o deixasse.

— Eu não penso como você. Não vou desistir dela.

— Pense bem, Carlos. Dê um tempo. Não tenha pressa de se casar. Primeiro arrume sua vida financeira, não concorde em morar aqui depois de casado. Isabel está habituada a uma vida boa, não vai se sentir bem casando-se e morando em um quarto de nossa casa.

— Deixe-me, Inês. Não quero pensar em nada agora. Estou no limite de minhas forças.

Inês beijou-o levemente na face:

— Está certo. Vá tomar seu banho. Deixei no banheiro sua colônia preferida. Se precisar de alguma coisa, é só chamar.

Ela deixou o quarto, Carlos abriu a mala, olhou as peças de roupa e sentiu vontade de jogá-las no lixo. Abriu a cômoda e lá estavam algumas camisas suas. Apanhou uma delas e coçou a cabeça pensativo. Ele estava mais alto, mais forte, elas não serviam mais. O jeito era conformar-se em vestir as roupas que a Cruz Vermelha lhe dera.

Esse detalhe o fez pensar em suas necessidades básicas. Enquanto estava embaixo do chuveiro, deixando que a água morna banhasse seu corpo, teve a certeza de que, para seguir em frente e reconquistar tudo o que a guerra lhe roubara, teria de se esforçar muito.

Naquele momento sentiu-se injustiçado pela vida, por aquela guerra que não criara e que lhe roubara anos de sua mocidade, acabara com seus projetos para o futuro e, além de tudo, estava acabando com o amor de sua vida.

Enquanto a água continuava lavando seu corpo, ele firmou o propósito de que, dali para frente, reconquistaria tudo quanto lhe fora tirado. Queria de volta o que perdera e estava disposto a passar por cima de tudo e de todos.

Julgava-se vítima das circunstâncias e merecia ser feliz. Na manhã seguinte trataria de organizar seus documentos e procuraria um emprego. Não queria ficar dependente de ninguém. Quanto aos estudos, decidiria mais tarde.

Isabel não lhe dissera nada sobre estar namorando ou ter conhecido alguém em sua ausência. Talvez por falta de oportunidade. Mesmo assim, em nenhum momento pensou em desistir.

Isabel lhe pertencia. E, mesmo que a distância e o pensamento de que ele nunca mais voltaria a tivessem influenciado, ele tinha certeza de que, com o tempo, tudo voltaria a ser como antes.

Mais calmo, sentiu-se confiante e alegre. Depois do banho, estendeu-se na cama para descansar. Viajara durante a noite inteira sem conseguir pregar o olho. A emoção da volta e a incerteza de como seria sua vida daquele momento em diante não o deixaram dormir.

Acomodou-se melhor, sentindo o prazer de estar ali e, em poucos minutos, adormeceu.

Sonhou que estava em um lugar úmido e escuro, onde caminhava ansioso, procurando por alguém. O barulho incessante das metralhadoras que pipocavam em volta e as balas que passavam sibilando rente à sua cabeça faziam-no estremecer de medo, e ele deslizava procurando se proteger.

Alguém agarrou seu braço e ele reconheceu Adriano, cujo rosto pálido por onde o sangue escorria assustou-o. Ele gritou:

— Você está ferido! Onde se escondeu? Eu o estava procurando.

Vendo que ele estava caindo, segurou-o, acomodando-o com cuidado sobre a relva.

Adriano segurou os braços dele com força, dizendo:

— Estou morrendo, Carlos. Preciso falar.

— Calma. Não vou sair de perto de você. Assim que o ataque passar, irei atrás de socorro. Você não vai morrer!

— Não me deixe. Ouça. Tenho de pedir-lhe uma coisa. Jure que fará o que eu disser.

— O que é?

— Jure.

Ele fechou os olhos e Carlos, notando que ele estava sem forças, disse:

— Eu juro. Prometo fazer o que pedir. O que é?

— Quando você voltar a Paris, vá procurar Anete. O endereço dela está na minha carteira, com o retrato. Diga-lhe que o meu último pensamento foi para ela e que...

De repente o ruído cessou e Carlos viu-se em outro lugar. Era um bairro de Paris, e ele estava abraçado a uma moça de rara beleza. Beijavam-se com paixão e ele sentia o peito oprimido.

— A guerra está no fim — disse ela. — Prometa que quando tudo passar você não vai me abandonar.

— Pode esperar. Eu voltarei.

Carlos remexeu-se na cama, inquieto, e acordou sentindo o rosto coberto de suor. Sentou-se e passou a mão nos cabelos preocupado.

Desde que ingressara no batalhão expedicionário e começara o treinamento, tornou-se amigo de Adriano, um soldado dois anos mais velho do que ele.

Tornaram-se inseparáveis. Infelizmente, Adriano foi ferido e morreu diante dele sem que pudesse fazer alguma coisa para salvá-lo. Antes de morrer, pediu que Carlos procurasse Anete, a mulher que ele amava e que trabalhava como voluntária em uma unidade de socorro próxima de onde seu batalhão ficara durante vários meses. Mas a morte o surpreendeu antes que pudesse dizer o que queria, e Carlos nunca a procurou.

Desde então, sempre que ele ficava muito tenso com algum problema, sonhava com o amigo repetindo aquele pedido. Quando isso acontecia, perdia o sono e ficava se perguntando o que Adriano tentara lhe pedir para fazer.

Mas nunca tinha sonhado com a mulher desconhecida daquela vez, com a qual trocara beijos apaixonados. Quem seria ela?

— Foi só um sonho — pensou. — Fiquei preocupado com Isabel e acabei misturando as coisas.

Apesar disso, sentia-se mexido, emocionado. A emoção daqueles beijos tinha sido muito forte. Havia amor entre eles e nem quando beijava Isabel, nos velhos tempos, sentia tanto envolvimento.

Era bobagem continuar pensando naquilo. Aquela mulher não existia. Ele nunca a conhecera. Sorriu e decidiu esquecer o assunto.

Levantou-se, lavou o rosto, penteou os cabelos e decidiu descer. Não queria perder tempo. Procurou os jornais. Desejava informar-se, encontrar um emprego. Na manhã seguinte, iria à Associação dos Expedicionários dar baixa do batalhão, e refazer seus documentos.

Encontrou a mãe na cozinha, pediu o jornal. Ao entregá-lo, Albertina comentou:

— Você não descansou muito, mas está com a fisionomia melhor.

— Dormi um pouco, mas ainda estou meio fora do natural. A alegria de voltar, a emoção da liberdade e de reencontrar a família e a vontade de recuperar o tempo perdido mexeram comigo.

— Tudo isso, além do que passou na guerra. Mas estou certa de que em pouco tempo você conseguirá dar a volta por cima.

— Vou me esforçar para refazer minha vida.

— Posso servir o jantar? Estávamos esperando por você.

— Já? Eu comi muito no lanche, estou sem fome. Mas é melhor servir. Não quero que vocês mudem seus hábitos por minha causa. Pelo contrário. Eu é que vou me esforçar para entrar na rotina da casa. Vai me fazer bem e ajudar a retomar a vida com naturalidade.

Enquanto Inês ajudava a mãe a colocar a comida na mesa, Carlos conversava com o pai, informando-se sobre as mudanças ocorridas no país durante sua ausência.

O jantar decorreu alegre. Carlos estava muito interessado em saber tudo e todos faziam comentários animados sobre vários assuntos.

Em meio àquilo tudo, de vez em quando Carlos pensava em Isabel e sentia um aperto no peito. O fato de ela não ter ficado mais tempo em sua casa revelava que ela se habituara a viver sem ele, não sentia mais sua falta. Entretanto, ele controlava a sensação desagradável, não demonstrando o que sentia para não preocupar os demais.

Ao mesmo tempo, alimentava a esperança de recuperar o tempo perdido e reacender a antiga chama. Eles tinham vivido momentos felizes desde a adolescência. Isabel lhe pertencia e ele também só pensava em viver para sempre ao lado dela.

Durante todos aqueles anos em que estivera longe até ele se relacionara ocasionalmente com várias mulheres, mas seu interesse por elas não ia além de um passatempo que o ajudava a quebrar a tensão e esquecer momentaneamente as dores que estava vivendo.

Durante o tempo em que fora prisioneiro dos russos em Berlim Oriental, não tivera muitas oportunidades de relacionar-se com mulheres. Elas não tinham permissão para visitá-los e até nas enfermarias do casarão transformado em presídio, onde permanecera mais tempo, só havia enfermeiros homens.

Depois de um mês preso, por causa do seu bom comportamento, Carlos foi chamado para trabalhar na adaptação do prédio. Isso lhe dava um pouco mais de liberdade dentro do casarão e permitia que ele, mesmo sem sair, observasse um pouco do movimento das ruas do lado de fora.

Havia muita miséria. Pessoas andando à procura de algum trabalho ou em busca de parentes desaparecidos. Depois de alguns meses, Carlos já conseguia se comunicar em alemão e, por esse motivo, foi chamado para trabalhar na seção de informações do prédio.

Foi então que ele conheceu a extensão da tragédia que a guerra havia significado para aquele povo. A confusão era muito grande e a maioria dos registros da população havia sido destruída. Muitos buscavam a casa de parentes e só encontravam os restos de suas casas em ruínas. Não tinham como saber se alguém daquela família havia sobrevivido.

Foi durante esse tempo que Carlos conheceu muitas mulheres de todas as idades e bonitas, mas abatidas, tristes, marcadas pelo sofrimento. Admirou-se da valentia daquele povo que, destruído pela loucura de um político ambicioso, procurava se reerguer das cinzas e refazer a vida, restaurar a dignidade.

No entanto, apesar de ter conhecido mulheres belas e carentes de afeto, não se apaixonara por nenhuma delas, só pensava em voltar para Isabel.

Era a Cruz Vermelha que realizava um vasto trabalho de assistência aos órfãos e de recadastramento dos prisioneiros de guerra, fazendo o possível para que pudessem ser libertados e repatriados. Carlos conseguiu a ajuda deles para que seu caso fosse examinado.

O Exército russo também desejava se ver livre dos prisioneiros comuns, cuja manutenção lhes custava muito dinheiro. Por esse motivo, aceitava a colaboração da Cruz Vermelha, que lhes fornecia gêneros alimentícios, medicamentos e até roupas, além de resolver o destino dos prisioneiros.

Era uma troca boa para ambas as partes e, embora muito do auxílio que a Cruz Vermelha prestasse fosse para Berlim Ocidental, por ser administrada pelos americanos, com quem tinham mais afinidade de princípios, eles também atendiam os russos, já que eles haviam feito muitos prisioneiros que lhes interessava libertar.

Quando finalmente Carlos ficou livre da prisão, foi informado da possibilidade de ser repatriado através da Cruz Vermelha, mas ele teria de esperar e não havia um prazo certo. A embaixada brasileira também não facilitou sua volta. Ficaram de estudar o caso, mas não tinham nenhuma data.

Ansioso por retornar, Carlos decidiu trabalhar, ganhar algum dinheiro para poder sobreviver e comprar a passagem de volta.

O problema era que havia pouco dinheiro em circulação e, embora se esforçasse, o trabalho era sempre à base de troca — roupas, objetos de uso pessoal. Na maioria das vezes, procurava a sede da Cruz Vermelha e enfrentava as longas filas para obter comida.

Soube, então, que no lado ocidental as coisas estavam rapidamente voltando ao normal e fez de tudo para ir até lá. Mas a vigilância era grande e Carlos descobriu logo que seria muito perigoso tentar atravessar.

Os russos tinham muita dificuldade para entender e se fazer entender pela população. Não tinham iniciativa para nada, porquanto em seu país estavam habituados a esperar tudo do governo.

Já os americanos, sempre práticos, contando com a colaboração de pessoas que, apesar da guerra, haviam conservado suas fortunas e estavam dispostas a colaborar com a reconstrução da Europa destruída, em pouco tempo restauraram os serviços de atendimento à população, cadastrando os sobreviventes. Alguns capitalistas montaram fábricas e ofereceram trabalho, o que ajudou aquela parte da Alemanha a se recuperar rapidamente.

Carlos não teve essa facilidade. Fazia tudo o que podia e, depois de algum tempo, conseguiu economizar algum dinheiro para comprar a passagem de volta. Quando a Cruz Vermelha o avisou de que o mandaria de volta ao Brasil dentro de alguns dias, pensou em usar o dinheiro para comprar roupas decentes. Mas o dinheiro não foi suficiente e ele teve de viajar com as que ganhara da Cruz Vermelha.

Estava ansioso, contava os minutos para embarcar de volta, rever a família, abraçar Isabel. As coisas tinham acontecido de um jeito diferente do que imaginara, mas ele confiava que, com o tempo, tudo voltaria a ser como antes.

Depois do jantar, apanhou o jornal e sentou-se na sala determinado a procurar um trabalho. Estava disposto a aceitar o que aparecesse. O importante era retomar a vida, ganhar algum dinheiro pelo menos para comprar roupas. Decidido, abriu o jornal, procurou a seção de oferta de empregos e começou a ler.

Na manhã seguinte, ao acordar, Isabel lembrou-se do encontro com Carlos e foi dominada por uma sensação desagradável. Ele chegara saudoso, certo de que ela o estaria esperando, o que não era verdade.

Ao reencontrá-lo, todas as suas dúvidas desapareceram. Teve a certeza de que amava Gilberto e era com ele que preferia ficar.

Teve vontade de esclarecer logo esse assunto, mas era-lhe penoso, porquanto ele continuava a manter os mesmos sentimentos de antes. Diante da família dele não tivera coragem. Ela prometera a Gilberto dar-lhe notícias, mas ainda não o fizera.

Tomou café e foi para empresa, passou a manhã muito ocupada e só na hora do almoço pôde ligar para Gilberto. Depois dos cumprimentos, ele não perguntou nada, esperando que ela tocasse no assunto.

— Ontem fui à casa de Carlos — começou ela. Como ele não disse nada, continuou. — Não foi nada fácil, para mim, rever a família dele e descobrir que ele acreditava que eu o estava esperando. Foi horrível! Não me senti à vontade e mal podia esperar para sair de lá.

— Por quê?

— Só a mãe de Carlos me recebeu de coração aberto, como sempre, mas Inês, a irmã dele, fez de tudo para me indispor com todos. Quanto ao pai, mostrava claramente que não estava contente com minha presença.

— Eles sempre a trataram dessa forma?

— Inês sempre foi implicante, mas pelas suas atitudes e suas palavras imaginei que ela deve ter nos visto juntos e ficado com raiva.

Gilberto ficou calado por alguns segundos, depois disse:

— E... quanto a ele. Como se sentiu?

— Antes de ir eu já tinha tomado minha decisão. Senti que ele não significa mais nada para mim. Eu amo você. Meu encontro com ele só fez esclarecer meus sentimentos ainda mais. Disse à mamãe o que decidi e chegamos à conclusão de que o melhor seria esclarecer o assunto com Carlos o quanto antes. Fui até a casa dele disposta a dizer-lhe a verdade.

— E como foi?

— Não tive oportunidade. Ele mudou muito durante esses anos todos. Está muito diferente do rapaz que eu conheci, mais duro, mais controlado, não sei explicar. A família estava emocionada com sua volta, ele também, e eu fiquei nervosa sem conseguir me sentir à vontade. Não tivemos nem um minuto a sós para que eu pudesse me abrir e ir embora. Ele falava como se tivéssemos nos separado na véspera. Fez questão de falar sobre nosso casamento e projetos para o futuro. A Inês, por sua vez, foi irônica. Disse que eu não parecia feliz com o retorno de Carlos. Eu me sentia mal sem poder falar o que desejava. Mas como fazer isso diante do resto da família? Saí de lá sem ter esclarecido nada, com uma terrível dor de cabeça.

— Sente-se melhor agora?

— Sim. Mas enquanto não contar a verdade a ele, não me sentirei bem. É cruel, depois do que ele sofreu longe de casa, ter de dizer que não o amo mais. Entretanto, é muito mais cruel deixá-lo iludido, esperando um amor que já não tenho condições de lhe dar.

— Está certo. Desde o momento em que fiquei sabendo que ele chegaria e que vocês estariam frente a frente, fiquei preocupado.

Tive receio de que você escolhesse ficar ao lado dele. Eu não sabia o quanto esse amor ainda significava para você, temia ser preterido. Tenho pensado muito, mas, para lhe ser franco, se você não me quisesse mais, sofreria, seria cruel, mas muito pior seria não saber a verdade. Por mais dolorosa que ela seja, sempre será a melhor solução em qualquer caso.

— Estou pensando em chamar Carlos para vir à minha casa conversar. Então poderei me libertar dessa tarefa tão desagradável.

— Quando pensa em fazer isso?

— Talvez esta noite. Se ele puder vir, resolverei esse caso definitivamente.

— Então é melhor não nos encontrarmos antes que tudo esteja esclarecido. Eu também não gosto de situações dúbias.

— Estou me sentindo angustiada, ansiosa. Não gosto de me sentir assim. Quero resolver tudo ainda hoje.

— É isso mesmo o que você quer?

— Sim. Quero recuperar meu equilíbrio.

— Saiba que estarei pensando em você e esperando que possamos nos ver, retomar nossa paz e nossos projetos para o futuro. Vai dar tudo certo.

— Isso mesmo. Ele terá de conformar-se, afinal, cinco anos é muito tempo, levando em conta que eu pensava que ele estivesse morto.

— Você mudou. Ele terá que entender. Ninguém teve culpa do que aconteceu. Foi a vida; as circunstâncias os separaram.

Isabel concordou, e eles despediram-se. Ela pensou em ligar para Carlos, mas sentiu um aperto no peito e deixou para mais tarde. Sabia que o melhor seria acabar logo com o assunto, mas era-lhe penoso dizer-lhe que amava outro. Ele sofrera muito aqueles anos todos e parecia-lhe crueldade rejeitá-lo. Queria ganhar um pouco de tempo, mas estava segura de sua escolha.

Passou a tarde agitada, pensando o que lhe diria quando chegasse o momento. Estava quase na hora de deixar o trabalho quando Carlos ligou:

— Estou com saudades. Temos que recuperar o tempo perdido. Vou passar em sua casa às sete. Está bem?

Isabel hesitou um pouco, mas respondeu:

— Precisamos conversar. Estarei esperando.

Desligou o telefone preocupada. Ele falava como se todos aqueles anos nunca houvessem passado. Essa atitude dificultava as coisas. Ele não perguntara se ela ainda tinha por ele os mesmos sentimentos. Era como se ele fosse o dono de sua vida e estivesse tomando posse dela.

Inês por várias vezes deu a entender que ela não estava feliz em ver Carlos, e até que poderia estar em outra. Entretanto, Carlos fazia de conta que não ouvira nada. De repente ela entendeu: ele fingira ignorar o assunto porque temia saber a verdade. Preferiu pressionar, passar por cima dos sentimentos dela, não lhe dar espaço para que se colocasse.

Esse pensamento irritou-a. Carlos sempre fora controlador. Quando namoravam, ela sempre cedia aos seus argumentos e fazia como ele queria. Naquela época era muito jovem e deixava passar, mas agora era diferente. Estava mais amadurecida, sabia o que queria e não aceitaria mais ser manipulada.

Gilberto era muito diferente de Carlos. Não a sufocava com seu ciúme, de forma que ela podia continuar sendo ela mesma e agir livremente. Eles trocavam opiniões, mas tinham liberdade para agir conforme desejavam.

Quando entrou em casa, Laura notou logo que Isabel não estava bem:

— Aconteceu alguma coisa?

— Carlos ligou. Vai passar aqui logo mais. Desta vez não vou deixar passar. Vou esclarecer tudo.

— Nesse caso, é melhor procurar se acalmar. Peça ajuda espiritual e seja sincera. Quem fala a verdade pode contar com a proteção divina.

— Eu sei, mãe. Vou tomar um banho, relaxar. Depois que me arrumar, gostaria que fizesse essa oração comigo.

Isabel foi para o quarto e Laura ficou pensativa. Ela confiava que tudo sairia bem, mas, apesar disso, ao pensar em Carlos sentia o peito oprimido. Foi por esse motivo que, depois de meia hora, quando Isabel já estava pronta para o encontro, ela a procurou e considerou:

— Vamos rezar, sim? Carlos está precisando de ajuda espiritual. Quando penso nele sinto um aperto no peito.

— Ele deve ter passado por dolorosas experiências. Suas lembranças desse tempo ainda devem perturbá-lo.

Laura segurou a mão da filha e sentaram-se no sofá da sala. Fecharam os olhos:

— Vamos focalizar uma luz acesa dentro do nosso peito e sentir o agradável calor que ela nos dá. Vamos sentir que estamos ligadas à divina essência que está dentro de nós e glorificar a Deus por todas as bênçãos que nos tem dado — Laura começou.

Ficou silenciosa durante alguns segundos, depois continuou:

— Agora vamos mentalizar Carlos e envolvê-lo com a luz do amor divino que está em nós, entregando-o aos cuidados de Deus, que sabe o que é melhor para ele. Nós o abençoamos e desejamos que ele seja muito feliz.

As duas sentiram uma brisa suave envolvendo-as. Abriram os olhos.

— Estou me sentindo muito melhor! — disse Isabel sorrindo.

— O aperto no peito desapareceu. Graças a Deus! — respondeu Laura sorrindo.

— Abençoada prece! Sinto que estou preparada para fazer o que preciso.

— Antes de Carlos chegar, vamos tomar um lanche. Berta fez um bolo maravilhoso.

— Sônia ainda não chegou?

— Ela virá mais tarde hoje.

As duas foram comer. Estavam terminando quando Carlos tocou a campainha. Berta, que atendeu, voltou logo segurando um ramalhete de rosas vermelhas.

— Carlos está na sala e trouxe estas rosas para dona Laura — informou ela.

As duas entreolharam-se, depois foram para sala. Laura abraçou Carlos, deu-lhe as boas-vindas, agradeceu as flores. Conversaram durante alguns minutos, depois Laura pediu licença e os deixou a sós.

Carlos abraçou Isabel e aproximou-se para beijá-la, mas ela o afastou dizendo:

— Temos de conversar, Carlos.

— Depois falaremos do casamento. Eu quero matar a saudade. Sofri muito quando estava longe. Vivia imaginando como seria quando estivéssemos juntos de novo. A hora chegou e não quero mais perder um minuto.

Ele a abraçou e tentou beijá-la, mas Isabel virou o rosto. Ele franziu o cenho nervoso. Ela tornou:

— Sente-se, Carlos. As coisas mudaram muito. Não podemos fazer de conta que nos despedimos ontem e tudo continua igual.

— Para mim, esse tempo só fez aumentar o meu amor.

Ela sentou-se no sofá e pediu:

— Sente-se ao meu lado, Carlos.

Ele obedeceu e ela continuou:

— Quando você foi embora, sofri muito. Os dias não passavam e eu só fazia rezar para que nada de mal lhe acontecesse. Cada carta sua que chegava era lida muitas vezes e, quando a saudade aumentava, eu lhe escrevia mesmo sem obter respostas ou saber se você as tinha recebido. Quando a guerra acabou, eu vibrei. Assim que os soldados regressaram fui correndo ver o desfile pensando em encontrá-lo, matar as saudades.

Ela fez ligeira pausa enquanto Carlos, olhos indagadores pousados nela, cenho franzido, ouvia em silêncio. Isabel continuou:

— Mas você não voltou. Sua família é testemunha de quantas vezes procurei notícias suas, tanto em sua casa quanto no Exército, até que você foi dado como desaparecido e, segundo o tenente do seu batalhão, considerado morto.

— Mas eu estava vivo, sofrendo por não poder me comunicar com vocês.

— Agora eu sei. Acreditando que você nunca mais voltaria, tentei reagir, retomar minha vida. Terminei os estudos, arrumei emprego. Fui em frente, sem fazer planos para o futuro. Você tornou-se apenas uma lembrança boa. Durante aqueles anos todos, eu nunca saíra com ninguém, não me interessara por outro homem. Até quase um ano atrás, quando acidentalmente conheci um rapaz que despertou em mim um novo interesse pela vida. Começamos a sair e há pouco tempo ficamos noivos.

Carlos levantou-se e gritou nervoso:

— Você, noiva de outro? Como pôde me trair dessa forma, esquecer nossos juramentos? Isso não pode ser verdade! Diga que está brincando comigo! Depois de tudo que passei, não vou suportar mais essa desgraça!

Isabel aproximou-se dele dizendo:

— Acalme-se, Carlos. Estou sendo sincera como sempre fui. Não houve traição, você foi dado como morto, não pode me culpar disso.

— Você não pode imaginar o inferno que vivi durante esse tempo. O que me dava forças para continuar lutando era a certeza de que você estaria à minha espera quando regressasse. Nunca passou pela minha cabeça que você pudesse me trair, amar outro homem! Não posso acreditar!

— Estou dizendo a verdade. Eu mudei, dei um outro sentido à minha vida. Não quero voltar atrás. Não torne esta situação mais difícil do que é. Entenda que estou sendo sincera.

Ele colocou ambas as mãos nos braços dela, segurando com força, olhos muito abertos, rosto contraído enquanto dizia:

— Não vou aceitar essa decisão. Você é minha, só minha. Não permitirei que seja de mais ninguém!

— Largue-me, Carlos! Está me machucando!

Laura entrou e interveio aflita:

— Não faça isso! Largue-a, Carlos!

Ele a soltou e Isabel respirou fundo. Rosto corado pela indignação, ela olhou-o nos olhos:

— Você não tem o direito de agir dessa forma! Não sou culpada pelo que lhe aconteceu. Não posso manter um compromisso que não desejo mais. Você é livre. Procure uma outra que possa amá-lo como você merece. Esqueça que eu existo.

Carlos, olhos muito abertos, rosto pálido, olhou-a com raiva durante alguns segundos, depois disse entre dentes:

— Isso não vai ficar assim. Não vou aceitar sua decisão.

Laura aproximou-se dele tentando acalmá-lo:

— Venha, Carlos, sente-se aqui ao meu lado. Vamos conversar. Um relacionamento só pode acontecer quando os dois querem. Isabel não quer voltar para você. Entenda...

Ela o fizera sentar-se a seu lado no sofá, mas ele levantou-se, olhando-as nervoso:

— Isso não vai ficar assim. Vocês vão ver!

Sem dizer mais nada, saiu rapidamente. Isabel tremia e tentava controlar-se. Laura fechou a porta que Carlos deixara aberta, apanhou um copo de água com açúcar e o deu à filha:

— Beba, Isabel. Acalme-se. Ele já foi.

— Estou com medo, mãe. Ele parecia um louco. Nunca o vi desse jeito!

Laura escondeu a preocupação e disse, tentando demonstrar calma:

— Foi a surpresa. Ele não esperava.

— Mas foi embora nos ameaçando.

— Foi momento de descontrole. Logo vai passar e, quando refletir melhor, perceberá que não tem outra saída.

— O que me assusta é que ele mudou muito. Parece outra pessoa.

— Não sabemos o que ele teve de enfrentar durante esse tempo todo. Seria bom conversar com a mãe dele, dizer-lhe que Carlos precisa de um tratamento psicológico. O filho de dona Norma, quando regressou da Itália, precisou de tratamento. Ficou durante dois anos tomando remédio.

Isabel suspirou triste:

— Não sei se ela me ouviria.

— Você não disse que ela a recebeu bem? Talvez não tenha notado o estado dele e seria bom que você lhe contasse, sugerisse um tratamento.

— Não sei... Não sei se ela vai acreditar. Diante da família ele parecia calmo, amável. Eu não tenho vontade de voltar lá, ainda mais depois do que ele fez hoje.

— Entendo que você não queira ir, mas eu vou tomar uma providência.

— O que vai fazer?

— Vou ligar e pedir-lhe que venha aqui para conversarmos.

— Seria bom. Assim estaríamos longe do resto da família. Tenho certeza de que eles reagiriam mal.

— Falarei com ela agora mesmo.

Albertina a atendeu ao telefone. Depois dos cumprimentos, ela lhe deu os parabéns pela volta do filho e continuou:

— Dona Albertina, eu e Isabel desejamos conversar com a senhora sobre Carlos.

— Por quê? Aconteceu alguma coisa?

Laura hesitou um pouco e depois disse:

— Sim.

— O que foi?

— Nós queremos falar pessoalmente. Por esse motivo pedimos que venha até aqui.

— Tenho estado muito ocupada, não posso ir. Melhor virem até aqui.

— O assunto é delicado. Preferimos conversar só com a senhora.

Ela ficou silenciosa durante alguns segundos, depois respondeu:

— Não dá para eu ir até aí. Se desejarem falar comigo, estarei esperando em casa.

— O assunto é do seu interesse. Seria melhor vir. Não vamos tomar muito do seu tempo. Não dá para falar pelo telefone. Por favor, não deixe de vir.

— Está bem... irei. Estarei aí dentro de meia hora.

— Obrigada. Agradeço sua compreensão. Estaremos esperando.

Laura desligou e comentou:

— Ela estava resistente. Será que Carlos já lhe contou o que houve?

— Não sei. Tomara que ela venha mesmo. Não vejo a hora de acabar com esse tormento.

Vinte minutos depois, Albertina tocou a campainha. Laura abriu e a agradeceu por ter ido, levando-a até a sala onde Isabel esperava.

— Peço que seja breve. Não posso demorar.

— Sente-se, por favor — vendo-a sentada, Laura continuou: — A senhora sabe que, depois do desaparecimento de Carlos e de acreditar que ele tinha morrido, Isabel chorou muito, foi incansável na busca de informações. Durante mais de três anos, permaneceu reclusa, triste, sem motivação de viver. Mas a vida segue seu rumo, e felizmente ela decidiu retomar sua vida. Há um ano e meio ela conheceu outro rapaz e apaixonou-se por ele. Hoje estão noivos, planejam se casar, só falta marcar a data.

Laura fez ligeira pausa. Isabel, que observava em silêncio, interveio:

— Quando soube que ele estava vivo fiquei muito feliz, mas ao mesmo tempo fiquei em dúvida sobre um futuro relacionamento. Recolhi-me para pensar, analisar meus sentimentos e saber que rumo daria à minha vida. Ontem, quando fui à sua casa e nos encontramos, percebi que não o amava mais como antes. Decidi ficar com meu noivo.

Albertina ouvia tentando esconder a emoção, mas continuava calada. Isabel prosseguiu:

— Ontem mesmo eu desejava esclarecer a verdade, porém não tive coragem, principalmente por notar que ele se referia a mim como se o tempo não tivesse passado. Hoje ele veio aqui, querendo marcar a data do casamento. Eu disse-lhe que não queria mais me casar com ele.

Isabel se calou e Laura continuou:

— Ele reagiu de forma violenta. Segurou Isabel com força, gritava nervoso. Precisei intervir, pedir que a soltasse. Nós sentimos que ele não está bem. Por esse motivo a chamamos aqui.

— Depois de uma notícia dessas, que ele não esperava, como queriam que ele ficasse? Têm ideia do que vocês fizeram com ele, depois de tudo que sofreu, perdendo anos preciosos de sua juventude na matança da guerra? Durante esses anos de horror, o amor por você foi seu único ponto de apoio. Ele ficou sem chão. Temo o que será dele agora, depois disso.

Lágrimas desciam pelas faces de Isabel enquanto Albertina, dedo em riste, dizia todas essas coisas em tom de acusação.

— Carlos é jovem e vai refazer sua vida. Pior seria enganá-lo, forçando um casamento sem amor — tornou Laura. — A senhora precisa aconselhar Carlos a fazer um tratamento psicológico. É difícil sair ileso de uma guerra. Ele precisa de ajuda para recuperar o equilíbrio.

Albertina levantou-se, mãos na cintura, encarando-as desafiadora:

— O quê? Vocês fazem a maldade e querem que meu filho seja punido? Ele é o desequilibrado? Foi você, Isabel, que foi inconstante e agora quer jogar a culpa sobre ele. Mas não vou aceitar isso. De hoje em diante, esqueçam que nos conhecem. Não quero ouvir falar de vocês nunca mais!

Ela saiu pisando firme, bateu a porta com força. Isabel soluçava nervosa. Laura a abraçou:

— Calma, filha. Não fique assim. Essa megera não merece que você chore por ela. Afastando esse casamento, a vida evitou que você se unisse a pessoas que pensam de forma muito diferente de nós. Vamos elevar nosso pensamento e pedir a Deus que nos proteja e os ajude a encontrar um caminho melhor.

Albertina chegou em casa irritada. Arrependia-se de ter ido à casa de Isabel. Pouco antes de Laura ligar desejando falar com ela, Carlos já havia chegado em casa pálido e nervoso.

— Você não está bem. Aconteceu alguma coisa? — perguntou Albertina.

Ele pareceu nem ouvir, subiu e trancou-se no quarto. Albertina sentiu um aperto no peito e uma sensação desagradável.

Inês entrou na sala e perguntou:

— O que foi, mãe? Você está com uma cara...

Albertina balançou a cabeça negativamente e respondeu:

— Seu irmão. Entrou nervoso, perguntei o que tinha acontecido, mas ele fechou a cara, não respondeu e foi trancar-se no quarto. Quando saiu de casa estava alegre, pensando em arranjar emprego para se casar logo. Pouco depois voltou de cara amarrada.

— Com certeza levou um fora de Isabel.

— Ela não faria isso com ele. Sofreu tanto quando ele esteve ausente!

— Só você pensa isso. Há muito tempo ela desistiu dele e arranjou outro. Cansei de vê-la ao lado dele toda amorosa. Carlos voltou só pensando nela. Para ele, parece que o tempo não passou.

— Custo a crer. Isabel é uma boa moça, sincera, apaixonada. Tem certeza mesmo de que ela está namorando outro?

— Mãe! Eles estão noivos de aliança e tudo.

— Ontem ela não estava com aliança...

— Acha que ela viria ver Carlos usando uma aliança de outro? Claro que ela tirou. O melhor que ele tem a fazer agora é esquecer essa traidora e cuidar da própria vida de outra forma.

— Não sei... ele parece tão apaixonado! Não vai se conformar.

Inês deu de ombros dizendo:

— Não tem outro remédio. Terá de se conformar. Ele merece coisa melhor. Ela provou não ser de confiança.

Quando o telefone tocou e Laura chamou-a para ir à sua casa, Inês não gostou:

— Não vá, mãe. Elas querem é que você se meta no meio da briga deles. Sabem que Isabel está errada, temem a ira de Carlos. Não vale a pena perder tempo com isso.

— Eu vou. Quero ouvir o que elas têm a dizer.

Ela foi. Ao entrar em casa de volta, foi à cozinha em silêncio. Inês ouviu-a entrar e aproximou-se:

— E então?

— Você tinha razão. Eu não deveria ter ido. Isabel terminou tudo com Carlos.

— Eu sabia! Mas o que elas queriam com você?

— Laura veio com uma conversa de que Carlos estaria desequilibrado por causa da guerra e eu deveria levá-lo a um psicólogo. Ficaram com medo porque ele ficou nervoso, reagiu e as ameaçou.

— Viu que espécie de gente elas são? A cara de santa de Isabel nunca me enganou. Se eu estivesse lá lhes diria poucas e boas. Certamente você não deixou por menos.

— Não mesmo. Rompi com elas de uma vez. Pobre filho, além de desprezado é tachado de louco... Que maldade!

— É bom para você ver que eu tinha razão. O que temos a fazer agora é ajudar Carlos a esquecer. Estou certa de que ele vai refletir melhor e perceber que Isabel não merecia o amor que ele lhe dedicava.

— Isso mesmo. Meu filho é um moço bom, bonito, trabalhador. Vamos motivá-lo a tocar a vida pra frente. Pensando bem, foi melhor assim.

Albertina caprichou no jantar e, quando Antônio chegou, Inês contou-lhe tudo e ele as apoiou. Pensava da mesma forma.

Quando ia servir o jantar, Inês foi chamar o irmão. Bateu várias vezes, chamou, mas ele não respondeu. Preocupada, ela voltou à copa:

— Tem certeza de que Carlos está no quarto?

— Tenho. Ele subiu e ouvi o barulho da porta.

— É que eu bati, chamei, mas ele não respondeu.

— Vai ver está dormindo.

As duas foram até lá, bateram novamente, mas não obtiveram resposta. Preocupada, Albertina girou a maçaneta e abriu. O quarto estava vazio.

— Ele deve ter saído e você não viu — comentou Inês.

— Será? Eu não ouvi nenhum ruído. Ele não disse nada. Aonde terá ido?

— Queria ficar sozinho para pensar. Deve ter ido caminhar um pouco para tentar clarear as ideias. Quando voltar estará melhor.

— Tomara. Fiz uma comida que ele adora. Se ele demorar vai perder o sabor.

— Vamos comer, fazer jus a esse jantar. Logo ele estará aqui, você vai ver.

Albertina concordou e foi servir o jantar. Elas comeram, o tempo foi passando e Carlos não voltava.

Albertina esperava ansiosa. Passava das onze quando Antônio aproximou-se:

— Vamos dormir. É tarde.

— Vá você. Eu vou esperar Carlos chegar. Estou preocupada.

— Bobagem. Ele deve ter ido ver a namorada ou procurar os amigos. Daqui a pouco estará em casa.

— A Isabel rompeu o compromisso e ele estava muito nervoso.

— Ele lhe contou?

— Não. Laura me ligou e chamou para conversar com Isabel. Elas que me contaram.

Antônio meneou a cabeça e exclamou:

— Inês tinha razão. Aquela gente não é de confiança.

— Sabe o que me disseram? Que Carlos não está bom da cabeça por causa da guerra e que eu deveria levá-lo ao psicólogo.

Antônio levantou-se irritado:

— Como? Agora o caso é comigo. Vou até lá tomar satisfações. Não admito que caluniem meu filho. Quem elas pensam que são? Isso é caso de polícia!

— Também acho. Carlos é um herói de guerra! Deveria ser respeitado. Ele não esperava esse desfecho. Aonde será que foi?

Antônio ficou pensativo durante alguns segundos, depois disse:

— Você está exagerando. Vou dar uma volta pra ver se o encontro.

— Faça isso. Ficarei esperando.

O tempo foi passando e Albertina sentia o coração apertado. Uma hora depois, Antônio voltou sozinho.

— E então?

— Andei pelo bairro inteiro e nem sinal dele. Onde terá se metido?

— Talvez seja bom avisar a polícia. Temo que ele tenha feito alguma bobagem.

— Não. Ele deve estar pensando na vida, tentando esfriar a cabeça. Logo vai aparecer. Vamos dormir.

— Não vou conseguir. Vá você. Eu ficarei esperando.

Antônio foi para o quarto e Albertina sentou-se disposta a esperar. Sua cabeça doía e sentia o peito oprimido. O dia estava amanhecendo quando ela ouviu o barulho da porta. Pouco depois, Carlos entrou. Rosto contraído, fisionomia abatida.

Albertina correu para ele dizendo:

— Graças a Deus que voltou. Onde esteve até esta hora?

Carlos olhou-a admirado:

— O que está fazendo acordada?

— Estava preocupada com você. Saiu sem dizer nada, não veio jantar, seu pai andou o bairro inteiro à sua procura sem encontrá-lo. Onde estava?

— O que é isso agora? Não sou mais uma criança que precisa dar satisfações quando sai. Não gosto de ser vigiado. Basta o que passei no Exército. Agora sou livre para fazer o que quiser.

Albertina sentiu cheiro de álcool e dissimulou a contrariedade. Disse com uma voz que procurou tornar calma:

— Não fiz por mal. Estive em casa de Isabel e sei que ela terminou o namoro. Fiquei com medo que fizesse alguma bobagem.

Ele franziu a testa irritado:

— Você foi à casa dela me procurar? Não tinha esse direito. Não quero que ninguém se meta em minha vida.

— Eu não me meti. Laura me ligou e pediu que eu fosse lá para conversar. Atendi para saber o que ela queria.

— Não acredito! O que elas lhe disseram?

Albertina hesitou um pouco:

— Bem... Isabel explicou que refez a vida acreditando que você tivesse morrido. Seus sentimentos mudaram e ela não quer reatar o noivado com você.

— Para isso ela não precisava incomodar você. Já tinha me dito. Só que não vou aceitar. Isabel é minha e não vou admitir que ninguém a tire de mim.

— Você vai ter de aceitar. Não pode obrigá-la. Ela deixou de amá-lo, se é que algum dia o amou. O melhor que tem a fazer é tentar esquecer. Há muitas moças boas e mais bonitas do que ela à sua volta. Poderá escolher a que mais lhe agradar.

Carlos cerrou os dentes e disse com raiva:

— É ela que eu quero! Isabel não será de mais ninguém. Não vou deixar. Ela vai voltar para mim arrependida e submissa. Você vai ver.

Olhando o rosto contraído do filho, Albertina sentiu o peito oprimido e uma sensação de medo. Alguma coisa no olhar dele e no tom de sua voz a assustou. De repente, sentiu-se exausta, sem forças. Respondeu com voz sumida:

— Está bem, meu filho. Vamos para a cozinha. Vou preparar alguma coisa para você comer.

— Não precisa. Não quero nada.

— Pelo menos um chá...

— Não quero. Vá dormir. Eu vou para meu quarto.

Ele subiu e Albertina, depois de verificar se a porta estava fechada, foi para o quarto. Deitou-se, mas, apesar de cansada e sem forças, não conseguia dormir. Parecia ouvir a voz de Laura dizendo:

"A senhora precisa aconselhar Carlos a fazer um tratamento psicológico. É difícil sair sem traumas de uma guerra. Ele precisa de ajuda para recuperar o equilíbrio."

Ela não deveria impressionar-se com as palavras de Laura. A reação dele era natural. Não tinha nada que ver com problemas emocionais provocados pela guerra.

Mas, por mais que se esforçasse, aquelas frases não lhe saíam do pensamento.

Na manhã seguinte, quando Carlos sentou-se à mesa para tomar café, Antônio disse sério:

— Você já decidiu o que vai fazer?

— Por que pergunta?

— Você já perdeu tempo demais nessa guerra. É hora de pensar no seu futuro. Eu gostaria que retomasse os estudos.

— Esse tempo passou. O que eu quero agora é ganhar dinheiro. Estou pensando em trabalhar.

— No quê? Você não tem profissão. Ganhar dinheiro como?

Carlos olhou-o sério e disse com voz firme:

— Vou encontrar um jeito. A vida me roubou muita coisa. Agora que estou livre, não vou permitir que isso aconteça de novo.

— Ganhar dinheiro não é fácil. Tenho me esforçado e, até hoje, nunca consegui mais do que pagar as despesas.

Albertina interveio:

— Não seja injusto. Temos vivido com muito conforto.

— Pois eu não quero só conforto — tornou Carlos. — Quero ser rico, muito rico.

Antônio balançou a cabeça negativamente:

— Sonhar é bom, mas para isso você vai precisar de muito mais. Ainda se tivesse algum capital...

— Estive pensando e tenho algumas ideias. Para começar preciso arranjar um bom emprego.

— Não vai ser fácil. Você está fora do mercado de trabalho há muitos anos.

Carlos ficou pensativo durante alguns segundos, depois disse:

— Não importa. A vida foi dura, mas, apesar da guerra, aprendi muito nesses anos todos. O mundo mudou, meu pai, e eu sei que de alguma forma vou conseguir o que quero.

Inês apareceu na copa apressada e sentou-se à mesa, dizendo:

— Perdi a hora. Estou atrasada, mas vou tomar meu café.

Carlos olhou-a e perguntou:

— Você gosta do seu emprego?

Ela deu de ombros:

— Mais ou menos. Eu trabalho porque preciso, não porque gosto.

— Eu já lhe disse que não precisa trabalhar. Sou suficiente para sustentar minha família. Depois, a miséria que você ganha não significa nada — tornou Antônio.

— Pai, pode chamar de miséria, mas é com esse dinheiro que eu compro as coisas de que gosto. Você fala, mas reclamava sempre que eu lhe pedia dinheiro. Gosto de ser independente.

— Na Europa, as mulheres trabalham. A princípio era para substituir os homens, mas, depois que a guerra acabou, a maioria quis continuar.

— Espero que esse costume não venha para o Brasil. Mulher deve ficar em casa, e não tirar o lugar dos homens.

Inês sorriu e respondeu:

— Esse costume já chegou aqui. No escritório o número de moças tem aumentado. Quando eu entrei éramos apenas quatro, agora somos dez.

— É o progresso. É como eu digo. Os costumes estão mudando e aqui não será diferente. É com isso que eu conto para encontrar uma atividade rendosa que me satisfaça. Eu mereço. Passei anos correndo risco de morrer em uma guerra que não era minha. Agora tenho o direito de receber a recompensa — disse Carlos.

— Como pensa fazer isso? Quem vai lhe pagar? — indagou Inês.

— A sociedade. Vou tirar dela tudo de que tenho direito. Ela vai me pagar, e com juros.

— Você sonha alto. É melhor não se iludir — comentou Antônio.

Carlos olhou-os sério e respondeu com voz firme:

— Vocês vão ver. Vou conseguiu tudo que quero.

Albertina observou um brilho diferente no olhar do filho e sentiu um aperto no peito. Carlos nunca fora apegado ao dinheiro. Suas palavras traziam uma intenção que, para Albertina, não parecia boa.

Mas acalmou-se, pensando que seria difícil ele conseguir e que logo desistiria. Afinal, ganhar dinheiro não era fácil.

Inês levantou-se para sair. Carlos disse:

— Vou com você. Hoje tenho de tirar alguns documentos e receber o dinheiro que falta.

Depois que eles se foram, Albertina comentou com o marido:

— Não gostei do jeito que Carlos falou. Ele nunca foi ganancioso.

— Não se preocupe. Ele vai quebrar a cara e desistir. Se ganhar dinheiro fosse fácil, todos seriam ricos neste mundo.

Albertina sorriu aliviada. Estava se preocupando sem motivo. Antônio tinha razão.

Sentados no bonde a caminho do centro da cidade, Inês perguntou a Carlos:

— Para onde você vai?

— Descobri que tenho algum dinheiro para receber do Exército. Se sair hoje, vou fazer umas compras. Sempre gostei de me vestir bem.

— De fato. Precisa mesmo. Nem de longe você lembra o rapaz elegante que sempre foi.

Carlos trincou os dentes com raiva:

— Isso vai mudar. Logo terei dinheiro não só para ter tudo o que tinha antes, como muito mais. Eu mereço. Comi o pão que o diabo amassou e perdi a mulher que amo. Isso tem um preço e eu vou cobrar.

— Cobrar de quem?

— Da vida. Ela vai me devolver tudo que me tirou e muito mais. É meu direito.

— Você fala como se fosse fácil. Você nem chegou a se formar. As coisas não estão fáceis para ninguém.

Os olhos de Carlos brilharam quando respondeu:

— Você vai ver. Eu quero mais, muito mais. E sei que vou obter.

Inês meneou a cabeça:

— É melhor ser modesto para não quebrar a cara. Quanto a Isabel, você não perdeu nada. Logo vai aparecer outra e você vai esquecer. Ela não merece seu amor.

— Não vou desistir, apenas dar uma pausa enquanto me preparo para uma nova investida.

— Não é uma boa ideia. Ela não o ama mais. Não se humilhe diante de quem não o valoriza.

Carlos mordeu os lábios e respondeu:

— É negócio meu e não aceito palpite de ninguém. Sei o que estou fazendo. Guarde sua opinião e deixe-me em paz.

— Está bem. Não precisa brigar. Sou sua irmã e desejo sua felicidade. Não tocarei mais no assunto.

— É melhor assim.

No centro da cidade se separaram. Inês foi trabalhar e Carlos tentar receber o dinheiro. Depois de subir e descer no prédio da sede do Exército e conseguir os documentos de que precisava, finalmente conseguiu receber o dinheiro a que fazia jus.

Era menos do que esperava. Para que seu plano desse certo, ele precisava comprar roupas elegantes e de qualidade. Sabia que no mundo dos negócios a aparência é importante.

Passou o dia inteiro fora, voltou para casa no fim da tarde carregando seus pacotes, cansado, mas satisfeito.

Vendo-o chegar, Albertina comentou:

— Você demorou! Pelo visto recebeu o dinheiro.

— Deu trabalho, mas recebi.

— Quanto foi?

— O suficiente para comprar as roupas de que precisava para começar a procurar emprego.

Quando ele foi para o quarto, Albertina foi atrás. Carlos abriu os pacotes e estendeu tudo sobre a cama.

— Você comprou roupas caras.

— Preciso me apresentar bem.

— Poderia ter comprado algo mais modesto e guardado o dinheiro para as primeiras despesas até arranjar emprego, o que não vai ser fácil.

— Tenho meus planos e sei o que estou fazendo. É melhor não dar opinião.

Albertina não esperava essa reação e franziu o cenho:

— Falo para o seu bem. Não precisa ser grosseiro.

Carlos justificou-se:

— Estou sendo franco. No Exército, durante anos, só fiz o que os outros mandavam. Agora que estou livre, quero agir do meu jeito. Desde que cheguei, notei que vocês pensam muito diferente de mim.

— Nós somos os mesmos. Você é que voltou diferente.

— O mundo mudou, mãe. As pessoas mudaram. É preciso andar para frente. Vocês continuam no mesmo lugar. Eu quero progredir e vou conseguir.

Depois que Albertina deixou o quarto, Carlos passou a chave na porta e sentou-se diante da pequena mesa, disposto a decidir quais seriam os primeiros passos.

Começou por anotar o que tinha a seu favor. Primeiro, era um ex-combatente, e isso lhe dava uma aura de herói. Aprendera a falar inglês, italiano e um pouco de alemão e russo. Os costumes do pós--guerra mudaram e a cultura europeia era muito diversa da brasileira.

Reconhecendo isso, Carlos adquiriu valores novos. Aprendeu a valorizar a arte, a ouvir boa música, a respeitar os bens públicos.

Descobriu que, lá, os bons profissionais eram mais valorizados e os chefes, mais exigentes.

Além do mais, querendo virar a página depois dos sofrimentos da guerra, havia no ar uma euforia positiva, mesmo nos países ocupados, e uma vontade grande da população de retomar os prazeres da vida.

A descoberta do holocausto e dos horrores da ocupação chocou nos primeiros tempos, mas o desejo de retomar a vida normal e viver em paz prevaleceu.

Sem documentos, Carlos precisou trabalhar para manter-se. Fez de tudo. Trabalhou na limpeza, na cozinha dos restaurantes e no que aparecesse, às vezes em troca de comida ou de alguma roupa.

Agora, relembrando toda a sua experiência, reconheceu que tinha aprendido muito. Pensou durante muito tempo, depois decidiu. Ele merecia da vida uma recompensa pelos sofrimentos que foi forçado a suportar. Tinha valor e não aceitaria qualquer coisa.

Na manhã seguinte, bem-vestido e de cabeça erguida, visitaria algumas empresas para oferecer seus préstimos.

Tendo programado sua vida, pensou em Isabel e seu rosto contraiu-se. Não pretendia desistir. Ela seria dele e de mais ninguém. Recobraria tudo que a vida lhe tirara. Era uma questão de honra.

Albertina bateu na porta avisando que o jantar estava servido. Ao chegar à copa, a família já estava à mesa.

Vendo-o sentar-se, Inês perguntou:

— E então, como foi, conseguiu o que precisava?

— Sim. Está tudo bem. Amanhã começarei a procurar emprego.

— E o que pretende fazer? O mercado não está fácil...

— Não se preocupe, Inês. Está tudo sob controle.

Antônio interveio:

— Sua irmã tem razão. Você não tem diploma nem profissão. Vai precisar começar de baixo.

Carlos franziu o cenho irritado:

— Nada disso. Tenho valor e vou conseguir um bom começo.

— Ele gastou todo o dinheiro que recebeu em roupas caras. Quer começar de cima — tornou Albertina.

— Vai quebrar a cara — disse Inês.

— Depois de tudo que passei esses anos todos, pensei que iriam me apoiar. Estava enganado. Vocês querem é me derrubar. Não vou tolerar esse tipo de intromissão na minha vida. Não lhes pedi opinião. Por favor, deixem-me em paz.

Albertina fez cara de choro, Inês abaixou a cabeça sobre o prato e Antônio ia retrucar, mas, olhando o rosto do filho, mudou de ideia:

— Vamos mudar de assunto e comer em paz.

— É melhor assim — respondeu Carlos, que continuou comendo em silêncio.

Depois do jantar, ele foi para o quarto, enquanto Albertina foi para a cozinha lavar a louça. Inês tirou a mesa e depois foi ajudar a mãe na cozinha. Antônio sentou-se na sala para ler o jornal.

Albertina parou, foi até a porta, olhou para cima, voltou, suspirou e depois disse:

— Ele foi para o quarto.

— Carlos não é mais o mesmo. Mudou muito. Irrita-se por qualquer coisa...

— Estou preocupada. Vai ver que dona Laura está certa. Carlos precisa de tratamento.

— Do jeito que ele anda, quero ver quem é que vai dizer-lhe isso...

— Falarei com o seu pai. Ele precisa fazer alguma coisa.

Pensativas e em silêncio, elas continuaram a trabalhar.

Fechado no quarto, Carlos fazia planos para o dia seguinte. A atitude negativa da família não o preocupava nem um pouco. Durante o tempo em que estivera fora, tivera de lutar com suas próprias forças para sobreviver. Isso o fizera desenvolver certo senso de preservação de sua integridade.

Passara situações de risco mesmo depois de a guerra ter acabado. Tendo sido feito prisioneiro e vivido na promiscuidade, com desconhecidos tão perturbados e sofridos quanto ele mesmo, muitas vezes tivera medo de perder a razão. Esforçava-se para isolar-se dos problemas dos outros, mantinha a ideia fixa na certeza de que um dia ficaria livre e voltaria para casa.

O fato de ter conseguido sobreviver, manter-se em meio ao caos e ter voltado para casa são e salvo o fizera confiar na própria capacidade. Estava certo de que conseguir o que desejava seria questão de tempo.

Por esse motivo, não pretendia insistir com Isabel, mas agir de um jeito que a fizesse voltar a procurá-lo.

Para conseguir isso, precisava provar a ela que era mais inteligente, mais capaz e muito melhor que seu rival.

Apanhou a lista telefônica comercial e começou a ler os anúncios. Anotou nome e endereço de algumas empresas estrangeiras para visitar na manhã seguinte. Pensou na abordagem que faria, o que lhes poderia oferecer e como se apresentaria.

Passava da meia-noite quando se preparou para dormir, mas o sono demorou a chegar. A figura de Isabel não lhe saía do pensamento e a sensação de decepção o atormentava. Para afugentá-la, começou a imaginar que tudo quanto desejava já estava acontecendo. Viu-se vencedor, rico, com Isabel ao seu lado, suplicando para voltar. Aos poucos foi se acalmando e por fim adormeceu.

Sonhou que estava na trincheira diante de Adriano ferido, que lhe pedia que procurasse Anete e lhe desse seu recado, sem conseguir dizer tudo o que queria. Angustiado, Carlos acordou sentindo ainda a dor de ver o amigo morrendo, sem poder fazer nada.

Nervoso, levantou-se, tomou um copo de água tentando recuperar a calma. Apesar de ter jurado que cumpriria o prometido, ele nunca soube o que aconteceu com Anete. Os acontecimentos se sucederam, o posto de socorro onde ela trabalhava era de campanha e ele não sabia para onde teriam ido.

Apesar de Adriano não ter tido tempo de dizer tudo que desejava, ele gostaria de tê-la encontrado para pelo menos dizer que pensara nela em seus últimos momentos.

Carlos acreditava que, quando sua vida já estivesse organizada, esses sonhos não mais o atormentariam. Ninguém passa pelo que ele passou sem sentir nada. Com o tempo, eles haveriam de desaparecer.

Deitou-se novamente, procurando direcionar o pensamento para as providências que pretendia tomar no dia seguinte. Aos poucos foi serenando e adormeceu novamente, mas dessa vez sem sonhos.

Na manhã seguinte, Carlos levantou cedo, vestiu-se e desceu para o café. Vendo-o entrar na copa, Inês admirou-se:

— Como você está elegante! Nem parece aquele que voltou de uma guerra!

Albertina sorriu e aduziu:

— Agora sim, você está bem.

— Obrigado. Papai não se levantou?

— Já, mas ainda não desceu.

— Estou com pressa. Não posso esperá-lo para o café.

Antônio apareceu na porta:

— Você sabe que eu gosto de reunir a família no café.

— Eu sei, pai.

Eles sentaram-se em silêncio. Carlos pensava na abordagem que faria logo mais nas empresas que iria visitar.

Antônio quebrou o silêncio:

— Que espécie de emprego você pretende procurar? Vai fazer o quê?

— Tenho algumas ideias. Vamos ver o que consigo.

— Isso é muito vago. Desse jeito não vai conseguir nada.

— Não se preocupe, pai. Sei o que vou fazer.

Albertina e Inês olhavam curiosas, mas como Carlos continuou calado sem adiantar mais nada, elas ficaram quietas, com medo de dizer algo que provocasse uma reação como a da véspera.

Depois do café, Carlos saiu dizendo que não sabia a que horas voltaria. Antônio em seguida foi comprar o jornal. Queria ver se encontrava algum trabalho para o filho.

Albertina falou primeiro:

— Inês, você não acha que Carlos está fora da realidade?

— Acho. Mas não dá para dizer nada. Ele acha que sabe tudo. Vamos ver como vai voltar. Vai quebrar a cara e voltar com o rabinho entre as pernas. Então, sim, nós poderemos dizer o que pensamos e ele terá que ouvir calado.

— Você acha mesmo? Ele está tão bonito, tão confiante... Será?

— Mãe, cai na real! Ele não tem como conseguir o que deseja. Emprego é difícil até para quem tem diploma, quanto mais para quem está há tanto tempo fora, sem trabalhar. Mas deixe que ele aprenda. Afinal, a vida ensina.

— Vamos ver. Eu gostaria muito que ele de fato conseguisse um bom emprego.

— Que bom se a vida fosse assim tão fácil: querer e ter.

— É... infelizmente não é assim. Meu pai dizia que só se consegue alguma coisa com muita luta!

— O vovô estava certo. Não vê o papai? E eu, que tenho me esforçado e não consigo nada?

Carlos notara a descrença dos familiares, mas não deu importância. Sabia o que queria. A primeira da sua lista era uma empresa americana de turismo.

Vendo-o entrar, bem-vestido e elegante, a recepcionista sorriu amável, e ele se apresentou:

— Meu nome é Carlos Vasconcelos, acabei de chegar do exterior. Quero conversar com o diretor.

— Sobre que assunto?

— Tenho um excelente negócio para propor. Como é o nome do diretor?

— Mr. Robinson. Pode adiantar-me alguma coisa sobre o seu assunto?

— Estou retornando depois de cinco anos na Europa. Tenho alguns projetos que gostaria de apresentar a esta empresa. O assunto é do interesse deles.

— Vou ver se pode atendê-lo.

Ela saiu e voltou pouco depois dizendo:

— Mr. Robinson está muito ocupado no momento. Você pode voltar um outro dia.

— Infelizmente, não poderei. Tenho outros compromissos.

Carlos tirou do bolso um cartão em branco, escreveu algumas palavras em inglês e ofereceu à recepcionista, dizendo:

— Entregue a ele, por gentileza. Até outro dia.

Carlos saiu e a recepcionista encaminhou-se para a sala do diretor. Entrou e estendeu o cartão dizendo:

— O rapaz disse que tem muitos compromissos e não poderá voltar um outro dia. Deixou este cartão para o senhor.

Ele segurou o cartão e leu no mais perfeito inglês: "Carlos Vasconcelos. Assessor de negócios" e um número de telefone.

— Como era ele? — perguntou curioso.

— Moço, boa aparência, muito bem vestido.

— É mesmo?

Depois que a recepcionista saiu, ele ficou revirando o cartão entre os dedos.

— Que projetos será que ele tem? Talvez seja bom ligar.

Carlos visitou ainda uma fábrica de tecidos, onde também não foi recebido pelo gerente, mas deixou outro cartão. Foi a uma joalheria sofisticada, onde conversou com o responsável, apresentando-se como assessor de negócios. Ficou sabendo que o dono era um russo, um ourives que emigrara para o Brasil depois da Primeira Guerra Mundial.

O gerente da loja era sobrinho do dono, e Carlos conversou com ele em russo, o que despertou seu entusiasmo. Carlos teve chance de contar-lhe que aprendera o idioma trabalhando com os russos na Alemanha Oriental. Mencionou a música russa, que ele de fato gostava, e falou de sua vontade de conhecer a Rússia, o que encantou Yuri.

— Faz uma semana que regressei e preciso começar a trabalhar. O mundo mudou depois da guerra e vai mudar ainda mais. Há um sopro de mudança em tudo. O Brasil ainda é um país jovem, que tem muito a oferecer a quem souber aproveitar. Aprendi muito lá fora e sei como fazer para trazer o progresso para este país. Procurei vocês porque sei que, mais experientes, saberão avaliar meu trabalho.

Depois de um café, Yuri considerou:

— Foi bom conhecê-lo. Desejo apresentá-lo a meu tio. Estou certo de que ele terá um trabalho para você.

— Estou certo que sim. Vocês não vão se arrepender de confiar em mim.

Passava das quatro da tarde quando Carlos deixou a joalheria. Sentiu fome, mas preferiu comer alguma coisa em casa. Estava com pouco dinheiro.

Chegou em casa satisfeito com o resultado que obtivera. Fizera bons contatos. Mesmo não tendo sido recebido pelos outros, estava certo de que tinha tomado a atitude adequada. Era muito provável que lhe telefonassem.

Precisava instruir seus pais sobre como atender a esses telefonemas. Eles poderiam estragar tudo. Depois de comer, conversaria com eles.

Isabel olhou-se no espelho e sorriu. Estava linda. Depois de mais um olhar, apanhou a bolsa e saiu satisfeita. Gilberto a esperava na sala enquanto conversava com Laura. Vendo-a chegar, levantou-se, beijou-a na face e não pôde evitar o comentário:

— Você está linda!

— Obrigada. Demorei muito?

— Conversando com sua mãe, não vi o tempo passar.

— Ele diz isso, mas não tirava os olhos da escada — disse Laura, sorrindo maliciosa.

Eles se despediram e saíram. Uma vez no carro, Gilberto estreitou-a de encontro ao peito e tornou:

— Estava com saudades! Desejei que o tempo passasse rápido para que pudéssemos nos ver. Você me deixou de castigo.

— Também senti sua falta. Mas foi preciso. Carlos reagiu mal quando eu disse que preferia ficar com você. Achei melhor deixar assentar a poeira.

— Ele a procurou?

— Felizmente não. Vai ver pensou melhor e se conformou. Ele sabe que eu tive razão e que não houve traição.

— Melhor assim.

— Estou aliviada. Ir naquele dia à casa dele foi um pesadelo. Não sei como um dia pude pensar em me casar com ele e pertencer àquela família. A não ser dona Albertina, o resto da família não gosta de mim. Se eu tivesse me casado, estaria muito infeliz, estou certa disso.

— Você ainda não conhece minha família.

Isabel pensou um pouco e perguntou:

— Acha que eles gostariam de mim?

— Claro que sim. Mas não se preocupe com isso.

— Como não? Eu gostaria de conhecê-los e causar boa impressão. Você me disse que tem dois irmãos. Como são eles?

— O Nivaldo é dois anos mais novo do que eu. Formou-se em agronomia, está morando em Pouso Alegre e cuida da nossa fazenda. Nice é a caçula, atualmente mora no Rio de Janeiro e está para formar-se em direito.

— Você não mora com seus pais?

— Eu moro sozinho. Eles têm apartamento em São Paulo, mas quase não ficam aqui. Passam a maior parte do tempo na fazenda. Minha mãe adora e meu pai tem paixão pela sua criação de gado.

— Não sente saudades deles? Eu não suporto ficar longe dos meus.

Isabel notou que pelo rosto de Gilberto passou uma sombra de tristeza quando disse:

— A gente aprende a lidar com a falta.

Ela, então, percebeu que havia alguma coisa desagradável no ar e mudou de assunto. Não desejou ser indiscreta. Começou a falar sobre alguns acontecimentos engraçados da empresa onde trabalhava, o que deixou o ambiente leve e agradável.

Foram jantar e dançar no mesmo restaurante em que estiveram quando saíram pela primeira vez. Gilberto explicou:

— Você preferiu ficar comigo e estou muito feliz. Viemos aqui para comemorar. É hora de falarmos sobre o futuro. Quero marcar nosso casamento. O que acha?

— Para mim está bem.

— Tem certeza de que quer se casar comigo? Está segura?

Isabel olhou nos olhos dele e respondeu:

— Estou. É você que eu amo.

Gilberto segurou a mão dela e a levou aos lábios, beijando-a com carinho.

— É isso que importa. Vamos conversar com a sua mãe e programar tudo. Acha que ela vai concordar?

— Vai. Gosta de você e aprova nossa união.

— Amanhã mesmo falaremos com ela. Venha, vamos dançar.

Isabel levantou-se e, prazerosamente, mergulhou nos braços dele. Dançar era o que ela mais gostava de fazer, e Gilberto dançava muito bem. Ela sentia-se leve tendo ao redor de seu corpo os braços dele, que a faziam sentir-se protegida e feliz.

Passava da meia-noite quando voltaram para casa. Beijaram-se várias vezes, depois Gilberto abriu a porta do carro, Isabel desceu e foram caminhando até a porta de entrada. Ela abriu a porta e ele lembrou:

— Amanhã à noite conversarei com sua mãe. Combinado?

— Estaremos esperando.

Beijaram-se novamente. Ela entrou e ouviu quando ele deu a partida do carro e se foi. A casa estava às escuras e Isabel foi para o quarto, procurando não fazer ruído para não acordar ninguém.

Preparou-se para dormir. Estava alegre, com vontade de cantar. Deitou-se, recordando com prazer os momentos da noite. Deu graças a Deus por Carlos não tê-la procurado mais. Sentia-se em paz e fazia planos para o futuro. Rezou em agradecimento e logo adormeceu.

Na manhã seguinte, quando o despertador tocou, ela acordou, olhou o relógio e levantou-se imediatamente. Arrumou-se para trabalhar e desceu.

Laura e Sônia estavam tomando café. Vendo-a chegar, Laura comentou:

— Não vi a hora que você chegou.

— Era quase uma da manhã.

— Pelo brilho de seus olhos, a noite deve ter sido boa — tornou Sônia.

— Foi ótima — comentou Isabel, enquanto se servia de café com leite. — Gilberto virá aqui hoje à noite conversar com vocês.

— Algo especial? — perguntou Sônia.

— Ele quer marcar a data do nosso casamento.

Sônia bateu palmas satisfeita. Laura não disse nada e Isabel perguntou:

— O que foi, mãe? Você parece preocupada.

— Não sei por que me lembrei das ameaças de Carlos. Será que ele já se conformou?

— Penso que sim. Não me procurou mais, então dou o caso por encerrado. Por esse motivo foi que saí com Gilberto. Pode ficar feliz. Ele não voltará a nos incomodar.

— Espero que seja assim.

— A família de Gilberto tem apartamento em São Paulo, mas passa a maior parte do tempo na fazenda que eles têm em Minas. O irmão é agrônomo e cuida da fazenda, a irmã mora no Rio de Janeiro e estuda direito.

— Eles moram longe. Agora entendo por que ele ainda não a levou para conhecer a família — tornou Laura. — Ele vive aqui sozinho.

— Vive. Mas diz que está acostumado. Não sei como eles vão receber a notícia do nosso casamento. Será que vão gostar de mim?

— Eu adoraria ter uma nora como você — brincou Laura. — Ele disse quando vai apresentá-la à família?

— Ainda não.

Continuaram conversando animadas, até que as duas irmãs saíram para o trabalho e Laura sentou-se na sala, pensativa.

Ela apreciava Gilberto e preferia ele a Carlos. Se Isabel estava feliz, ela também estava. Mas quando pensava no casamento, sentia um aperto no peito e uma ponta de medo inexplicável.

Reagiu. Estava impressionada pela reação de Carlos, mas nada indicava que ele fosse trazer-lhes problemas. Levantou-se e foi cuidar de seus afazeres. Pensava em preparar alguma coisa especial para a ocasião, escolher um vinho para comemorar.

Eram oito horas quando Gilberto tocou a campainha. Berta atendeu e ele entrou carregando rosas vermelhas.

— Dona Laura está na sala — avisou ela.

Vendo-o entrar, Laura levantou-se. Gilberto entregou-lhe as rosas dizendo:

— Para a senhora, com carinho.

Laura segurou as rosas, sorriu e estendeu a mão dizendo:

— São as minhas preferidas! Obrigada.

Sônia lia um livro no sofá e levantou-se para cumprimentá-lo. Laura entregou as flores a Berta.

— Coloque-as no vaso e avise Isabel que Gilberto já chegou.

Voltando-se para Gilberto, que a convite de Sônia sentara-se a seu lado no sofá, continuou:

— Que bom vê-lo! Estava sentindo sua falta.

— Eu também. Foi um retiro forçado e uma situação delicada. Eu queria que Isabel tivesse tempo para analisar a situação e sentir o que desejava fazer. Não queria pressionar. Confesso que fiquei muito feliz com o resultado.

— Foi melhor assim. Carlos voltou muito diferente do que era, pareceu-me mais determinado e exigente. Tornou-se agressivo quando Isabel lhe disse que não queria reatar o noivado. Para ser franca, a atitude dele ainda me preocupa.

— Ele deve ter enfrentado situações de risco, passado momentos difíceis, está estressado. Mas terá de aceitar a decisão de Isabel. A esta altura já deve ter entendido que não poderá obrigá-la a aceitá-lo, tanto que não a procurou mais.

— É, pode ser.

Sônia interveio:

— Claro, mãe. Ele deve ter pensado melhor, entendido que Isabel não o ama e que seria inútil insistir. Deve estar cuidando de sua vida. Cinco anos é muito tempo. Ele terá dificuldade de retomar sua carreira. Estamos vivendo um tempo de mudança.

Isabel estava descendo as escadas e Gilberto levantou-se para abraçá-la. Ela havia se preparado para a ocasião e estava linda. Gilberto a olhava com admiração e carinho. Depois dos cumprimentos, Laura foi à cozinha verificar como estava o jantar. Enquanto isso, Sônia colocou uma bandeja com petiscos sobre a mesinha e perguntou a Gilberto:

— Você aceita uma taça de vinho branco ou prefere outra bebida?

— Vinho branco está bem.

Enquanto Sônia foi buscar o vinho, ele beijou Isabel delicadamente na face e continuou:

— Você está mais linda a cada dia.

— E você mais gentil. Sente-se aqui, ao meu lado.

Sentados abraçados no sofá, eles conversavam baixinho, trocando palavras de carinho. Sônia deixou a bandeja com o vinho sobre a mesinha e foi ajudar a mãe na sala de jantar.

Meia hora depois, o jantar foi servido. A mesa, arrumada com tudo que Laura tinha de melhor, estava linda e convidativa. O cheiro da comida estava apetitoso e o ambiente, muito agradável.

Gilberto não se conteve:

— É um prazer muito grande estar aqui. Dona Laura, muito obrigado por me proporcionar esse jantar. Está tudo muito bonito!

— Espero que você possa dizer o mesmo da comida — respondeu Laura sorrindo.

Sentaram-se e o jantar decorreu de maneira alegre e agradável. Foi na hora da sobremesa que Gilberto levantou-se e pediu solenemente a mão de Isabel a Laura, como se oficializasse o compromisso, e depois decidiram quando seria o casamento.

Muito emocionada, deixando as lágrimas caírem, Laura os abençoou, dizendo que falava também em nome do marido, que havia falecido há mais de dez anos.

— Gostaria que Orlando estivesse aqui para compartilhar da nossa felicidade. Estou certa de que ficaria muito feliz. Infelizmente é impossível.

— Quem pode saber? — indagou Gilberto pensativo. — Nós sabemos muito pouco sobre o que acontece depois da morte.

— Eu acredito que a vida continua — respondeu Sônia. — Senão, que finalidade teria esta vida? Para que estaríamos aqui, seríamos pessoas de bem, faríamos o nosso melhor, se tudo acabasse com a morte do corpo? Na natureza nada se perde, tudo se transforma. Tenho aprendido isso na faculdade. Por que só nós seríamos destruídos?

— Tem razão. Eu sei que Orlando continua vivo em outra dimensão do universo e, muitas vezes, tenho sentido sua presença. Ele pode mesmo estar aqui neste momento tão especial. É hora de brindar a felicidade de Isabel e Gilberto.

Berta trouxe a bandeja com as taças e Laura serviu a champanhe, fazendo questão de que Berta participasse, e continuou:

— Que todos os sonhos de vocês dois se realizem e que sejam muito felizes!

Na sala havia mais duas pessoas que eles não podiam ver. O espírito de Orlando, de fato, estava lá. Olhos marejados, assistia a tudo, vibrando pela felicidade do casal. Ao lado dele, uma jovem de rara beleza observava comovida.

Ela colocou a mão no braço dele dizendo:

— Finalmente! Desta vez tudo vai dar certo!

— É o que mais desejo. Farei tudo para ajudá-los, aconteça o que acontecer.

— Vamos confiar. Tudo foi muito bem programado.

— Estou certo disso. O que me preocupa é a reação deles. Quando estamos na Terra esquecemos quase tudo que aprendemos aqui. O passado volta com força total e eu temo que eles se deixem envolver pelo momento.

— Onde está a sua fé? A vida só trabalha pelo melhor. Às vezes escolhe caminhos diferentes do que gostaríamos, mas o objetivo do amadurecimento de cada um é sempre o mesmo. Pode demorar um pouco mais do que o previsto, mas tudo sempre vai para onde deve ir. Não se deixe envolver pela preocupação. Ela pode inutilizar todo o auxílio que você tem condições de dar.

— Tem razão. Sei que tudo está certo, mesmo quando o caminho parece não ter saída.

— Não se esqueça nunca disso. Precisamos ir, temos outro compromisso para esta noite.

Orlando aproximou-se de cada um, abraçou-os com muito amor, enquanto a jovem, de braços levantados e mãos estendidas, orava. Seu peito irradiava uma luz amarelada, e de suas mãos começaram a sair energias brilhantes e multicoloridas que se derramavam sobre todos.

A conversa estava animada, mas, naquele momento, como por encanto, ficaram em silêncio durante alguns segundos.

Logo, Isabel comentou:

— De repente me lembrei do papai. Foi como se ele estivesse aqui. Eu gostaria muito de poder dividir este momento com ele.

Sônia suspirou e disse:

— Papai sempre estará presente em todos os momentos importantes de nossas vidas.

— Orlando partiu, mas continua em nossos corações. Desejo que, onde ele estiver, possa compartilhar da nossa alegria.

Vendo que Orlando estava muito emocionado, a jovem puxou-o pelo braço dizendo em tom firme:

— Vamos embora.

Na mesma hora os dois se elevaram e em poucos segundos desapareceram.

Depois do jantar, todos foram para a sala e conversaram mais um pouco, até que Sônia e Laura se despediram e deixaram os noivos conversando na sala.

Abraçado a Isabel no sofá, Gilberto comentou:

— Fazia muito tempo que eu não me sentia tão bem! Você tem uma família maravilhosa!

— Minha mãe tem um jeito especial de lidar conosco. Parece até que sente o que estamos pensando.

Por um segundo, o rosto de Gilberto se contraiu, mas logo se distendeu novamente. Isabel notou, mas não deu importância porque ele parecia muito bem.

Trocando beijos e fazendo planos para o futuro, os dois sentiam-se felizes e confiantes.

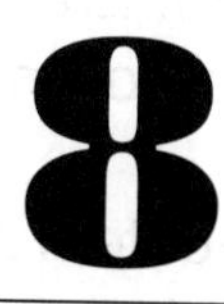

8

Carlos acordou cedo e desceu para o café. Todos estavam à mesa e o olharam curiosos.

— Bom dia — disse ele, sentando-se e começando a servir-se.

— E então, como foi? — perguntou o pai.

— Muito bem. Visitei algumas empresas, deixei cartão e vão me telefonar.

Sem dar importância aos olhares de dúvida, Carlos continuou:

— Se me ligarem e eu não estiver, quem atender não deve dar nenhuma informação sobre mim. Só anotem muito bem o recado.

Ninguém respondeu e, passados alguns minutos, Inês não se conteve:

— Você acredita mesmo que vão telefonar?

— Uma das empresas que visitei tem boas possibilidades de ligar.

Albertina interveio:

— Vou torcer para que dê certo!

Carlos terminou de comer, levou o jornal para o quarto e fez anotações de novas empresas para visitar, arrumou-se com capricho e, antes de sair, recomendou novamente que anotassem qualquer recado.

Passou o dia visitando empresas, não sendo recebido pela diretoria, deixando seu cartão. Eram quase seis horas da tarde quando voltou para casa. Ao aproximar-se da cozinha, ouviu a voz de Inês dizendo:

— É verdade, mãe. Foi ontem à noite.

— Carlos não pode saber. Agora que ele parece estar mais calmo, Isabel inventa essa moda. Ela bem que podia respeitar e esperar um pouco mais.

Carlos não se conteve e entrou na cozinha dizendo:

— O que eu não posso saber?

As duas se olharam assustadas. Ele estava pálido e seus olhos tinham um brilho rancoroso.

— Acalme-se — tornou Albertina. — O que aconteceu era de se esperar.

— O que foi?

Desta vez foi Inês quem respondeu:

— Agora é sério. Isabel marcou a data do casamento.

Carlos crispou as mãos com força e não respondeu. As duas temiam uma explosão de raiva, o que não aconteceu. Depois de alguns segundos, ele disse sério:

— Isso não é nada. Nesta vida tudo pode acontecer. Nunca se sabe o dia de amanhã, eles podem se separar por vários motivos. Alguém me telefonou?

As duas respiraram aliviadas.

— Ainda não — tornou Albertina.

— Vou descansar um pouco. Se ligarem, podem me chamar.

Ele subiu e as duas ficaram comentando o acontecido.

— Parece que ele já desistiu dela. Você não acha, mãe?

— Não sei. Ele se controlou, mas ficou furioso. Não viu como ele fechou os punhos?

— Eu esperava uma reação pior. Claro que ele deve ter ficado com raiva. Foi rejeitado e ninguém gosta de sentir-se assim.

No quarto, Carlos sentou-se na cama nervoso. Não iria permitir ser passado para trás dessa forma. Isabel era dele. Fazia parte de sua vida. Não podia aceitar que outro ficasse com ela.

Quando conseguisse o que pretendia, Isabel voltaria para seus braços. Era uma questão de tempo.

Sua cabeça doía. Ele foi ao banheiro, era lá que sua mãe guardava o armário de remédios. Procurou um comprimido, tomou e voltou para o quarto, onde se estendeu na cama e tentou relaxar.

Estava difícil. Em sua mente via Isabel nos braços do outro, trocando beijos e juras de amor. Esforçou-se para banir esses pensamentos, tentando lembrar-se de momentos mais agradáveis.

Aos poucos foi relaxando, e estava quase dormindo quando bateram na porta.

— O que foi? — indagou ele.

— Tem alguém no telefone querendo falar com você.

Carlos levantou-se de um salto, desceu as escadas e foi ao hall, onde ficava o telefone:

— Alô, quem fala?

— Yuri da joalheria. Lembra-se de mim?

— Claro. Como vai?

— Bem. Desculpe ligar fora do horário comercial, mas estou conversando com meu tio, ele quer conhecer você. Teria como você ir até a loja amanhã cedo, lá pelas nove?

— Sim. Estarei lá.

— Meu tio o estará esperando.

— Pode contar comigo.

Despediram-se e ele desligou o telefone com euforia. Se o emprego desse certo, logo conseguiria o que desejava.

Ao lado dele estava o resto da família, olhando-o com curiosidade. Antônio não se conteve:

— É o que você esperava?

— É, pai. Trata-se de uma empresa de joias. Amanhã vou conversar com o dono.

— Como você conseguiu isso?

— Conversando em russo com o sobrinho dele.

Inês interveio admirada:

— Você sabe falar russo?

— Por onde você acha que andei enquanto estive fora?

— É verdade — reconheceu Antônio. — Você foi viver no meio dos russos! Mas será que vai conseguir o emprego? Você não sabe nada de joias!

— Mas posso aprender, pai. O importante é ganhar a confiança deles. O resto será fácil.

Os três o olharam admirados, com ar de respeito, e pensaram que talvez tivessem avaliado mal a capacidade dele.

Albertina avisou que serviria o jantar. Ao se dirigirem para a mesa, Carlos notou que o pai o estava tratando com mais deferência, a irmã, com certo carinho, e a mãe assumira uma atitude mais altiva.

A dor de cabeça havia passado, Carlos sentiu-se mais alegre e animado. Sabia que no mundo as pessoas valorizam as aparências. Se sua própria família, apenas pelo fato de ele ter começado a vencer uma dificuldade, havia mudado a maneira de tratá-lo, o que aconteceria quando ele conseguisse vencer, ganhar dinheiro e ser alguém?

Lembrou-se de Isabel e sentiu muita raiva por ela tê-lo preterido. Prometeu a si mesmo que colocaria todo o seu esforço para conseguir subir na vida e provar a ela que era muito capaz e tinha valor, fazendo-a arrepender-se de trocá-lo por outro.

Após o jantar, foi para o quarto se preparar a entrevista que faria logo cedo. Separou a roupa com cuidado, depois se estendeu na cama pensando no que faria para impressionar o dono da joalheria e conseguir o emprego.

Demonstraria interesse em trabalhar e se colocaria como uma pessoa confiante, mesmo desconhecendo o mercado de joias. Para isso, teria de demonstrar que, além de capacidade, possuía valores éticos.

Esse era um traço cultural muito forte nos russos que conhecera. Quando eles cometiam algum ato duvidoso, jamais o admitiam. Ele havia presenciado vários casos de soldados relapsos que, mesmo torturados, continuavam negando suas ações.

Deitou-se querendo dormir logo e acordar com boa aparência, mas estava difícil controlar os pensamentos e ele custou a adormecer.

Assim que dormiu, encontrou-se novamente na trincheira, enquanto as balas pipocavam e ele, aterrorizado, segurava o braço de Adriano, que pedia:

— Quando você voltar a Paris, vá procurar Anete. O endereço dela está na minha carteira, com o retrato. Diga-lhe que meu último pensamento foi para ela!

Peito oprimido, Carlos tentou responder, mas a voz não saiu. Nervoso, pensou:

— Estou sonhando de novo! Ele está me cobrando. Eu peguei o endereço, o retrato, mas nunca pude ir a Paris.

Naquele momento a cena se transformou e ele caminhava por uma rua estreita. Abraçado a uma moça, beijavam-se com paixão. Entre um beijo e outro, ela dizia emocionada:

— A guerra está no fim. Prometa que você não vai me abandonar.

Ele prometeu e a cena desapareceu. Encontrou-se diante de uma casa térrea simples, enquanto uma mulher de meia-idade lhe disse chorando:

— Você demorou muito. Agora é tarde demais! Tudo acabou.

Carlos sentiu uma dor muito forte no peito, seus olhos encheram-se de lágrimas e ele acordou angustiado, sentindo falta de ar.

Levantou-se de um salto e respirou fundo, tentando concatenar as ideias.

— O pesadelo de novo!

Foi ao banheiro, lavou o rosto e pensou:

— É só um sonho. Vai passar. Preciso esquecer essa guerra. Até quando vou sofrer esse trauma?

Olhou o relógio, eram cinco horas. Muito cedo, mas estava tenso demais para tentar dormir. Desceu até a sala em busca de alguma coisa para matar o tempo. Talvez um livro. Mas não achou nada.

Ele gostava de ler, mas seus familiares não tinham esse hábito. Voltou ao quarto e, resignado, apanhou o jornal, que havia lido só para procurar emprego. Passou a ler o noticiário para fugir das lembranças ruins.

No horário combinado, Carlos entrou na loja de joias. Yuri o esperava. Depois dos cumprimentos, conduziu-o ao andar superior por um largo corredor onde havia várias portas. Embora estivesse ansioso, Carlos caminhava com naturalidade.

Diante de uma delas, pararam. Yuri bateu levemente, abriu a porta e eles entraram. A sala era sóbria e, atrás da escrivaninha de madeira lavrada, um homem de meia-idade estava sentado. Ao vê-los, levantou a cabeça, fixando em Carlos seus olhos de um azul-escuro com certa curiosidade.

— Tio, este é o moço de que lhe falei — voltando-se para Carlos, continuou: — Meu tio Nicolai.

Carlos sustentou o olhar e curvou a cabeça, à maneira russa.

— Aproxime-se. Sente-se — disse Nicolai, designando a cadeira diante da mesa.

Carlos obedeceu e disse em russo:

— Estou honrado em conhecê-lo, senhor.

— Yuri disse que você serviu na guerra.

— Sim. Corpo Expedicionário Brasileiro. No fim da guerra, fui aprisionado pelos russos e levado para Berlim Oriental.

— Você não estava do lado deles?

— Sim. Mas tinha perdido minha identificação. O frio era grande e meu uniforme estava cheio de buracos. Eu vestia um casaco velho que encontrara. Além disso, não entendia o que diziam, e eles também não.

Notando que Nicolai ouvia com muito interesse, Carlos descreveu em detalhes o que lhe acontecera até conseguir voltar ao Brasil. E finalizou:

— Quando fui para a guerra, estava para casar, mas cinco anos é muito tempo. Hoje, ela está noiva de outro e não quer voltar para mim.

Nicolai meneou a cabeça, penalizado, depois disse:

— Você ainda a quer?

— Com todas as forças do meu coração!

Pelos olhos azuis de Nicolai passou um brilho de emoção, e ele tornou:

— Você ainda não se conformou.

Havia qualquer coisa no rosto e nos olhos de Nicolai que fez Carlos esquecer completamente tudo que havia preparado para aquela entrevista e dizer com voz embargada de emoção:

— Nunca aceitarei. Ela é minha! Hei de provar a ela que sou mais capaz do que meu rival! Eles vão ver!

— Isso, meu rapaz! Mostre a sua força! O que pretende fazer?

Carlos respirou fundo tentando se acalmar. Havia planejado mostrar conhecimento, controle. Fora longe demais e não tinha como voltar atrás. Disse com voz firme:

— A guerra me roubou a juventude, larguei os estudos, a família, o conforto. Mas também me ensinou a enxergar o que tem valor de fato. Tenho sede de aprender tudo o que puder e que me faça subir na vida. Quero progredir.

Fez ligeira pausa e, notando que tanto Yuri como Nicolai o olhavam admirados, continuou:

— Se me derem a oportunidade de trabalhar aqui, não vão se arrepender. Não sei nada sobre o negócio de joias, mas tenho experiência em negociar, sou bom observador, aprendo com facilidade. Quero recuperar o tempo perdido. O mundo está mudando e eu estou pronto para o novo. Vi na Europa a sede de progresso das pessoas, a vontade de reconstruir o que foi perdido e muito mais. Quero conquistar meu lugar e fazer a diferença no mundo novo. Eu sei que posso! Só preciso da primeira oportunidade.

Carlos calou-se. Ficaram em silêncio durante alguns segundos, até que Nicolai disse:

— Ainda não sei se poderia oferecer-lhe essa oportunidade, mas gosto de sua garra! Espero que use de toda essa força para continuar assim, mesmo que sua noiva venha a se casar com outro. Sabe que isso poderá acontecer, você não poderá evitar.

— Sei. Mas estou disposto a vencer, aconteça o que acontecer.

Yuri, que até então apenas observava calado, perguntou:

— Que tipo de serviço você acha que poderia prestar aqui?

Carlos não pestanejou, respondeu rápido:

— Vocês fabricam seus produtos. Eu poderia vendê-los no exterior. Na Europa, tanto os antigos como os novos ricos querem esquecer, viver bem, gozar a vida. As festas se multiplicam, as mulheres gostam de cobrir-se de joias. Este é o momento e eu poderia multiplicar as vendas. É um grande negócio, estou certo de que ficaremos todos muito ricos.

Nicolai olhava pensativo. A proposta era sedutora. O momento era oportuno e ele tinha informações a respeito. O que Carlos estava falando era verdade. Ele sabia.

— O problema é que você não conhece nada sobre nosso ramo de negócio.

Carlos levantou-se, dizendo com entusiasmo:

— Proponho-lhe trabalhar aqui durante um mês para conhecer tudo sobre seus produtos. Gostaria de poder fazer isso de graça, mas no momento não tenho como me manter. Minha família trabalha para viver e não posso ser-lhes pesado. Preciso receber para condução e comprar uma ou duas roupas para manter uma boa aparência. Findo esse mês, conversaremos. Se acharem que não sirvo para esse cargo, irei embora sem reclamar. Admiro o trabalho de vocês e gostaria de manter uma relação amistosa, mesmo que eu seja recusado.

Carlos disse as palavras certas. Nicolai gostou do que ouviu. Estendeu a mão dizendo:

— Está certo. Você pode começar amanhã. Yuri vai calcular um valor que cubra suas necessidades. Vamos ver como você se sai. Nós temos interesse em ter alguém que trabalhe nossos produtos no exterior. Se fizer um bom trabalho, o lugar será seu.

— Darei o meu melhor. Estou certo de que não irão se arrepender de confiarem em mim.

Depois de um solene aperto de mão, Yuri levou Carlos para sua sala, onde, sentados lado a lado, calcularam o quanto seria suficiente para as despesas de Carlos durante aquele mês.

Yuri estava radiante. Simpatizara com Carlos desde o primeiro instante. Aos dezenove anos, em 1939, viera para o Brasil a chamado do tio. Nicolai viera para cá no fim da Primeira Grande Guerra Mundial, durante a qual perdera os pais e dois irmãos, sendo que da família restara apenas uma irmã. Foi obrigado a servir na guerra, sofreu muito, acabou desertando e passou a viver escondido. Quando a guerra acabou, resolveu fugir para cá com o que pôde trazer dos bens que restaram. Ourives por profissão, trabalhou duro e prosperou. Precisava de alguém de confiança para ajudá-lo. Sentindo que poderia acontecer tudo de novo, mandou buscar o sobrinho, tendo-o como auxiliar e evitando que enfrentasse a nova guerra.

Mas Yuri sentia muitas saudades de sua terra, das músicas, das moças lindas que conhecia, dos costumes. Sentia-se muito só. Ao conhecer Carlos, que falava russo com sotaque engraçado, mas lhe dizia coisas que lhe eram familiares, sentiu vontade de ganhar sua amizade.

Estava disposto a ajudar Carlos o quanto pudesse para que o tio o contratasse. A atitude de Yuri era tão amistosa que Carlos se sentiu apoiado e disposto a se esforçar ao máximo para não desapontá-lo. Ao mesmo tempo, reconhecia que era uma chance muito grande de conseguir tudo quanto sonhara.

Depois de tudo programado e de Yuri ter prometido dar-lhe um adiantamento no fim da semana, Carlos despediu-se satisfeito. Era sua primeira vitória.

Durante o trajeto de volta para casa, no entanto, o rosto de Isabel não lhe saía da mente. Ela iria se arrepender de tê-lo trocado pelo médico e voltaria aos seus braços para pedir-lhe perdão.

Esse dia seria glorioso. Para vivê-lo, Carlos estava disposto a fazer todos os sacrifícios, a trabalhar de sol a sol, sem reclamar. Estava convicto de que esse dia chegaria.

Chegou em casa satisfeito. Vendo-o entrar, Antônio aproximou--se curioso:

— Então, como foi?

— Muito bem. Começo amanhã cedo.

Albertina, que o acompanhara, bateu palmas dizendo:

— Que bom! Eu sabia que você conseguiria!

Antônio indagou:

— Para fazer o quê?

— Depois conversamos, pai — e, dirigindo-se a Albertina: — Mãe, estou com fome. Tem alguma coisa para comer?

— Tem. Não sabíamos se você viria para o almoço. Já comemos, mas vou esquentar a comida.

Carlos acompanhou a mãe até a copa e Antônio os seguiu. Não conseguia controlar a curiosidade.

— Para qual empresa vai trabalhar? — insistiu ele.

— Para a loja de joias.

Ele ainda duvidava:

— O que vai fazer lá?

Carlos foi lavar as mãos e voltou em seguida, sentando-se à mesa.

— Primeiro, aprender tudo sobre a empresa. Depois, viajar para colocar seus produtos no mercado exterior.

Antônio abriu a boca, ameaçando dizer alguma coisa, mas fechou-a de novo, pensativo. Albertina esquentara a comida e estava arrumando tudo diante do filho.

Carlos começou a comer com apetite, pensando em seus projetos. Antônio não se conteve:

— E... quanto você vai ganhar? Está sem dinheiro para manter-se até receber.

Carlos levantou os olhos, fixou-o e respondeu:

— Não se preocupe, pai. Eu mesmo sugeri que me pagassem o mínimo suficiente para manter minhas despesas nesse período.

— Puxa, vai trabalhar quase de graça! Deveria ter pedido um bom salário.

Ao que Carlos respondeu:

— O que eles vão me ensinar vale muito mais do que um simples salário. Primeiro vou aprender tudo que eles tiverem para me ensinar. Em seguida, vou mostrar-lhes que sou capaz de vender bem seus produtos e dar-lhes muito lucro.

— E se não der certo? E se não conseguir?

Os olhos de Carlos brilhavam fortes quando fixaram o pai:

— Eu sei o que quero e vou conseguir. Sei que vocês duvidam da minha capacidade, mas não me importo. Vocês pensam pequeno e se conformam com migalhas. Eu conheci coisas melhores e sei que estão a meu alcance. Sou suficiente para realizar meus projetos sem pedir a opinião de ninguém.

Antônio não respondeu. Carlos terminou de comer e saiu da mesa dizendo:

— Vou subir para descansar um pouco.

Depois que ele saiu, Albertina olhou para o marido, dizendo:

— Você poderia ter ficado sem essa. O menino conseguiu um emprego, está entusiasmado, e você, com seu pessimismo, joga um balde de água fria sobre ele.

— Ele está forçando a barra e vai quebrar a cara. Só porque conseguiu um lugar de aprendiz já está se achando poderoso. Quero ver o que ele vai dizer quando der com os burros n'água.

— Ele tem razão quando diz que você pensa pequeno. Vive contando os tostões e está sempre controlando tudo que gastamos.

— A vida é assim mesmo. Eu tenho um diploma e não consegui mais do que esse emprego que mal dá para viver. Inês não estudou muito, e o que ganha só dá para as despesas dela. Quem sustenta as despesas da casa sou eu! Tenho que fazer o dinheiro render para ter como pagar as contas! Você está sempre reclamando! Se eu fosse fazer tudo que quer, estaria cheio de dívidas.

— Com o que você ganha daria para termos um padrão de vida muito melhor. Mas você sofre quando precisa gastar. Há anos diz que está pensando no nosso futuro. Nunca viajamos nas férias. Falar em dinheiro com você é um drama.

— Chega desse assunto. Você não entende mesmo! Preciso voltar ao escritório.

Albertina balançou a cabeça inconformada e Antônio saiu. No quarto, Carlos, estendido na cama, pensava no futuro.

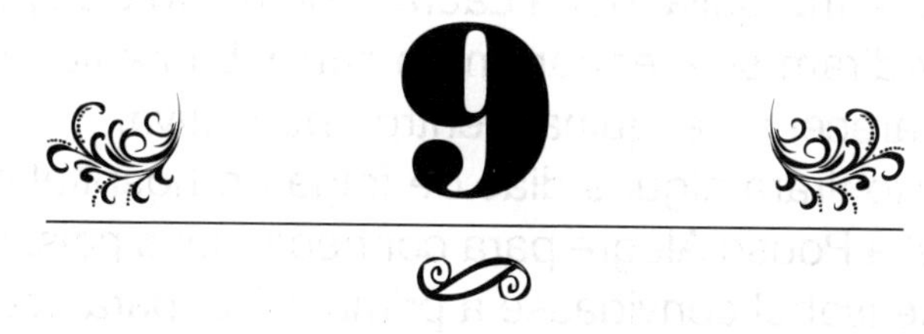

Em um sábado pela manhã, Gilberto parou o carro diante da casa de Isabel, desceu e tocou a campainha. Berta abriu, ele entrou e Laura o recebeu na sala.

Depois dos cumprimentos, ele perguntou:

— Elas estão prontas?

— Sim. Berta já foi avisá-las que chegou.

Berta voltou com duas malas e Gilberto levantou-se, dizendo:

— Deixe-me fazer isso — segurou as duas malas e perguntou a Laura: — Posso colocá-las no carro?

— Pode. Olhe, as duas estão descendo!

Gilberto deixou as malas no chão, abraçou e beijou Isabel na face, e cumprimentou Diva:

— Obrigado por você ter aceitado nosso convite.

— Ela é nossa madrinha. Foi ela quem insistiu para que eu saísse com você! — disse Isabel.

Ele balançou a cabeça negativamente e disse:

— Isso é desculpa. Eu sei que você estava louquinha para sair comigo!

— Viu, mãe, como ele é convencido?

Laura os acompanhou até o carro e, na hora da despedida, aconselhou:

— Dirija com cuidado! Você está levando duas preciosidades com você.

— Fique tranquila, dona Laura. Sou muito disciplinado.

Despediram-se e entraram no carro. Laura ficou olhando o carro desaparecer na esquina e entrou pensativa.

Gilberto tirara alguns dias de folga do hospital e estava levando Isabel a Pouso Alegre para conhecer seus pais. Laura havia sugerido que Isabel convidasse a prima, Diva, para acompanhá-la nessa viagem.

Os pais de Gilberto eram do interior de Minas, e Laura, pelo fato de não conhecê-los, preferiu que a filha viajasse acompanhada da prima.

Durante a viagem, eles conversaram animados. Gilberto falou sobre a cidade, que as duas ainda não conheciam, e sobre a fazenda da família.

— Faz tempo que não vou à fazenda. Imagino que esteja tudo bem. Meu irmão é apaixonado por aquelas terras. Depois que se formou fez vários projetos que têm dado certo.

— Você é o primeiro que vai se casar? — indagou Diva.

— Sim.

— Você contou a seus pais que nós vamos nos casar?

— Sim. Eles estavam na fazenda. Minha mãe passa a maior parte do tempo lá. Já meu pai prefere ficar na cidade. Ele gosta de política, tem muitos amigos. Ontem pela manhã, quando liguei, ele estava na fazenda, mas ao saber que nós estaríamos lá hoje, disse que voltaria imediatamente para a cidade.

Isabel ficou em silêncio durante alguns minutos e Gilberto comentou:

— Você está tão calada... pensando em quê?

— Na sua família. Será que eles vão gostar de mim?

— Estou certo que sim. Já eu não sei se você vai gostar deles.

— Às vezes me parece que você não é muito ligado a eles. Fica muito tempo sem vê-los. Nós já falamos sobre isso.

— É que você, ao contrário, é muito ligada à sua família, sempre viveu em casa. Eu não. Saí de casa muito cedo, fiquei internado em um colégio, fui para São Paulo estudar. Depois que me formei, ficou mais difícil sair da cidade. Vida de médico, sabe como é.

Gilberto mudou de assunto. Diva comentou que fazia uma semana que ela havia terminado um namoro de alguns meses, porque ele a atormentava com seu ciúme, e finalizou:

— Foi muito bom vocês terem me convidado para esta viagem. Ronaldo não aceitou o rompimento, ficou me ligando, esperando na porta de casa, insistindo para voltar.

— Você gosta dele? — indagou Gilberto.

— Sentia muita atração. É um homem bonito, está bem na vida, é o que se chama de um bom partido. Mas tem um ciúme doentio que acabou com o meu entusiasmo. Eu decidi: não quero esse tormento em minha vida.

— Parabéns, Diva. Se todas as mulheres agissem assim, não haveria tanta infelicidade nos relacionamentos.

— Ele dizia que ciúme é prova de amor. Mas eu não acredito. Para mim, ciúme é falta de confiança em si. É apego, não amor, é querer dominar o parceiro.

— Não é só o homem que sente ciúme. Eu ainda penso que a mulher ciumenta é ainda pior do que o homem.

Durante o resto da viagem, eles conversaram sobre relacionamento afetivo e como avaliar o parceiro ideal.

Passava das três e meia quando chegaram a Pouso Alegre. O bairro em que os pais de Gilberto moravam era elegante, todo arborizado. Ele parou o carro diante de um casarão antigo, rodeado por algumas árvores e um jardim bem cuidado. Diante do grande portão de ferro, Gilberto buzinou e, pouco depois, um homem de meia-idade veio abrir.

Gilberto pôs a cabeça para fora pela janela do carro e informou:

— Roque, sou eu.

Ele sorriu e imediatamente abriu. Gilberto entrou e parou em seguida. Roque se aproximou e Gilberto estendeu a mão, dizendo:

— Como vai, Roque? E a família?

— Tudo bem, doutor! Que bom vê-lo por aqui!

— Obrigado, Roque.

Ele conduziu o carro pelo caminho que dava para a cobertura da porta de entrada da casa e parou, dizendo:

— Chegamos, meninas. Podem descer.

Roque já estava do lado e Gilberto saiu do carro, abrindo o porta-malas para tirar a bagagem.

— Papai está em casa? — perguntou.

— Não, senhor. Ele precisou sair. Vou avisar dona Glória que chegaram.

Uma mulher de meia-idade surgiu na porta e, dirigindo-se a eles, disse:

— Sejam bem-vindos. Dona Glória já está descendo. Entrem, por favor.

Eles entraram no hall espaçoso, muito elegante. No centro, uma mesa redonda de mármore, sobre a qual havia um arranjo de flores. No alto, um lindo lustre de cristal, dando um ar imponente à decoração.

Uma porta se abriu e uma mulher apareceu, abraçando Gilberto com carinho.

— Meu filho! Que saudade!

Era uma mulher alta, corpo cheio, rosto claro e cabelos escuros. Trajava uma saia preta e uma blusa branca simples.

— Eu também estava com saudades, mãe! Quero lhe apresentar minha noiva!

Isabel viu que havia lágrimas nos olhos dela quando se aproximou:

— Bem-vinda, minha filha.

— Obrigada, senhora. Estava ansiosa por conhecê-la. Esta é minha prima, Diva.

Depois dos cumprimentos, Glória perguntou se aceitariam tomar ou comer alguma coisa, e elas recusaram delicadamente. Glória pediu a Dete, governanta da casa, que levasse as duas moças para o quarto, e sugeriu:

— Se estiverem cansadas da viagem, podem se deitar um pouco.

— Obrigada. Fizemos uma ótima viagem e não estamos cansadas — disse Isabel.

— É verdade — completou Diva. — Estamos muito bem-dispostas e queremos conhecer tudo.

— Só vamos lavar as mãos e arrumar a bagagem. Em dez minutos estaremos de volta — tornou Isabel.

Elas acompanharam Dete. Glória, segurando a mão do filho, conduziu-o à sala de estar onde se sentaram lado a lado no sofá.

— Então, você quer se casar!

— Quero, mãe. Estou muito feliz.

— É uma linda moça. Desejo que o faça muito feliz. Você merece.

— É o que eu espero.

Glória baixou os olhos e ficou pensativa. Gilberto olhou-a sério e perguntou:

— Como estão as coisas por aqui? Houve alguma mudança?

Ela balançou a cabeça negativamente e respondeu triste:

— Não, filho. Tudo continua igual. Esta situação não tem remédio. Tenho que carregar essa cruz pelo resto de minha vida.

— Você não precisa fazer isso. Se quisesse, poderia acabar com esse caso de vez.

— Não, meu filho. Sou uma mulher de fé. Vou cumprir meu juramento até o fim.

Ele segurou a mão dela dizendo:

— Mãe! Os tempos mudaram, você não precisa suportar mais essa situação. Não gosto de vê-la nessa tristeza. Se quiser mudar, posso ajudá-la.

— Não, filho. Já me conformei. Às vezes até esqueço de como as coisas são. Vivo a minha vida do jeito que der.

Gilberto ficou calado durante alguns segundos. Depois disse:

— Nivaldo está na fazenda?

— Sim. Você sabe que ele tem suas razões para preferir viver lá.

— Não entendo por quê. Ele tem alguma namorada por lá?

Glória balançou a cabeça negativamente:

— Não.

— O que ele fica fazendo?

— Fica a maior parte do tempo no laboratório. A cada dia se especializa mais na criação de gado.

Gilberto coçou a cabeça pensativo. Isabel e Diva voltaram, e ele se levantou, convidando-as a se sentarem. Glória comentou, dirigindo-se ao filho:

— Você precisa levá-las para dar uma volta pela cidade. O progresso é mais lento por aqui. Não é como São Paulo.

— Mas deve ser mais calmo e agradável morar aqui — respondeu Isabel. — São Paulo tem crescido muito.

— Isso é verdade — concordou Glória —, mas eu gosto mais da paz do campo.

Diva comentou:

— Eu sempre vivi na cidade. Adoro o movimento. Posso ser indiscreta e fazer-lhe uma pergunta?

— Claro, minha filha, faça.

— O que é que a senhora fica fazendo o dia inteiro em uma fazenda?

O rosto de Glória se distendeu e seus lábios se entreabriram em um sorriso que lhe deu um ar de menina travessa, uma aparência mais jovial, quando disse:

— Quero levá-la à fazenda e mostrar-lhe quanta vida há por lá e quantas atividades interessantes ela oferece. Há o que fazer o tempo todo.

— Verdade? — perguntou Diva.

— Na cidade, vocês vivem correndo de um lado a outro, tudo é complicado. Além disso, há o barulho, a fumaça dos carros que contamina o ar. As pessoas vivem estressadas e ansiosas. Basta prestar atenção na fisionomia de quem anda pelas ruas.

— Você está exagerando, mãe — tornou Gilberto rindo.

— Não é verdade? — indagou Glória fixando as duas.

— É — concordou Isabel. — Apesar disso, se eu precisasse morar em um lugar assim, não sei se me habituaria.

— Desse mal você não vai sofrer. Gilberto também não moraria na fazenda. Pode ficar tranquila.

Isabel, sentada ao lado do noivo no sofá, segurou a mão dele dizendo:

— Para ficar ao lado dele, eu moraria em qualquer lugar.

Gilberto levou a mão da noiva aos lábios e respondeu:

— O melhor lugar para eu morar é onde Isabel está. Quando estou ao lado dela, fico feliz.

Uma sombra de tristeza passou pelos olhos de Glória, que baixou a cabeça. Foi apenas um segundo, e logo ela voltou a erguê-la. Fixou-os e disse sorrindo:

— Deus abençoe o amor de vocês.

Dete, então, apareceu para avisar que o lanche estava sendo servido na copa. Glória levantou-se, entrelaçou seu braço ao de Isabel, e disse:

— Venham comigo. Quero mostrar-lhes uma planta rara que tenho lá. Trouxe ontem da fazenda. Está uma beleza. Vocês gostam de flores?

— Adoro! — respondeu Isabel.

— Eu também! — secundou Diva.

— Além de lindas, elas são filtros da natureza. Às vezes, para melhorar o ar que respiramos, elas morrem.

O lanche decorreu agradável. Quando terminaram, Glória perguntou a Isabel:

— Você gostaria de descansar um pouco antes do jantar?

— Não estou cansada. Preferiria dar uma volta, conhecer a cidade. Sei que Diva também quer. O que acha, Gilberto?

— É uma boa ideia — voltando-se para a mãe, continuou: — Há alguma novidade por aqui que seja interessante?

— Não estou bem informada. Tenho ficado mais na fazenda do que aqui. Sei que o novo prefeito recuperou o centro da cidade, construiu prédios novos, há lojas mais modernas, e, além da praça principal, fez construiu mais duas. Dizem que são muito bonitas.

— Nesse caso, vamos!

— A senhora vem conosco? — ajuntou Isabel.

— Obrigada, minha filha, mas prefiro ficar. Vão vocês.

Os três saíram. A tarde estava bonita. Eles pararam o carro perto de uma praça e caminharam pelos jardins floridos, aspirando o gostoso perfume das flores.

Passava das sete quando voltaram para casa. Vendo-os entrar, Dete aproximou-se dizendo:

— Dona Glória mandou avisar que o jantar será servido dentro de meia hora.

— Obrigado, Dete — respondeu Gilberto.

— Nesse caso, vamos subir rápido. Quero tomar um banho antes do jantar — disse Isabel.

— Eu também. Temos que ser rápidas. Não queremos atrasar o jantar.

— Não se preocupem. O jantar só será servido quando vocês descerem — explicou Gilberto.

As duas subiram apressadas e Gilberto as acompanhou. Foi até o seu quarto, lavou-se, trocou de camisa, penteou os cabelos e desceu novamente.

Ao entrar na sala, viu o pai sentado em uma poltrona, fumando seu charuto enquanto folheava um jornal. Vendo-o chegar, disse:

— Até que enfim você resolveu aparecer.

— Como vai, pai?

— Mais velho e levando a vida como dá. E você? Sua mãe disse que pretende se casar.

Gilberto sentou-se na poltrona diante dele e respondeu:

— Sim. Encontrei a pessoa com quem quero dividir minha vida.

Alberto meneou a cabeça e respondeu:

— Não sei se é uma boa ideia. Casar significa encher a vida de compromissos que nos aprisionam. No início tudo parece maravilhoso, depois vem a rotina, o sabor desaparece e acaba se tornando um peso.

Gilberto franziu a testa contrariado, e esforçou-se para controlar a irritação:

— Você não deveria dizer isso. Mamãe tem sido uma excelente companheira. É uma mulher maravilhosa. Sinceramente, espero que Isabel seja para mim o que mamãe sempre foi para você.

Alberto tirou uma baforada do charuto, derrubou a cinza no cinzeiro, olhou-o com ar irônico e respondeu:

— Você está falando de sua mãe, eu estou falando da minha esposa. Estamos em situações diferentes. Concordo, sua mãe é uma boa mulher.

Glória entrou na sala e Gilberto não teve tempo de responder.

— Então, o que achou do passeio? Elas gostaram da nossa cidade?

— Adoraram. A nova praça está linda! Toda florida, arborizada, com recantos deliciosos para sentar e observar.

Alberto interessou-se:

— Até que enfim esse prefeito fez alguma coisa que preste. Também, foi só. A saúde está uma porcaria, educação, nem se fala. Se o Adolfo tivesse ganhado a eleição, faria muito mais do que jardins floridos.

— Pois eu votei nesse prefeito e não me arrependo. Se a saúde está ruim é graças ao Adolfo que teve chance e não fez nada. Não cuidou da educação, muito menos da cidade.

— Você é do contra. Nunca faz o que eu digo. Já estou acostumado. Não importa o que eu diga ou faça, você é sempre contra.

Glória ficou calada e Gilberto quis quebrar aquele clima de afronta entre os dois:

— Política não é o meu forte. Como vão as coisas na fazenda?

— O gado está uma beleza! Eu não queria comprar aquele reprodutor neo-holandês, mas dessa vez Nivaldo estava certo. Ele já se pagou e daqui para frente só vai dar lucro.

Isabel e Diva apareceram na porta e Gilberto levantou-se para recebê-las. Alberto colocou o charuto no cinzeiro e levantou-se para cumprimentá-las.

Gilberto as apresentou. Glória, depois de perguntar-lhes o que acharam da cidade, foi ver o jantar, enquanto todos continuaram conversando na sala.

Ao conhecer Alberto, Isabel notou que ele era muito diferente do noivo. Moreno, forte, atarracado, mais baixo do que o filho, cabelos castanhos curtos e ondulados, olhos pequenos e vivos.

Alberto desfez-se em amabilidades com as duas moças, que respondiam sorrindo. Mais tarde, depois do jantar, Glória as convidou novamente para conhecer a fazenda, e as moças aceitaram alegres.

— Quando gostariam de ir? — indagou Glória.

— Elas decidem — respondeu Gilberto. — Não temos muito tempo. Devo estar de volta ao hospital dentro de oito dias.

— Por mim iremos amanhã mesmo — disse Isabel.

— Nós sempre vivemos na cidade. Conhecer uma fazenda deve ser muito interessante — reforçou Diva.

Isabel continuou:

— Mas só se a senhora puder. Acabou de vir de lá. Talvez tenha muitas coisas a fazer aqui.

— Não tenho nada de especial para fazer aqui. Dete cuida de tudo melhor do que eu. Iremos amanhã cedo, está combinado.

Mais tarde, quando as duas moças se recolheram e estavam deitadas, Diva perguntou:

— Então, Isabel, qual sua impressão sobre os pais de Gilberto?

Isabel pensou um pouco, depois respondeu:

— É cedo para dizer. Dona Glória parece uma mulher muito boa, uma mãezona mesmo. Mas sinto que há alguma coisa diferente nela. Um pouco controlada, não é espontânea, natural.

— Há momentos em que seu rosto parece triste, mas logo muda.

— Ah, você também notou?

— Sim. Será que ela tem algum desgosto oculto?

— Pode ser. Notei que Gilberto, quando falava da família, também tinha um ar de contrariedade. Não sei explicar.

— Pode ser apenas uma impressão. Nós podemos estar fantasiando coisas.

— Tem razão. Vamos dormir porque amanhã dona Glória quer sair cedo. Não podemos nos atrasar.

Apagaram a luz e se acomodaram para dormir.

10

O domingo amanheceu ensolarado. Eram nove horas quando eles saíram rumo à fazenda. Ia Gilberto com as duas moças em seu carro, e Alberto e Glória no belo e confortável automóvel, último modelo, comprado dois meses antes.

Alberto decidira acompanhá-los, mas quis ir com seu carro, alegando que não poderia permanecer lá por mais de dois dias.

Em pouco mais de uma hora, chegaram ao destino. Pararam diante do belo portão de madeira, encimado por uma marquise de alvenaria, sobre a qual estava uma imensa primavera coberta de flores cor de laranja.

As duas moças não contiveram suas exclamações de admiração diante de tanta beleza. Logo um empregado surgiu para abrir. Os carros entraram pela estrada de pedregulhos, circundada por árvores floridas e um grande jardim. Pararam em frente à espaçosa varanda, cheia de portas-balcão, diante da porta principal.

Foram recebidos por dois rapazes e uma moça que lhes deram as boas-vindas.

— Isto aqui é lindo demais! Entendo por que a senhora gosta tanto de ficar aqui — comentou Isabel.

— É um lugar maravilhoso! — aduziu Diva.

— Está muito bonito! — completou Gilberto.

— Nivaldo tem muito bom gosto — justificou Glória com prazer —, adora este lugar.

Entraram em uma sala espaçosa, mobiliada com móveis tradicionais e antigos, e foram conduzidos para um salão maior, onde havia uma enorme mesa de jantar, sofás e poltronas muito confortáveis. O que encantou as duas moças foi o grande armário de madeira com portas envidraçadas, onde guardavam as louças da família.

Estavam na casa grande da fazenda, que possuía seis suítes, além da sala de almoço, cozinha e despensa. Do lado de fora, havia as casas dos empregados. Tudo era muito bem cuidado e rodeado por jardins.

Isabel disse a Gilberto:

— Tudo aqui é tão lindo! É um lugar maravilhoso para descansar, refazer as energias. Não entendo por que você demora tanto tempo para vir.

— Tem razão. Estou tão envolvido com o trabalho que por vezes esqueço desse paraíso.

Depois de percorrer todas as dependências da casa, sentaram-se na sala para esperar o almoço. Minutos depois, Nivaldo entrou para cumprimentá-los.

Era um rapaz bonito, alto como o irmão, de rosto vigoroso e queimado pelo sol, cabelos castanhos e ondulados, sorriso franco e alegre.

Abraçou todos com alegria, dando as boas-vindas. Não tiveram tempo para conversar porque Josefa, a empregada e cozinheira da fazenda, avisou que o almoço estava sendo servido.

Enquanto almoçavam, Gilberto fazia perguntas ao irmão sobre as novidades que ele implantara na fazenda, e Nivaldo, olhos brilhantes de prazer, falava do trabalho que estava desenvolvendo, dos resultados que estava obtendo. Depois de seu comentário, Glória esclareceu:

— Nivaldo foi convidado para fazer uma palestra, na Sociedade Agropecuária do Estado, sobre as suas experiências. Eles se surpreenderam com os resultados que estamos tendo.

— Que experiências são essas? — indagou Gilberto curioso.

Nivaldo sorriu com certa malícia e seus olhos brilhavam quando respondeu:

— Nada de mais. Coisas simples.

Alberto interveio:

— Acho melhor você não fazer essa palestra. Eles vão rir das suas ideias.

— Você não acredita no que eu digo, mas funciona. O reprodutor, as vacas produzem muito mais. Nunca ficam doentes. As pragas passam longe dos nossos currais, os bezerros são fortes e o leite é de primeira. Quer prova maior?

— Isso é porque você cuida muito da higiene, trata o gado com o que tem de melhor, não tem nada a ver com essas ideias malucas.

— Eu peguei a fazenda em péssimo estado. O principal é que consegui fazer um bom trabalho. Isso é o que importa.

— Isso você fez mesmo — concordou Alberto.

Depois do café, Alberto foi tirar uma soneca, Glória foi ajeitar algumas coisas e os dois irmãos e as moças sentaram-se na varanda para conversar.

Gilberto voltou ao assunto:

— Que ideias são essas que papai acha malucas?

Nivaldo olhou o irmão nos olhos, pensou um pouco e respondeu:

— São experiências minhas, observações que fiz que mudaram minha cabeça e me fizeram ver a vida de uma outra forma.

— Explique melhor.

Nivaldo sorriu e tornou:

— Talvez não seja o momento para falarmos sobre isso. Não quero entediar as moças.

— Eu estou muito curiosa — disse Isabel.

— Eu adoro pesquisar. Estou sempre à procura de novos conhecimentos — disse Diva.

— Está bem. Desde que eu era adolescente, eu tinha algumas experiências inusitadas. Quando dormia, eu saía da cama, via meu corpo adormecido e circulava pelo espaço sentindo uma leveza diferente. Ia para lugares onde conversava com pessoas que não conhecia. Nas primeiras duas vezes, contei para mamãe e papai, e eles me disseram que eu não estava bem. Levaram-me ao psiquiatra, que receitou um remédio. No primeiro dia que tomei, me senti muito mal.

Os três ouviam com muito interesse e Nivaldo continuou:

— Passei a não falar mais no assunto, fingi que tomava o remédio e eles pararam de se preocupar. Essas experiências continuaram acontecendo e eu me sentia muito bem.

Nivaldo calou-se e Gilberto perguntou:

— Você ainda tem essas experiências?

— Sim. Hoje são mais espaçadas. Mas esse fato modificou completamente a minha percepção da vida, do mundo, das pessoas e até do universo. Elas me abriram a visão para algo muito maior, mais perfeito, e me fizeram compreender o verdadeiro sentido da vida.

Gilberto, que ouvia com muito interesse, comentou:

— Já ouvi falar dessas experiências fora do corpo. Atualmente, há estudos científicos sobre isso.

— De fato, hoje sei que muitas pessoas já viveram essa realidade, mas a maioria ainda tem dificuldade para aceitar. Se houvesse menos preconceito, esse conhecimento poderia contribuir com a melhoria da qualidade de vida. Para a medicina, isso seria maravilhoso.

— Não creio — respondeu Gilberto. — A medicina se apoia estritamente nas descobertas comprovadas da ciência oficial. Seria perigoso enveredar por um caminho tão pouco conhecido e tão subjetivo.

— Nem poderia ser de outra forma. Estou me referindo às pessoas. O desenvolvimento do sexto sentido facilitaria os diagnósticos, a prescrição do medicamento adequado. No consultório, você já notou que ao fazer a avaliação das queixas do seu paciente lhe ocorrem ideias inesperadas e fora dos caminhos comuns?

Gilberto pensou um pouco e respondeu:

— Já. Mas isso ocorre pela prática no trato com os doentes. Eu nunca tive experiências como as suas. Sou um sujeito comum e equilibrado.

Nivaldo riu gostosamente e tornou:

— O sexto sentido é uma capacidade do ser humano. Todas as pessoas o possuem. A intuição, a telepatia e a premonição são capacidades do nosso espírito. Se prestar atenção no seu sentir, percebendo que seu sexto sentido age dentro daquilo que ele é, conseguirá bons resultados. Já o raciocínio lógico, que parte de conceitos humanos, mesmo os que são oficializados pela ciência, nem sempre dão os resultados esperados.

— É, a medicina ainda não cura tudo, mas trata os casos da maneira mais segura. Mesmo se o que você está dizendo for verdade, não creio que seria seguro utilizar esse recurso.

— Não estou dizendo que se deve abolir a medicina tradicional. Ela é indispensável e o melhor caminho para tratar as doenças. Mas, se eu fosse um paciente, confiaria muito mais em um médico que, apesar de utilizar os recursos tradicionais, fosse intuitivo e me olhasse como um todo, tratando o corpo, a mente e o espírito. Esteja certo de que essa será a medicina do futuro. Mas acho que estamos entediando as moças. Vamos parar por aqui. Se quiser, poderemos falar outra hora.

— Nada disso. Eu estou muito interessada e penso como você — disse Diva. — Outro dia acompanhei minha mãe ao médico. Ele sequer a examinou. Ouviu as queixas, pediu uma lista enorme de exames clínicos. Ela estava nervosa, angustiada, saiu de lá mais preocupada e ansiosa. Fiquei decepcionada.

— Tem razão. Quando a pessoa adoece, fica nervosa mesmo. Eu gosto muito de um médico que mora perto de casa. Sempre que precisamos, ele nos ouve atento, orienta, conforta, chega a ser carinhoso. Estou certa de que você, Gilberto, é um desses — disse Isabel sorrindo.

Gilberto considerou:

— Você está colocando essas suas experiências fora do corpo como causa do sucesso que tem alcançado na fazenda. Não estou entendendo. Como foi isso?

— Olhando a vida de uma forma mais ampla, refletindo sobre os assuntos que eu conversava com as pessoas da outra dimensão, aos poucos fui percebendo a grandeza da vida, o que significa viver, estar aqui aprendendo como as coisas funcionam. Tirei algumas conclusões que tenho posto em prática. Os bons resultados começaram a acontecer, sinalizando que estou no caminho certo. Só isso.

Ao dizer essas palavras, os olhos de Nivaldo brilhavam, sua fisionomia tornou-se expressiva e alegre.

Os três olhavam admirados e Diva não se conteve:

— Você está sinalizando uma felicidade que eu gostaria de experimentar. Se eu pudesse, ficaria aqui mais tempo para aprender tudo que você pudesse me ensinar.

— Nesse caso, fique. Será um prazer.

Gilberto estava pensativo e curioso. Quis voltar ao assunto:

— Ainda não consigo imaginar o que fez você obter resultados materiais utilizando ideias tão abstratas.

— Aí é que você se engana. É o espírito quem tem a força de dar vida, comandar a matéria. Tanto que, quando ele vai embora, o corpo de carne se desintegra. Não é difícil entender. Todos os seres vivos, em qualquer reino da criação, possuem um princípio espiritual que os mantém vivos, obedecendo às leis da evolução. Sabendo disso, eu tenho procurado me ligar com o princípio espiritual deles, para orientá-los a fazer o melhor.

Gilberto o olhava espantado. Ele jamais havia pensado naquela possibilidade e parecia-lhe algo impossível. Foi Diva quem disse entusiasmada:

— Então é isso! Uma vez eu li um livro sobre as pesquisas de um cientista que fez experiências com as plantas. Ele se aproximava delas, elogiando, oferecendo água e carinho a algumas, e maltratando e machucando as folhas de outras. Com isso, descobriu que elas reagiam demonstrando sensibilidade. Eu adoro plantas e experimentei conversar com elas, mostrar afeto, admirá-las. Elas ficaram lindas, exuberantes, nasceram mais flores. Ele estava certo.

Os olhos de Gilberto iam de Diva ao irmão, admirado. Será que funcionava mesmo?

— As flores que Diva cultiva são lindas, chamam atenção. Ela trata suas plantas como se fossem pessoas queridas. Nunca levei a sério. Pensei que fosse só uma mania. Será verdade mesmo? — perguntou Isabel.

— É verdade. Mesmo tendo a prova, você ainda duvida. É isso que tenho feito na fazenda. Trato nossos animais com carinho. Quando noto que um deles está comendo menos, produzindo menos, dou-lhe atenção especial, estimulo, elogio e digo-lhe o que espero dele. É o que tem funcionado. Ele reage e volta ao normal. Raramente aparece alguma doença diante da qual seja preciso chamar o veterinário.

— Você trata os animais como se fossem pessoas. Agora entendo por que papai pediu para você não ir fazer sua palestra. Seus argumentos são difíceis de acreditar — disse Gilberto sorrindo. — Acho que você está brincando conosco, aproveitando-se porque somos da cidade e ignoramos a vida no campo.

Os olhos de Nivaldo brilharam maliciosos quando respondeu:

— Estou sendo muito sincero. Vocês queriam saber o que fiz para obter sucesso, eu contei e provei que obtive resultados muito positivos. Vocês duvidam. Sou um pesquisador e gosto das coisas claras: que provas podem me dar de que estou errado?

— Eu acredito no que você diz — disse Diva com firmeza.

Isabel pensou um pouco e tornou:

— Não sei o que dizer. Não tenho como dar uma resposta.

— Você é bom de argumento. Sabe que não conhecemos o assunto, está se valendo disso para nos confundir. Claro que não podemos lhe oferecer nenhuma prova em contrário. Nunca tivemos experiências iguais às suas, não temos argumentos nem provas para colocar — respondeu Gilberto.

Os lábios de Nivaldo abriram-se em largo sorriso, seus olhos assemelhavam-se aos de um menino travesso quando respondeu com voz doce:

— Nesse caso, só lhes resta colocar em prática minha tese e verificar a verdade. Coloco a fazenda à disposição. Vocês poderão começar amanhã mesmo.

Apanhados em falta, eles riram divertidos. Glória aproximou-se dizendo:

— A julgar pelas risadas, a conversa deve estar muito boa. A Zefa fez um bolo de fubá como só ela sabe fazer. Está quentinho e o café está sendo coado. Vim convidá-los para ir à copa experimentar.

Eles obedeceram. Alberto juntou-se a eles e a conversa generalizou-se.

Mais tarde, depois do jantar, com todos reunidos na sala, Gilberto e Isabel anunciaram que pretendiam marcar a data do casamento, da cerimônia e da festa, enfatizando o quanto contavam com a presença da família toda.

Isabel falou sobre a mãe, Laura, a irmã, Sônia, e sobre o falecimento do pai. A conversa se estendeu até a hora de dormir.

O dia seguinte amanheceu lindo, com um céu azul sem nuvens, e as duas moças levantaram cedo. Quando desceram para o café, os demais já estavam à mesa e Gilberto comentou:

— Vocês levantaram cedo!

— Diva me acordou assim que ouviu um galo cantar. Não sabia que ela era tão interessada na vida rural. Quer circular pela fazenda, conhecer tudo.

— Terei o maior prazer em mostrar — disse Nivaldo.

— Quero ouvir mais sobre suas experiências — emendou Diva, acomodando-se para tomar café. — Acho que você descobriu algo importante!

Alberto admirou-se:

— Você levou a conversa de Nivaldo a sério. Só pode estar brincando!

— Estou cansada de ler e estudar teorias que, na prática, nunca funcionam. Nivaldo, com experiências simples, descobriu coisas que estão dando o resultado esperado. Para mim é o bastante — tornou Diva.

— Você é uma moça de bom senso. Obrigado pelo apoio. Se tiver interesse, depois do café posso mostrar-lhe tudo e podemos trocar ideias sobre o processo.

— Claro que eu quero! Pena que vamos ficar tão pouco tempo.

— Vocês não precisam ir embora tão depressa — disse Alberto sorrindo. — Eu tenho que voltar pra cidade amanhã, mas vocês podem ficar na fazenda ou na cidade o tempo que desejarem.

— Nossos compromissos de trabalho não nos permitem alongar a viagem, mas quando for possível voltaremos — disse Diva.

Alberto quis saber quais eram os compromissos de trabalho das duas. Isabel falou de sua formação e da empresa na qual trabalhava. Diva contou que havia se formado em Biologia. Começara como estagiária, em um laboratório de análises de uma fábrica de ração para animais e, com o tempo, foi efetivada.

— Você vai gostar muito de ver o que temos aqui — disse Glória com entusiasmo.

Depois do café, Nivaldo convidou todos para um passeio pela fazenda. O dia estava ensolarado e eles foram primeiro a um galpão onde havia chapéus de palha. Cada um escolheu o seu e saíram caminhando.

As flores, a horta, as árvores frutíferas, tudo viçoso e muito bem cuidado, tornavam o passeio muito agradável. Mas foram os estábulos que provocaram mais entusiasmo nos visitantes.

Os peões já tinham soltado o gado, então eles puderam observar os animais comendo no coxo ou pastando, e perceber que estavam muito bem.

Viram algumas vacas sendo ordenhadas, enquanto alguns bezerros estavam presos nos boxes. Tudo estava muito organizado e limpo. Foram ao galpão onde fabricavam queijo, que era de primeira qualidade e até exportado.

Havia também alguns cavalos de montaria, o que despertou nas duas moças a vontade de aprender a cavalgar.

Retornaram à casa cansados, mas satisfeitos, e foram se refrescar tomando suco de frutas na copa, comentando o passeio. Alberto pediu licença e foi para o quarto. Estavam ainda conversando quando ele reapareceu bem penteado, perfumado e vestindo um terno de linho bege.

— Vim despedir-me, tenho que voltar. Divirtam-se por aqui. Quando voltarem, vou levá-los a visitar o clube e os lugares mais bonitos da nossa cidade.

Todos se levantaram para despedir-se dele, que saiu apressado. Pouco depois, as duas moças foram para o quarto descansar um pouco antes do jantar.

Estenderam-se cada uma em sua cama. Isabel estava calada e Diva comentou:

— O que está achando da família de Gilberto?

— Parecem ser gente boa, mas...

— O que tem?

— Não sei explicar. Sinto que há alguma coisa no ar que eles não querem comentar.

Diva sentou-se na cama:

— Você também notou?

— Notei. Gilberto é mais ligado à mãe, mas muito reservado com o pai.

— Dona Glória trata o marido educadamente, mas só conversa com ele o indispensável. Você percebeu?

— Gilberto me disse que dona Glória fica o tempo todo na fazenda e raramente vai à casa da cidade. Ele é muito reservado quando menciona os familiares.

Diva deitou-se novamente, dizendo:

— Pareceu-me que Nivaldo também não é muito ligado ao pai. Sinto que entre eles há alguma coisa que preferem ocultar.

Foi a vez de Isabel sentar-se na cama:

— Sabe que eu também sinto isso? Mas eles parecem gente boa e eu espero que não seja nada grave.

— Eu também. Vou tentar dormir um pouco. Nós madrugamos hoje.

— Vou fazer o mesmo.

As duas acomodaram-se e dentro de alguns minutos ressonavam tranquilas.

Carlos chegou à loja e Yuri, assim que o viu, segurou seu braço dizendo com certa euforia:

— Eu estava esperando você. Sabe que dia é hoje?

— Sei. Faz exatamente um mês que comecei a trabalhar aqui.

Levou-o até sua pequena sala e continuou:

— Meu tio quer conversar com você. Está com algumas ideias. Acho que você vai gostar.

— É? Estou curioso. Vamos falar com ele.

— Agora não dá. Ele está atendendo um cliente importante. Mais tarde.

— Não pode me adiantar de que se trata?

Yuri balançou a cabeça negativamente:

— Meu tio não gosta que eu fale nada antes dele. Não estou informado dos detalhes, mas acho que é positivo.

— Está bem. Vamos à oficina. Quero ver como ficou aquele bracelete que eu desenhei.

— Você fez mistério. Não quis me mostrar o desenho. Se ficar ruim meu tio vai brigar comigo. Ele quer que você seja vendedor, não ourives. Só permitiu que eu o ensinasse quando eu disse que era só para facilitar o seu trabalho.

— Sempre gostei de desenhar, pois me acalma e distrai.

Eles foram à oficina. Sobre o balcão havia várias joias, algumas prontas, outras em andamento, e dois ourives trabalhando. Aproximaram-se curiosos.

Yuri passou os olhos rapidamente sobre elas e logo percebeu um bracelete que não conhecia. Apanhou-o, pegou um examinador, colocou em um olho, fechou o outro e começou a examiná-lo lentamente.

Carlos esperava ansioso. Como Yuri continuava calado, não se conteve:

— E então, está muito ruim?

Yuri tirou o examinador sobre o balcão, balançou a cabeça dizendo admirado:

— Está lindo! Original, diferente. Você nunca desenhou joias?

— Não... claro que não.

— Meu tio precisa ver isso.

— Não mostre a ele. Pode não gostar.

— Pois eu acho que ele vai é lançar no mercado, exatamente igual.

— Será?

— Ele não vai deixar passar. Um bom designer é raro. Eu faço peças tradicionais que nunca saem da moda; vendem, mas não causam impacto.

— Você é meu amigo, está exagerando. Eu não tenho todo esse talento. Acho melhor não mostrar para seu tio. Gosto de vocês, preciso do emprego, tenho planos para colocar nossos produtos no exterior e não quero perder essa chance por uma brincadeira.

— Fazer esse bracelete foi uma brincadeira para você?

— Um pouco. Eu queria mostrar que tenho facilidade para aprender qualquer coisa. Eu queria fazer a experiência sem sua ajuda para ver se tinha aprendido a lição.

— Resta saber se isso não foi um sucesso de estreante. Uma obra do acaso.

— Como assim?

— Para saber se você conhece todo o material, sabe como usá-lo e tirou proveito de tudo que lhe ensinei, precisa fazer outros desenhos, utilizando outros materiais. Acha que pode fazer isso?

— Claro. É fácil. Resta saber se Nicolai não vai achar ruim. Não quero contrariá-lo.

— Não se preocupe. Deixe comigo.

— Está bem. Vou para o meu canto estudar os papéis que seu tio me deu. É sobre legislação aduaneira.

— Pode ir. Assim que ele estiver livre, eu aviso.

Carlos deixou a oficina, Yuri voltou para sua sala com o bracelete em mãos. Sentou-se e começou a calcular o custo e o preço a que precisaria ser vendido.

Uma hora depois, chamou Carlos e foram conversar com Nicolai. Ele designou a cadeira em frente à sua mesa para que Carlos se sentasse. Depois disse:

— Chegou o dia de avaliarmos seu desempenho. Posso dizer que aprecio sua pontualidade, sua dedicação ao trabalho. Tem facilidade para aprender e noto que tem progredido muito. Mas para fazer o que você pretende, viajar para vender nossos produtos no exterior, é preciso um pouco mais.

Ele fez ligeira pausa, esperou alguns segundos e, vendo que Carlos continuava em silêncio, continuou:

— Acho que é apenas questão de tempo. Desejo propor-lhe que continue estudando aqui, na parte da manhã, e que durante a tarde saia com Yuri para visitar algumas joalherias que vendem nosso material e ver como se sai com os clientes. O que acha?

— É um bom começo, estou disposto a fazer o meu melhor. Mas para isso vamos precisar reajustar meu salário. Preciso cuidar melhor da minha aparência.

Nicolai cofiou a barba pensativo, depois respondeu:

— Yuri só vai apresentá-lo aos clientes. Depois, você vai tentar aumentar a venda e, sobre o que conseguir a mais, pagaremos uma comissão de dois por cento.

— Parece pouco — tornou Carlos.

— Mas não é — justificou Nicolai. — Joias custam caro e, se trabalhar bem, poderá ter uma boa comissão. Dessa forma, você vai praticando e, quando eu achar que está indo bem, viajará por outros estados do país e, daí para frente, para o exterior, como deseja.

— Gostei do seu plano. Acho que é sensato e sei que vou realizar tudo isso em pouco tempo.

— Vamos ver. Yuri vai acertar o que resta do seu salário. Amanhã à tarde você pode começar a sair com ele, que vai programar tudo.

Carlos deixou a sala de Nicolai satisfeito. As coisas estavam saindo conforme seus desejos. Não duvidava que teria sucesso.

No fim do expediente, Yuri lhe entregou o restante do salário. Ao despedir-se, disse desafiador:

— Você disse que é simples desenhar joias. Eu não acho. Mas é bom que você experimente um pouco mais, crie outras peças. Isso vai ajudar você a observar os detalhes significativos de cada uma e tornar-se convincente diante dos clientes.

Carlos riu e respondeu:

— Para mim é fácil. Desenhar é um prazer.

Carlos despediu-se e saiu. Seus projetos estavam encaminhados e ele acreditava que conseguiria o que pretendia, mas não seria tão depressa como gostaria. Sentiu um aperto no peito ao pensar em Isabel. Ela estava noiva de outro. E se ela se casasse antes de ele ter conseguido subir na vida?

Uma onda de raiva brotou em seu peito e deixou-o nervoso. A vontade que sentia era de ir até ela, gritar-lhe todo seu sofrimento, exigir que ela acabasse logo com aquele noivado e voltasse para ele.

Controlou o impulso com dificuldade. Não queria que fosse dessa forma. Sonhava que ela valorizasse seus sentimentos, reconhecesse o quanto a amava.

As lembranças do namoro, dos beijos e das juras que tinham trocado povoaram sua mente, aumentando sua angústia.

Chegou em casa nervoso, ouviu os familiares conversando na copa e subiu para o quarto. Queria ficar sozinho. Não estava disposto para conversar.

Fechou-se no quarto, tirou os sapatos e estirou-se na cama, pensativo. Não queria dar vazão à raiva. Precisaria agir com inteligência se quisesse vencer.

Mas os pensamentos tumultuados continuavam e foi preciso muito esforço para mudar o enfoque. Começou a imaginar como abordaria os clientes, o que diria, os lucros que teria nas vendas, como cuidaria do seu dinheiro.

Dessa forma, aos poucos, dominou a tensão. Na cabeça dele, já estava ganhando muito dinheiro, tendo seu próprio negócio, com sucesso.

Aos poucos foi relaxando, até que, cansado, adormeceu. Mas a calma desfez-se em seguida. Sonhou que estava novamente no campo de batalha, debruçado sobre o corpo de Adriano, desesperado. Alguém tocou em seu ombro, ele voltou-se assustado e viu Adriano, em pé, fixando-o aflito.

— Adriano, não pode ser! Você está morto! Veja aqui seu corpo...

Carlos apontou para o chão e, ao voltar-se, percebeu que a paisagem havia se modificado. Não estavam mais na trincheira, nem se ouviam os tiros das metralhadoras. Voltou-se novamente. Adriano continuava lá, em pé, encostado em uma árvore. Vestia uma roupa comum, seu rosto estava abatido e mal se sustentava em pé.

Carlos ficou mudo e pensou:

— É apenas um sonho. Adriano está morto!

— Não, Carlos. Eu estou vivo! Preciso de sua ajuda!

— Não pode ser! Eu vi quando você morreu naquele inferno. Você me pediu para procurar Anete. Nunca pude encontrá-la para dar seu recado.

— Você precisa tentar. É importante. Ela precisa de mim e eu não posso fazer nada. Estou muito fraco, não tenho forças para sair daqui. Você é meu amigo, pode me ajudar! Não me abandone! Preciso de ajuda... por favor...

Aos poucos a figura de Adriano foi desaparecendo e Carlos acordou ouvindo batidas na porta do quarto.

Ainda semiconsciente, ele gritou:

— Já vou.

As batidas continuaram e ele pulou da cama, sem saber bem onde estava. A sensação melhorou e ele conseguiu dizer:

— Um momento, já vou abrir. O que aconteceu?

— Mamãe serviu o jantar e mandou chamar você.

A voz de Inês o trouxe de volta à realidade. Respondeu:

— Já vou descer.

Enquanto lavava o rosto e se preparava para descer, Carlos pensava em Adriano.

— Esse foi um pesadelo diferente. Preciso esquecer tudo que passei, encontrar a paz. Será que algum dia vou conseguir?

Quando chegou à copa, a família já estava começando a jantar. Albertina fixou-o e disse:

— Não vi você chegar. Pensei que não estivesse em casa.

— Cheguei no mesmo horário de sempre.

— Você está com uma cara... — comentou Inês. — Aconteceu alguma coisa?

Carlos sentou-se, serviu-se e respondeu:

— Não. Está tudo bem.

Começou a comer em silêncio. Inês continuou:

— Hoje venceu o seu mês de experiência na loja.

Carlos concordou com a cabeça, mas continuou comendo calado. Antônio interveio:

— Pela sua cara, deve ter sido despedido.

Os olhos de Carlos brilharam satisfeitos quando disse:

— Pelo contrário. Fui promovido. Amanhã cedo começarei uma nova atividade. Vou visitar os clientes e começar a vender os produtos.

Antônio fixou-o admirado:

— Espero que desta vez você tenha sido mais esperto e conseguido um bom aumento de salário.

— Consegui o suficiente. Não se preocupe comigo, pai. Sei o que estou fazendo.

Antônio meneou a cabeça enquanto dizia:

— Espero mesmo. Você não tem experiência, mas pensa que sabe tudo. Não ouve ninguém.

Carlos colocou o garfo no prato, fixou o pai e respondeu:

— Ouço sim, e respeito seus conselhos, mas nem sempre concordo. Quero fazer do meu jeito. É que eu prefiro errar pela minha própria cabeça. Já sei que assim aprendo mais depressa. Até agora, tudo tem dado certo, mas se não tivesse dado, eu teria coragem de assumir meus erros e começar de novo até chegar onde eu quero. Fique tranquilo, pai.

Antônio ia falar, abriu a boca, mas fechou-a de novo, voltou a atenção ao seu prato e continuou comendo em silêncio.

Depois do jantar, Carlos foi novamente para o quarto. Antônio foi ler seu jornal e as duas mulheres foram arrumar a cozinha.

Inês comentou:

— Acho que Carlos mentiu para não dar o braço a torcer. Pela cara dele vi que não estava bem.

— Você está enganada. Ele disse a verdade. Eu entendo, quer ser autossuficiente, fazer tudo sozinho. Ele sempre foi assim. Quando queria aprender alguma coisa, era determinado, não queria ajuda de ninguém.

— Não sei, não. A vida não é tão fácil como ele diz. Se é difícil para quem estudou, se formou e tem uma profissão, imagine como deve ser para quem não tem nada disso. Carlos está sonhando muito. Imagine que ele acha que vai ficar rico! Quanto mais alta é a escada, maior o tombo! Nós ainda vamos ver isso.

— Não fale assim, Inês. Parece até que você está desejando isso! Pois eu acredito nele. É inteligente, se esforça, tem garra. Por que não?

Inês deu um risinho irônico e respondeu:

— Mãe é mãe, não é mesmo? Você gostaria que fosse assim e está sonhando também.

Albertina não respondeu. Ela não gostava quando Inês usava aquele tom de deboche. Às vezes ela ficava irritante, negativa, crítica, e isso incomodava Albertina, que tinha outro temperamento e gostaria que a filha fosse diferente.

No quarto, Carlos, depois de planejar como deveria ser sua postura no trabalho e o que faria para vender bastante, preparou-se para dormir. Queria descansar para acordar bem-disposto no dia seguinte. Estendeu-se na cama, fechou os olhos, mas receou ter aquele pesadelo que tanto o incomodava.

Lembrou-se do sonho, reviu a figura de Adriano fraco, abatido, encostado na árvore. Embora Adriano continuasse insistindo no mesmo assunto, aquele sonho não fora igual aos outros. De onde ele tirara aquela visão, se aquilo nunca havia acontecido?

De alguma forma ele havia criado aquela cena, fantasiado. Mas por quê? O que ele mais desejava era esquecer a guerra, a dor de ver o amigo morrer sem poder fazer nada para ajudá-lo. Por que aquilo não acontecia?

Quando partiu para a guerra, Albertina, uma pessoa de fé, deu-lhe para proteção uma medalha de Maria e o fez prometer que rezaria todos os dias. Ele não tinha a mesma fé da mãe, mas, no início, fazia uma oração todas as noites antes de dormir conforme havia prometido.

Mas seu choque com a dura realidade de uma guerra sangrenta o fez questionar um Deus que permitia tantas maldades e tantos sofrimentos. Em momentos difíceis, muitos companheiros oravam sem que fossem poupados e, por isso, Carlos deixou de rezar e de acreditar em Deus.

Sem fé, ele passou a achar que sua vida dependia apenas dele mesmo, que precisava ser forte, cuidar de si e defender-se das maldades dos homens. Diante dos perigos que precisou enfrentar, mesmo depois de a guerra ter terminado, essa crença ajudou-o a ser forte, cuidar de sua segurança e desenvolver a própria força.

Acreditava que a morte era o fim de tudo. Não podia imaginar que o espírito do amigo morto continuasse vivo no outro mundo e muito menos que o visitasse durante o sono.

Mas a verdade era diferente. O espírito de Adriano, após a morte do corpo, havia sido socorrido por espíritos amigos e levado a um posto de atendimento no plano astral onde recolhiam os egressos e cuidavam de sua recuperação.

Assim que se recuperou um pouco e soube que havia morrido, Adriano pensou em Anete e se desesperou. Queria sair para procurá-la. Não obteve permissão. Inconformado, passou a procurar um meio de fugir. Tanto fez que conseguiu sair do posto.

Assim que deixou o local, sentiu-se fraco, e as feridas do seu corpo, que já haviam cicatrizado, começaram a sangrar de novo. Mas, apesar do mal-estar, ele não desistiu.

Não sabia onde estava nem como poderia encontrar Anete. Lembrou-se de Carlos, com quem tinha muita afinidade. Pensou nele e logo se viu em um quarto com o amigo que estava sentado na cama pensativo.

Satisfeito, aproximou-se. Tentou conversar com ele, mas não obteve resposta. Notou que ele estava nervoso, revoltado. Insistiu, mas não conseguiu fazer com que Carlos percebesse sua presença.

Sem saber o que fazer, Adriano sentou-se na cama ao lado dele. Nesse momento, viu um homem entrar e aproximar-se dele, dizendo:

— Você não pode ficar aqui.

— Quem é você? — perguntou.

— Um amigo. Vim buscá-lo. Você está doente e precisa de tratamento.

— Eu não vou. Quero falar com Carlos. Só ele pode me ajudar.

— É inútil. Carlos não consegue vê-lo.

— Ele tem que me ouvir.

— É melhor vir comigo. Eu sei que você quer encontrar uma pessoa e posso ajudá-lo.

Adriano levantou-se interessado:

— Você sabe onde Anete está?

— Ainda não. Se me der os dados dela, poderemos descobrir, mas terá que vir comigo.

— Você está me enganando. Quer me prender de novo.

— Não é verdade. Sou amigo de Carlos. Soube que ele voltou para casa e vim visitá-lo. Ele tem estado muito nervoso. As coisas mudaram, não saíram como ele esperava. Sua presença pode deixá-lo ainda pior.

— Sou amigo dele. Não vou prejudicá-lo.

— É que você não está bem. Ele vai sentir suas energias, lembrar-se do que aconteceu a você e sofrer. Eu sei como você morreu. Ele sofre muito por não ter conseguido fazer nada para ajudá-lo.

— Mas é por isso que estou aqui. Ele tem que procurar Anete por mim.

— Eu quero ajudá-lo. Meu nome é Orlando, e faz dez anos que deixei a Terra. Desde então, moro em uma comunidade não muito distante. Trata-se de uma cidade muito boa e organizada. Se você for até lá comigo, poderemos descobrir onde Anete se encontra e conseguir ajuda para que você a visite pessoalmente.

Adriano ficou pensativo durante alguns minutos. Depois perguntou:

— Não está me enganando? Pode mesmo me levar até onde ela está?

— Sim. Mas vamos precisar da ajuda de alguns amigos meus que moram lá. São pessoas muito boas e prontas a ajudar.

— Tenho medo. Eu estava em um hospital para tratamento, mas eles não me deixavam sair. Não quero ir para um lugar igual.

— Vou ser bem franco com você. É muito perigoso andar pelo astral sem proteção. Se você cair na mão dos renegados, poderá tornar-se escravo deles. Além de não cuidarem de sua saúde, terá que trabalhar para eles.

— Existe isso?

— Sim.

— E você não tem medo?

— Eu tenho recursos para ludibriá-los. Aprendi como escapar e, além disso, estou protegido pelos mestres da minha comunidade. No estado em que você está, será presa fácil desses grupos. Se vier comigo, estará seguro. Lá, você poderá aprender a se defender e só depois poderá viajar sem correr nenhum risco.

— Eu preciso muito falar com Carlos. Você poderia também conseguir isso?

— Ele está muito agoniado com o que você passou. Acho mesmo que seria muito bom se vocês se encontrassem.

— Como pode ser isso?

— Durante o sono. Vamos ver o que posso fazer. O que eu mais quero é que Carlos se recupere e seja feliz.

— Nesse caso, eu vou com você.

Orlando segurou no braço de Adriano e os dois foram se elevando, até que deixaram o quarto.

Carlos, envolvido em seus projetos, acomodou-se para dormir e esqueceu completamente o medo que sentia de ter o pesadelo novamente.

A tarde estava findando e o sol estava prestes a esconder-se no horizonte. Isabel e Gilberto, sentados na varanda da casa grande de mãos dadas, olhavam a paisagem bonita ao lado de Glória e faziam planos para o futuro.

O tempo passara depressa. Na manhã seguinte, voltariam à cidade.

— Pena vocês terem de ir embora — comentou Glória. — Há muito tempo não passava dias tão felizes.

— Eu também — disse Gilberto sorrindo. — Se eu pudesse, ficaria um pouco mais.

— Este lugar é mágico e a companhia de vocês é especial. Gostaria muito que mamãe estivesse aqui. Ela teria adorado! — disse Isabel.

— Da próxima vez a traremos conosco. Estou certo de que você gostará muito de conhecê-la. Dona Laura é uma mulher maravilhosa.

— Estou certa que sim.

— A senhora poderia ir passar alguns dias conosco em São Paulo — sugeriu Isabel.

Glória baixou os olhos e Isabel notou certo ar de tristeza. Depois ela sorriu e respondeu:

— Talvez eu vá mesmo. Faz tempo que não vou ao apartamento que temos lá. Gosto da fazenda e me envolvo demais.

Ouviram algumas risadas e viram Diva e Nivaldo chegando. Desde o primeiro dia, Diva se interessara muito pelo laboratório, e, nos dias que se seguiram, ela levantava cedo e acompanhava Nivaldo até lá, fazendo pesquisas e voltando para casa apenas para almoçar.

A vida de Diva ganhara cores, e ela estava alegre e bem-disposta. Vendo-os chegar, Glória não se conteve:

— Como você está bonita! A vida do campo lhe fez bem!

Diva sentou-se ao lado dela e respondeu:

— É verdade! Adorei este lugar. Nunca pensei que fosse gostar tanto.

— Ela tem alma de fazendeira! — tornou Nivaldo. — Além disso, é boa pesquisadora. Tem me ajudado muito nas pesquisas.

— Pena que temos de ir embora amanhã. Gostaria de poder ficar um pouco mais.

— Então fique. Vocês trouxeram alegria. Estou triste só de pensar que irão embora domingo — reclamou Glória.

— Infelizmente, não posso — respondeu Diva. — Mas voltarei sempre que me convidarem.

— Aqui está tão bom que eu preferia ficar e ir à cidade só na hora de viajar para São Paulo. Mas papai ligou, quer levar vocês ao clube, apresentar aos amigos.

— Ele está sendo gentil, é melhor irmos — disse Isabel.

— Também vou. Quero usufruir ao máximo a companhia de vocês — informou Glória.

Foi a vez de Nivaldo dizer:

— Eu também. O Roque cuidará de tudo enquanto eu estiver fora.

Glória levantou-se:

— Vou à cozinha ver o jantar. Já deve estar pronto.

— Nesse caso, vou tomar um banho rápido — disse Diva.

Nivaldo acrescentou:

— Eu vou fazer o mesmo.

— Vocês têm dez minutos.

Os dois saíram rapidamente. Glória foi para a cozinha. Gilberto comentou:

— Você notou como Nivaldo e Diva estão se dando bem?

— É verdade. Passam o tempo todo juntos, rindo, brincando. Nunca vi Diva tão bem-disposta.

— Estou admirado. Na verdade, saí de casa muito cedo, nunca convivi muito com Nivaldo. Mas ele me parecia tímido, calado, falava pouco. Estava enganado. Ele é bem-humorado, sensato, inteligente, tem ideias próprias.

— Ele é especial. Tem sensibilidade, carisma, e além disso é um líder nato. Você viu como ele trata os peões? Sabe ser enérgico, respeita todos e é adorado por eles.

— E já conquistou você!

— Ele e sua mãe me conquistaram. Não é difícil gostar deles.

Depois do jantar, todos se sentaram na varanda para conversar. A noite estava fresca e agradável, e um pé de dama-da-noite exalava delicioso perfume.

Diva aspirou com prazer, dizendo:

— Nunca vou esquecer os dias que passamos aqui.

E Nivaldo completou:

— Nós também não. A presença de vocês me trouxe alegria. Gosto de estar aqui, adoro meu trabalho e não me sinto só, mesmo quando mamãe não está. Mas quando vocês forem embora, sentirei saudades. Seria muito bom se vocês viessem morar mais perto.

— Por que vocês não vêm morar aqui quando se casarem? — perguntou Glória.

— Nunca pensei nisso. Você sabe, tenho uma carreira lá, compromissos. Também não sei se Isabel gostaria. É apegada à família.

— É verdade. Eu não teria coragem de separar-me de mamãe e de minha irmã. Depois que meu pai morreu, ficamos mais unidas. Mas adorei esses dias com vocês e estou certa de que viremos sempre que tivermos alguns dias.

— Serão bem-vindas em qualquer tempo — tornou Nivaldo.

Diva sorriu e olhou para ele, dizendo:

— Você é um ótimo professor e tem muito a ensinar. Tenho muita vontade de continuar as pesquisas que fizemos juntos. Você me fez ver a vida de uma forma diferente, abriu portas que eu nunca havia pensado, eu quero mais. Sinto por ter de parar e vou ficar esperando que me convidem novamente.

Glória segurou a mão dela dizendo:

— Você não precisa de convite. Venha sempre que puder. Ficaremos felizes em recebê-la.

Diva sorriu ao responder:

— Não fale assim, dona Glória, que eu posso aceitar.

— Venha mesmo. Espero que não se esqueça de nós.

Conversaram um pouco mais, até que Gilberto propôs:

— Vamos dar uma volta! A noite está tão bonita e perfumada!

Isabel levantou-se:

— Vamos sim. Na cidade não temos noites como esta.

— Boa ideia — concordou Diva.

— Ótima! — disse Nivaldo. — Você nos acompanha, mamãe?

— Não, filho. Vão vocês. Já vou me deitar. Amanhã quero levantar bem cedo.

Isabel e Gilberto, de mãos dadas, foram caminhando na frente, e os outros dois os seguiram conversando com alegria. Depois de mais de uma hora, recolheram-se para dormir.

No quarto, as duas moças trocaram ideias sobre a viagem, lamentando a partida.

— Adorei a família de Gilberto.

— Mas o pai, não sei, pareceu-me um tanto distante. É como se ele não pertencesse à mesma família. Você não notou?

— De fato. Ele é diferente dos demais. Mas nos recebeu bem, tem sido atencioso, educado.

— Isso é. Mas notei que ele conversa com Glória apenas o essencial. Ficam distantes. Nivaldo contou que a mãe fica aqui o tempo todo e o pai raramente vem. Havia mais de quatro meses que eles não se viam. Glória raramente toca no nome do marido e Nivaldo também.

— Gilberto faz o mesmo. Houve tempo em que suspeitei que houvesse algum problema com a família dele.

— Pode ser apenas uma questão de afinidade. Apesar disso, eles convivem de forma civilizada. Se não fosse pela tristeza de Glória, eu até acharia normal.

— Você também sentiu isso?

— Sim. Às vezes a expressão do rosto dela muda, os olhos ficam tristes, mas ela disfarça e logo se refaz.

— Eu pensei que fosse impressão minha. Mas se você também notou, deve ser verdade. Tudo parece estar bem, mas pode haver alguma coisa a infelicitando.

— Ela tem a filha que mora no Rio, pode estar preocupada com ela.

— Não creio. Ela fala dela com muito orgulho, elogia. Para mim, só pode ser algum desentendimento com o marido.

— É o mais provável, mas estamos fazendo suposições. O tempo dirá. Vamos dormir que é tarde.

— Durma bem, Diva.

— Você também.

As duas se acomodaram melhor e, dentro de poucos minutos, adormeceram.

Na manhã seguinte, passava das dez quando eles voltaram para o casarão de Pouso Alegre. O dia estava lindo e o sol já estava forte, prenunciando que o sábado seria quente.

Chegaram à cidade quase na hora do almoço. Alberto os esperava sorridente. Os viajantes, depois de terem lanchado na sala, onde Dete colocara jarras com refrescos e alguns salgadinhos, foram para o quarto descansar um pouco até o almoço.

Mais tarde, durante o almoço, Alberto pretendia levá-los para conhecer alguns lugares pitorescos da cidade, mas as duas moças preferiam sair mais tarde, quando o sol estivesse menos forte.

Eram quase cinco da tarde quando saíram. Isabel e Glória foram com Gilberto, e Nivaldo e Diva com Alberto. Depois de visitarem alguns lugares e serem apresentadas a alguns amigos de Alberto, foram ao clube, onde a diretora social os esperava.

Era uma mulher alta, loura, aparentando um pouco mais de quarenta anos, muito elegante, que os recebeu com certa cerimônia. O rosto de Alberto se modificou. Seus olhos brilhavam de prazer quando apresentou as duas moças:

— Isabel, noiva do Gilberto, e Diva, sua prima.

Ela estendeu a mão, dizendo:

— Muito prazer. Sejam bem-vindas.

Depois virou-se para Glória, dizendo:

— Como vai, dona Glória? Faz tempo que não nos vemos.

Glória cerrou os lábios e demorou um pouco para responder. Fingiu não ver a mão que ela estendia e disse:

— Vou muito bem, obrigada.

Nivaldo segurou o braço da mãe, dizendo com voz calma:

— Venha, mãe, quero mostrar-lhe o salão que foi reformado.

O rosto de Alberto enrubesceu e, antes que ele dissesse alguma coisa, Gilberto tornou:

— Eu conhecia outra diretora. A senhora é nova na cidade?

— Não. Vim para cá ainda pequena e sou diretora do clube há cinco anos. Meu nome é Alda. Você é filho do senhor Alberto?

— Sim — segurando o braço de Isabel, continuou: — Venha, Isabel, quero mostrar-lhe a sala de jogos.

Eles se afastaram e Alberto aproximou-se de Alda, dizendo baixinho:

— Você não precisava ter vindo.

— Eu queria ver o rosto de Glória quando me visse.

Alberto afastou-se rápido e alcançou os dois. Enquanto caminhavam, sorriam para alguns amigos que encontraram pelo caminho.

Na lanchonete, sentados em uma mesa tomando um refrigerante, estavam Glória, Nivaldo e Diva. Os três aproximaram-se. Nivaldo levantou-se:

— Sentem-se — disse ele colocando mais cadeiras ao redor da mesa. — Querem tomar alguma coisa?

Glória estava pálida e havia certo mal-estar no ar. Gilberto disse:

— Está muito quente. Mamãe não parece bem. Acho melhor irmos embora.

Alberto exclamou:

— Vocês mal chegaram! Marquei com alguns amigos que desejo lhes apresentar. Devem estar chegando!

— Gilberto tem razão. O bem-estar de mamãe está em primeiro lugar. É melhor irmos embora — disse Nivaldo.

Alberto olhou para as duas moças e disse sorrindo:

— Ela vai embora descansar, mas vocês podem ficar.

— Desculpe, mas nós vamos embora com dona Glória — disse Diva.

— O senhor certamente encontrará uma boa justificativa para que seus amigos nos desculpem — completou Isabel levantando-se. As duas se colocaram uma de cada lado de Glória, que se levantou em seguida.

— Vamos, dona Glória — disse Isabel. — A senhora precisa descansar.

As três saíram sem dar tempo para que Alberto dissesse mais alguma coisa, e os dois irmãos as acompanharam. Alberto foi atrás deles, que se apertaram para ir em um carro só. Aproximou-se de Gilberto, que estava à direção, dizendo:

— Sua mãe não gosta de sair de casa. Eu vou ficar para receber meus amigos conforme o combinado.

Gilberto não respondeu. Ligou o carro e saíram. Viajaram em silêncio e, chegando em casa, as duas moças acompanharam Glória até o quarto.

— Sente-se melhor? — indagou Isabel.

— Sim. Vai passar. Vou descansar um pouco, logo estarei bem.

— Está muito quente — tornou Diva. — Vou buscar um refresco.

— Obrigada, não é preciso.

Glória estendeu-se na cama e, vendo que as duas moças se sentaram do lado, disse sorrindo:

— Podem ir descansar. Eu estou bem.

Olhando o rosto pálido de Glória, as duas não queriam se afastar, mas ela insistiu:

— Deixem-me sozinha, por favor. Vou ficar bem.

Elas hesitaram um pouco, mas depois saíram e foram ter com os dois rapazes que conversavam na copa. Ao se aproximarem, ouviram Gilberto dizer:

— É o cúmulo! Ele está exagerando.

— Por que você acha que ficamos o tempo todo na fazenda? Não dá mais para convivermos.

As duas entraram e eles se calaram. Isabel não se conteve:

— Desculpe, Gilberto, mas ouvimos o que vocês disseram.

— Dona Glória ainda não está bem, mas não nos deixou ficar no quarto — tornou Diva.

As duas sentaram-se ao lado deles e Gilberto disse:

— Lamento que vocês tenham presenciado essa cena tão desagradável. Pensei que papai tivesse mudado, mas parece que está pior. Você vai entrar para a família, precisa saber a verdade.

— Não precisa dizer nada — respondeu Isabel. — Vamos esquecer o que aconteceu.

— Não adianta tapar o sol com a peneira. Vocês devem ter percebido a verdade. Há mais de dez anos papai tem um caso com Alda, a mulher que nos recebeu no clube. A cidade inteira sabe. Antes ele era mais discreto, mas ultimamente ficou pior.

— Ela não era nada, agora é diretora do clube mais tradicional da cidade. Como foi isso? — perguntou Gilberto.

— Foi o deputado Rossi quem a colocou no cargo a pedido de papai.

Diva comentou:

— Por que dona Glória suporta tudo isso calada? Se fosse comigo já teria virado a mesa.

— Desde que descobriu tudo, mamãe rompeu com ele. Estão separados.

— Por que vocês não se mudam para o apartamento em São Paulo? Lá ela estaria longe dessa humilhação e ficaria melhor — sugeriu Gilberto.

— Ela acha que quem deve se mudar é a outra. Não quer ir embora e deixar o lugar livre para ela — esclareceu Nivaldo.

Diva balançou a cabeça negativamente enquanto dizia:

— Essa atitude pode custar caro. Hoje ela ficou tão mal que pensei que fosse desmaiar.

— Esse é o meu receio. Vou tentar convencê-la a ir embora conosco.

— Ela não quer me deixar sozinho na fazenda — completou Nivaldo.

— Você não pensou na possibilidade de ir também?

— Já. Mas não é tão simples assim. A fazenda estava abandonada. Eu assumi, tenho me dedicado e consegui levantá-la. Ir embora depois de tudo seria condená-la a perecer. Papai não tem nenhum interesse em mantê-la. Só tem interesses com políticos, sonha conquistar um cargo público de relevância.

Eles ficaram silenciosos por alguns instantes, depois Gilberto disse:

— Apesar disso, ainda acho que vocês dois deveriam resolver os negócios aqui e ir morar em São Paulo. Se mamãe continuar aqui, vai acabar perdendo a saúde.

Nivaldo suspirou triste e respondeu:

— Esse é o meu maior medo.

— Amanhã iremos embora. Vou ver se consigo convencê-la a passar alguns dias conosco. Enquanto isso, pense em um jeito de se mudar definitivamente para o apartamento em São Paulo. Lá estaremos juntos e mamãe poderá esquecer um pouco essa triste história.

Nivaldo ficou pensativo por alguns instantes, depois disse:

— Você ainda não sabe do pior. Papai tem um filho com essa mulher e vive circulando com ele pela cidade.

Gilberto levantou-se nervoso:

— Esse é mais um motivo para que vocês deixem esta cidade. Vou falar com mamãe agora mesmo e convencê-la a viajar conosco amanhã.

— Ela não vai querer ir.

Diva interveio:

— Imagino como ela se sente. Ir embora significa abandonar o barco, deixar tudo para essas pessoas de quem ela não gosta.

— É verdade. Mas no momento ela precisa é cuidar de si mesma, do seu bem-estar. Não adianta tentar manter uma situação que a está deprimindo, que não tem mais volta e que a cada dia fica pior. Eles escolheram esse caminho, mas ela pode sair, se libertar, ter uma vida melhor.

— É o que eu penso. Vou falar com ela.

Gilberto foi até o quarto, bateu levemente na porta e entrou. Ao aproximar-se de Glória, notou que ela chorava. Vendo-o, ela voltou o rosto, tentando dissimular. Ele sentou-se ao lado da cama e segurou a mão dela, dizendo:

— Mãe, você não precisa suportar mais isso. Amanhã cedo você vai comigo para São Paulo.

— Não quero sair daqui agora. Não se preocupe. Logo estarei bem.

— Não creio. Por que nunca me contou o que estava acontecendo? Papai parece que perdeu o juízo.

— Não tinha o direito de preocupá-lo com nossos problemas. Faz anos que estamos separados.

— Nesse caso, não há motivo para continuar vivendo aqui. Amanhã você vai conosco.

— Não posso, não é justo. Quando nos casamos, não tínhamos nada. Eu trabalhei muito, ajudei a construir nosso patrimônio e não quero abandoná-lo agora. Depois, não seria justo com Nivaldo. Ele transformou a fazenda em um lucrativo negócio. Ama o que faz. Não posso prejudicá-lo.

— Não creio que ele esteja feliz em uma situação dessas. Se quiserem continuar com esse trabalho, podem comprar terras em outro lugar. Você está vivendo pela metade. Cuide de você. Recupere sua autoestima e a alegria de viver.

— Minha vida acabou. Não tenho ânimo para fazer nada. Vou seguindo meu caminho como Deus quer.

Gilberto alisou o rosto dela com carinho, dizendo:

— Mãe, reaja. Você está se condenando à infelicidade enquanto ele mergulha cada dia mais na ilusão.

— Estou esperando a hora em que essa ilusão vai acabar. Quero estar perto para ver.

— Você está se punindo com isso. Vamos embora. Deixe-o definitivamente.

— Não quero. Eu sou a dona desta casa, metade dos nossos bens me pertence por direito. Não vou deixar tudo de mão beijada para ele.

— Procuraremos um bom advogado, faremos o desquite e dividiremos todos os bens conforme a lei. Assim, você estará livre para seguir sua vida, fazer o que quiser.

— Não tenho coragem para uma atitude dessas. Uma mulher desquitada fica marcada e malvista. Não quero que vocês se tornem filhos de uma desquitada.

Gilberto ficou pensativo durante alguns segundos, depois disse:

— Está certo, mãe. Não vou insistir. Mas amanhã você vai conosco para São Paulo, pelo menos para ficar alguns dias, refazer suas energias. Quando estiver bem, posso trazê-la de volta.

— Passar alguns dias fora talvez seja bom. Não ter que olhar para a cara de seu pai é um alívio.

— Isso mesmo, mãe. Vai lhe fazer muito bem.

— Tenho vivido só na fazenda, não tenho comprado roupas. Acho que não estou preparada para ir com vocês.

Gilberto sorriu:

— Não precisa levar nada. Isabel e Diva vão adorar levá-la às compras assim que chegarmos.

— Elas são adoráveis.

— São mesmo. Agora, vamos descer para combinar a nossa viagem.

— Vá você. Não vou aparecer com essa cara chorosa. Vou lavar o rosto, me arrumar um pouco e descer em seguida.

Gilberto levantou-se satisfeito, deu-lhe um sonoro beijo na face e foi ao encontro dos demais, que o esperavam ansiosos.

13

Passava das oito quando eles iniciaram a viagem de volta para São Paulo. Gilberto queria que Nivaldo os acompanhasse, mas ele alegou que havia algumas pesquisas em andamento no laboratório que seriam prejudicadas com seu afastamento. Porém, prometeu passar alguns dias com eles assim que as concluísse.

Alberto não apareceu na hora do café e ninguém o tinha visto desde a véspera. Não o mencionaram, nem deixaram nenhum recado de despedida.

Durante a viagem, Diva, sentada ao lado de Glória no banco de trás, conversava animada, contando-lhe as novidades da cidade grande, com suas lojas de departamentos e os filmes de sucesso em cartaz nos luxuosos cinemas.

De vez em quando, Isabel e Gilberto intervinham para comentar alguns detalhes, prometendo levar Glória para conhecer todas aquelas coisas.

Chegaram a São Paulo quase na hora do almoço e Gilberto sugeriu:

— Vamos almoçar em um restaurante. Conheço um lugar ótimo.

— Pensei que fôssemos direto à minha casa.

— Sim, Isabel, mas sei como é sua mãe. É melhor não darmos trabalho a ela. Vamos almoçar primeiro.

— Ela gostaria muito de preparar esse almoço.

— Sei disso. Marcaremos um outro dia, é mais próprio.

Todos concordaram. Depois do almoço, foram à casa de Isabel. Laura os recebeu com alegria. Abraçou Glória com carinho. Sônia juntou-se a eles e divertiu-se com a euforia das duas moças, que falavam de Nivaldo e da fazenda com entusiasmo, lamentando-se:

— Se eu soubesse que seria assim, teria pedido para ir.

Depois de meia hora de conversa agradável, Gilberto e Glória se despediram. Ele prometeu acomodar a mãe e voltar à noite.

O apartamento de Glória na avenida Angélica era espaçoso e bonito. Na portaria, conversaram com o zelador e foram informados de que a faxineira contratada para a conservação do apartamento não aparecia havia mais de um mês.

Eles subiram e, ao entrar, sentindo o ar abafado e desagradável, abriram todas as janelas. Os móveis, embora cobertos, estavam empoeirados.

— Acho melhor você ficar no meu apartamento. Eu deveria vir aqui de vez em quando para controlar a faxineira. Não dá para ficar aqui assim.

— Nada disso. Você não tem culpa de nada. Eu é que fui omissa. Vou dar um jeito nisso. Farei uma lista e você vai sair e comprar tudo. Enquanto isso, vou passar o aspirador de pó aqui.

— Não concordo. Você não veio aqui para trabalhar. Meu apartamento tem dois quartos. Você pode ficar comigo. Amanhã conseguirei uma pessoa para vir deixar tudo em ordem.

A campainha soou e Glória foi abrir. Era o zelador com a esposa, que disse sorrindo:

— Que bom que a senhora veio, dona Glória. Sua faxineira sumiu faz dois meses. Eu telefonei para o seu marido e ele ficou de arranjar outra, mas não veio ninguém. Eu poderia, de vez em quando, abrir as janelas, limpar o pó, mas sabe como é, ninguém me autorizou e fiquei com medo de que não gostassem.

— Obrigada, Lídia. Se eu soubesse disso teria conseguido outra pessoa.

— Eu estou querendo trabalhar para ajudar a pagar os estudos do Joel. Ele quer fazer faculdade.

— Que ótimo! Você é a pessoa ideal para cuidar do apartamento.

— A senhora veio para ficar?

— Apenas alguns dias. Mas entre, vamos combinar tudo. Quero contratar você.

As duas acertaram os detalhes. Lídia saiu e pouco depois voltou com o que precisava, disposta para começar a limpar.

— Mãe, enquanto ela limpa tudo, venha comigo conhecer meu apartamento, fica próximo daqui.

— Eu vou, mas quero ver se tem algum lugar aberto para comprar algumas coisas — voltando-se para Lídia, que já estava começando a faxina, perguntou:

— O que preciso comprar para limpeza?

— Hoje é domingo e não tem nada aberto. Mas eu tenho tudo de que preciso. Amanhã compraremos o que faltar.

Uma vez no carro, Glória comentou:

— Chegamos em boa hora. Não entendo como o Alberto pode ser tão desleixado. Se ele tivesse me avisado eu teria vindo e resolvido isso.

— Contratar a Lídia foi tudo de bom. Ela é nossa amiga, é de confiança, vai cuidar muito bem das nossas coisas. Sem falar que ela gosta muito de você.

— Sempre nos demos bem. Além disso, com ela tomando conta, poderei ir embora sossegada. De hoje em diante, ela e o marido terão de se reportar a mim. Alberto vai ficar fora desse apartamento.

— Isso mesmo. Melhor ainda seria se você viesse morar aqui. Estaria rodeada de pessoas que a respeitam e que fariam tudo para que fosse feliz. Além de Lídia e o marido, há a família de Isabel. Dona Laura é uma mulher excepcional, e estou certo de que gostará muito de conhecer a mãe de Diva também.

Uma sombra de tristeza passou pelos olhos de Glória.

— Não posso. Não insista. O máximo que farei é vir mais vezes aqui.

— Pelo menos isso. Sempre que estiver triste, deprimida, venha para cá refazer as energias.

— É, isso eu posso fazer.

Depois que Glória e Gilberto saíram da casa de Laura, Diva foi para casa, Sônia foi para o quarto ler e Isabel sentou-se na sala ao lado da mãe.

— Agora que estamos sós, quero saber os detalhes. Quando chegaram, apesar da euforia de vocês, senti que havia uma energia de tristeza. Não sei o que é, mas você vai me dizer.

— Como sempre sua intuição funciona. Tudo que contamos sobre a viagem é verdade. Nivaldo é um rapaz maravilhoso, nos recebeu com carinho.

— Diva falou dele com muito entusiasmo.

— Eles se deram muito bem. Ficavam o tempo todo juntos. Ela fez pesquisas no laboratório da fazenda com ele. Estavam sempre rindo e brincando. Dona Glória também nos tratou com carinho e fez tudo para nos alegrar, mas tanto eu como Diva, desde o começo, sentimos que de vez em quando ela tinha certo ar de tristeza.

— E o pai de Gilberto, como é?

— Nos tratou muito bem, foi amável, mas logo percebemos que ele e dona Glória só conversavam o essencial. Não havia entre eles uma ligação próxima. No último dia descobrimos por quê.

— Ele tem outra mulher. Eu senti isso desde que Glória entrou aqui.

— Às vezes eu me espanto com sua sintonia. É incrível como percebe as coisas! Foi isso mesmo.

Em poucas palavras Isabel relatou o que tinha acontecido e por que Gilberto insistira para trazer a mãe, finalizando:

— Ele deseja que ela venha morar em São Paulo definitivamente. Ela não quer nem ouvir falar nisso. Alega que não vai abandonar tudo que lhe pertence por causa dessa mulher. Se fosse comigo, há muito já teria feito isso.

Laura ficou pensativa por alguns segundos, depois disse:

— Essa mulher que o pai do Gilberto tem não é confiável. É ambiciosa, sem escrúpulos, está explorando ele. Se Glória se afastar, em pouco tempo irá arruiná-lo. Estou sentindo isso.

— Ele parece estar muito apaixonado por ela. Olhava-a com uma paixão que mesmo diante da nossa presença não conseguia dissimular. Para suportar isso e continuar ao lado dele, dona Glória deve amá-lo muito.

— Você se engana. Há muito ela deixou de amá-lo. Só continua lá, ao lado dele, para preservar o patrimônio dos filhos.

— Será?

— Pode acreditar. Quem está me informando é o Orlando.

— Papai está presente? O que mais ele diz?

— Que essa mulher tem pacto com espíritos das trevas para mantê-lo cativo. Quando ele a olha, sente tanta atração que é muito difícil conter.

— Pobre senhor Alberto! Nunca imaginei que fosse isso. Estou arrependida por tê-lo julgado mal.

— Procure não fazer mais isso para não atrair as energias deles. Mas ao mesmo tempo é bom saber que, se esses espíritos conseguiram dominá-lo, foi porque ele lhes deu abertura. A vaidade masculina estimulada, quando o homem não tem conhecimento espiritual, costuma facilitar esse domínio.

— Meu Deus! Estou certa de que dona Glória, se tivesse conhecimento disso, procuraria ajuda espiritual e conseguiria ajudá-lo. Gostaria muito de poder fazer alguma coisa! Ela está sofrendo muito.

— Orlando nos aconselha a orar e confiar. Diz que não tem permissão de interferir, mas vai pedir conselho aos seus superiores e, assim que puder, voltará para nos contar. Pede para ficarmos em paz e acreditarmos que tudo quanto nos acontece está sob a proteção divina. Está nos abraçando. Feche os olhos, vamos sentir o amor que nos une.

As duas se abraçaram e, de olhos fechados, sentiram um calor agradável percorrer-lhes o corpo, acompanhado de uma sensação de alegria e prazer. Permaneceram assim, abraçadas e em silêncio, procurando absorver o que sentiam na intenção de guardar esses momentos de plenitude e paz dentro do coração.

À noite, Gilberto chegou, encontrou Isabel bem-disposta e alegre. Descreveu-lhe o estado do apartamento, culpando o pai pelo desleixo. No final, comentou:

— Não sei por que mamãe ainda quer continuar ao lado dele. Ela acha que, se vier embora de vez, meu pai vai arruinar tudo que nós temos. Eu não creio. Foi ele quem construiu nosso patrimônio e não tem lógica dizer que agora ele vai jogar tudo fora.

— Sua mãe deve ter motivos para pensar dessa forma.

— Ela alega isso para encobrir o verdadeiro motivo. Está enciumada e não quer vir embora com receio de que ele leve a outra para morar na casa da família.

— Seja como for, se ela prefere ficar lá, não se sentiria feliz aqui. Estaria o tempo todo preocupada. Depois, tem Nivaldo. Ele gosta do que está fazendo. O que ele faria aqui na cidade?

— A meu ver, mamãe deveria separar-se de papai legalmente.

— Desquitar-se? Ela ficaria em uma situação social delicada. O preconceito existe, você sabe como é isso.

— Sim, mas haveria uma divisão dos bens nos termos da lei. Ficaria tudo para eles, eu não quero nada. Tenho minha profissão e posso cuidar de nossa vida muito bem. Logo minha irmã estará formada e voltará para casa. Não vai gostar de viver na fazenda. Ela ignora o que está acontecendo. No começo, papai era mais discreto e Nice nunca soube de nada. Quando voltar, perspicaz como é, vai descobrir logo. Não quero que isso aconteça.

— Ocorre que sua mãe não quer tomar essa atitude e você não pode forçá-la. Minha mãe costuma dizer que, quando não sabemos o que fazer, é melhor não fazer nada. Resta rezar e esperar que a vida indique o melhor caminho.

— E funciona?

— Sempre. Nós somos pessoas de fé.

— Não sabia que vocês eram religiosas.

— Não estou falando de religião, mas de espiritualidade. São coisas diferentes.

Gilberto riu:

— Como assim? Não vejo diferença. Rezar é coisa de religião.

— Para nós, rezar é falar com Deus diretamente, expressando nossos sentimentos, pedindo proteção, inspiração e esclarecimento para nossas dúvidas. Ele sempre responde.

Gilberto a olhou admirado:

— Tem certeza?

— Tenho. Só é preciso ficar atento porque a resposta pode surgir de várias formas. Pode vir por meio de um livro que nos chama a atenção, de uma frase esclarecedora ouvida ao acaso, de um acontecimento novo, várias coisas.

— Parece algo muito vago. Como vamos saber que é a resposta ao nosso pedido?

— Não é difícil. No momento em que ela acontece, há um *insight*, tudo fica muito claro em nossa cabeça e sabemos o que é preciso fazer.

— Para mim, é uma maneira nova de rezar. Onde aprendeu isso?

— Com os estudantes da Nova Era. Somos espiritualistas independentes.

— Quando fui me especializar nos Estados Unidos, ouvi alguns colegas mencionarem a Nova Era. Achei que fosse apenas um modismo e não me aprofundei.

Laura entrou na sala carregando uma bandeja. Colocou-a sobre a mesa de centro e disse, sorrindo:

— Trouxe café e um bolo que fiz esta tarde. Quero que experimentem.

— Obrigado, dona Laura.

Laura os serviu e ia retirar-se, mas Isabel a deteve:

— Quando você entrou, eu estava conversando com Gilberto sobre como fazemos nossas preces e esperamos a resposta, que sempre chega.

— Sou leigo no assunto. Isabel mencionou a Nova Era. Ouvi falar, mas não conheço nada sobre o assunto — Gilberto completou.

Laura sentou-se na poltrona ao lado deles e respondeu:

— Na verdade, nós aprendemos mais com o espiritismo, que temos estudado nos livros de Allan Kardec, o professor e escritor francês que pesquisou a fundo os fenômenos da mediunidade, a continuidade da vida após a morte e a eternidade do espírito. A Nova Era, embora não tenha ido tão a fundo, tem os mesmos princípios básicos.

Gilberto ficou pensativo durante alguns segundos, depois disse:

— Esse é um assunto delicado. A vida é muito difícil de entender. Eu, que no consultório luto para restabelecer a saúde das pessoas sem às vezes conseguir vencer a morte, tenho me perguntado o porquê de tanto sofrimento. Comecei a notar que as pessoas que têm fé enfrentam as doenças, a dor e a morte com mais coragem. Às vezes, isso me impressiona. Gostaria de um dia poder ter essa fé para não ficar tão angustiado quando não é possível curar alguém, pois ainda não consigo.

— De fato, a certeza de que nosso espírito é eterno e de que continuamos vivendo depois da morte do corpo físico conforta e abre nossa mente, fazendo-nos entender melhor os mistérios aparentes que nos rodeiam.

— Como conseguir ter essa certeza? As religiões são cheias de mistérios e de pensamentos humanos.

— É verdade. A revelação espiritual é divina, a verdade é uma só, e tem chegado de várias formas para toda a humanidade. Todavia, tem sido interpretada pelos seres humanos conforme o nível de conhecimento de cada um, o que tem dificultado o entendimento.

— Minha mãe é pessoa de fé. Ensinou-nos a rezar, mas não frequenta nenhuma igreja. Talvez seja por isso. Mas, então, onde procurar essa certeza?

Os olhos de Laura brilharam quando fixaram Gilberto:

— Estudando a vida. Você conhece a inteligência e a sabedoria do corpo humano. Nunca se surpreendeu com essa perfeição?

— Muitas vezes. Há coisas que até hoje me deixam maravilhado. Mas isso quando o corpo é saudável. E as anomalias? As pessoas que nascem deficientes? As crianças inocentes que já nascem como portadoras de doenças graves? As mortes prematuras?

Laura suspirou, pensou um pouco e respondeu:

— Para entender esse processo é preciso estudar a reencarnação, as leis perfeitas que comandam a vida, a responsabilidade individual de cada espírito.

— A senhora acredita mesmo que possamos nascer de novo?

— Sim. Se você pesquisar vai conhecer muitos casos de pessoas que se recordam de suas vidas passadas. Há estudos científicos sérios sobre o assunto. Se estiver interessado, posso emprestar-lhe alguns livros a respeito.

— Acho difícil aceitar essa possibilidade. Parece-me algo impossível.

— O preconceito ainda é bastante forte, principalmente entre aqueles que olham a vida apenas do ponto de vista material. Quando você conseguir deixar de lado o materialismo e ir fundo na observação dos fenômenos naturais da vida e da morte, encontrará no estudo da reencarnação a origem dos problemas congênitos, das anomalias degenerativas, e tudo o mais.

Gilberto ficou calado durante alguns segundos, e então tornou:

— Não sou preconceituoso. Acredito que há uma força superior que criou o universo, que age sustentando o equilíbrio da natureza e que não concede a nós, seres humanos, a permissão de conhecer os mistérios da vida.

— Pelo contrário. A vida está sempre pronta a nos mostrar a verdade, mas somos nós que temos medo de encará-la. Como temos medo do desconhecido e acreditamos que a verdade seja cruel, traga sofrimento, preferimos continuar ignorando. Mas quando você ultrapassa a barreira do medo e deseja enxergar a vida como ela é, as portas do conhecimento se abrem, você começa a enxergar detalhes e fatos que antes não notava e que oferecem uma visão mais clara e mais elevada da vida, tornando-o mais lúcido e confiante no futuro. É muito confortante a certeza de que a vida nos protege e cuida do nosso progresso.

Gilberto a olhava sério, refletindo sobre suas palavras, e, quando ela se calou, disse simplesmente:

— Eu gostaria muito que a senhora me emprestasse alguns desses livros. Há momentos na vida em que precisamos muito dessa certeza para conservar o otimismo e seguir adiante.

Laura retirou-se para apanhar os livros. Gilberto, quando mais tarde se despediu de todos, levava dois deles debaixo do braço.

Carlos entrou em casa apressado e foi para o quarto Albertina o seguiu, preocupada. Não era hora de ele voltar do trabalho. Como a porta estava aberta, viu que ele estava tirando a roupa do armário e examinando-a com cuidado.

Entrou e perguntou:

— Aconteceu alguma coisa?

Ele a olhou sério e respondeu:

— Sim. Vou viajar esta noite para a Europa.

— Assim, de repente? O que vai fazer lá?

— Trabalhar, mãe. Hoje, quando cheguei, o Nicolai me chamou e disse que estava na hora de expandir o negócio, fez um plano e encarregou-me de executá-lo.

— Acha que você vai dar conta?

— Claro! Fui eu quem sugeriu a ele a ampliação dos negócios há mais de um mês. Ele foi pesquisar e decidiu fazer.

— Para onde você vai?

— Vou começar em uma feira de joias em Paris, mas devo visitar outros países também. Vim ver o que tenho, e vou sair para comprar o que falta. Yuri foi apanhar a passagem.

— Ainda bem que você regularizou seu passaporte.

— É verdade. Já sei do que preciso, vou sair para comprar.

— Está quase na hora do almoço. Não quer comer antes de ir?

— Não tenho tempo.

— Você tem dinheiro para tudo que precisa?

— Nicolai adiantou o necessário. As despesas são por conta dele.

Carlos desceu as escadas apressado e foi embora. Albertina foi para a cozinha pensativa. Seu filho estava há pouco mais de quatro meses naquele emprego e, pelo visto, o chefe confiava nele a ponto de lhe dar uma função de muita responsabilidade.

Sentiu-se orgulhosa e feliz. Carlos estava ganhando melhor a cada mês, vestia-se com apuro, fazia questão de ajudar nas despesas da casa, o que provocava a admiração de Inês e de Antônio, que o olhavam com mais respeito e já não faziam tantas críticas.

Para Albertina, Carlos era motivo de orgulho. Apesar dos sofrimentos da guerra, de ter perdido o amor de Isabel e ter ficado tanto tempo fora do mercado de trabalho, ele dera a volta por cima. Isabel desprezara o amor de Carlos e, apesar de não querer que um dia ela voltasse para ele, Albertina sonhava com o dia em que ela se arrependeria por tê-lo deixado. Gostaria que ela o procurasse e ele lhe desse o troco, não a aceitando de volta.

Antônio chegou e entrou na cozinha, logo perguntando:

— Inês já chegou e foi lavar as mãos. O almoço vai demorar?

— Está pronto. Já vou servir.

Ela colocou as travessas na mesa, esperou que ambos se sentassem e contou a novidade.

— Para Paris? — admirou-se Inês.

— Tem certeza?! — exclamou Antônio.

— Isso mesmo. Primeiro vai a Paris, depois a outros países da Europa. As despesas todas serão pagas pelo Nicolai.

Antônio abriu a boca e fechou-a de novo.

— Carlos tem muita sorte! — comentou Inês.

Albertina retrucou:

— Sorte? Ele soube é fazer as coisas! Vocês diziam que ele estava sendo explorado, que estava trabalhando quase de graça. Viram só? Ele sabia o que estava fazendo.

— Vamos esperar para ver. Será que vai dar conta do recado? Eu duvido!

Albertina levantou-se irritada:

— Lá vem você com seu negativismo. É por isso que nossa vida não vai pra frente. Você pensa pequeno! Não acredita que é capaz de melhorar de vida. Conformou-se com a pobreza, com a falta de dinheiro, não faz nada para conquistar algo melhor.

— E você está enchendo a cabeça de ilusões. A vida não é assim. Você vai ver que tenho razão. Tudo nesta vida é difícil. O dinheiro não cai do céu. Carlos ainda vai descobrir essa verdade.

Albertina deu de ombros:

— Pois eu não creio. Ele ainda vai ser rico. Vocês vão ver.

Carlos realizava suas compras com prazer. Felizmente, não precisaria de roupas pesadas, pois era primavera na Europa. Era fundamental, em seu ramo de trabalho, que ele se apresentasse com classe e elegância, o que ele apreciava fazer.

Ao vestir um terno bem cortado, olhou-se no espelho e gostou do que viu. Sentiu-se bonito, elegante e pensou em Isabel. Como gostaria que ela o visse assim!

Uma onda de tristeza o envolveu. Inês de vez em quando fazia questão de falar sobre ela e o noivo, contando detalhes do que via. Eles já haviam marcado a data do casamento, mas Carlos se recusava a aceitar essa possibilidade. Para ele, era apenas questão de tempo. Isabel lhe pertencia por direito e aquele casamento nunca se realizaria.

Caminhava pelas ruas, olhando as vitrines e procurando não se esquecer de nada, quando viu Isabel e Diva andando em sentido contrário. Seu coração disparou e ele tentou controlar a emoção. Ela estava linda, e ele parou na frente delas, dizendo:

— Como vai, Isabel?

Ela o tinha visto e pensara em desviar, mas não dera tempo. Sorriu e apertou a mão que ele lhe estendia.

— Vou bem. E você? Lembra-se de minha prima Diva?

— Claro. Vejo que vocês estão muito bem.

— E você também está muito bem — comentou Diva. — Ainda não o tinha encontrado depois que voltou.

Isabel queria ir embora, mas Carlos convidou:

— A tarde está fria. Vamos tomar um chá, um café?

— Obrigada, mas não posso — respondeu Isabel. — Estou atrasada. Temos que ir.

— Fica para outra vez — prometeu Diva.

— Isso pode demorar. Estou indo embora do Brasil esta noite, não sei quando voltarei. Seria um momento de despedida.

— Você vai morar em outro país? — tornou Isabel.

— Não. Estou indo a trabalho e, se tudo sair como desejo, demorarei para voltar.

Isabel estendeu a mão dizendo:

— Gostei de saber que você está trabalhando, que retomou sua vida. Desejo que consiga superar o tempo perdido e seja muito feliz.

Carlos segurou a mão que ela lhe oferecia, olhou-a firme nos olhos e respondeu:

— Não vai ser fácil, mas estou me esforçando para isso.

Isabel retirou a mão e ele se despediu. Ambas desejaram uma boa viagem e se afastaram. Carlos respirou fundo, entrou em uma confeitaria e se sentou para pedir um chá.

Isabel continuava linda e a saudade dos bons tempos em que tinham se amado voltou com força total. Teve vontade de ir atrás dela, de gritar que o amor deles era maior do que tudo e que precisavam ficar juntos para sempre.

Tomou alguns goles do chá, olhou o relógio e apressou-se. Precisava arrumar a bagagem e encontrar-se com Nicolai e Yuri no aeroporto, conforme o combinado. Eles levariam a passagem, a mala de mostruário e a lista dos contatos que deveria fazer.

Depois que se afastaram de Carlos, Diva comentou:

— Nossa, como Carlos está bonito! Ganhou corpo, está alinhado, elegante!

— É... ele parece estar bem.

— Você não se sentiu balançada olhando para ele? Não se arrependeu de ter preferido Gilberto?

— Claro que não. Eu amo Gilberto. É com ele que quero ficar.

— Você é que tem sorte! Os dois são muito atraentes. Quando Carlos foi embora, era jovem e bonito, mas agora tornou-se um homem. Senti que ele é forte, sabe o que quer. Se ele me quisesse, eu não o deixaria escapar.

— Pois se lhe agrada, fique com ele.

— Não precisa ficar zangada. Ele nem sabe que eu existo. Só tinha olhos para você.

— Não estou zangada. Estou feliz. Quando rompemos, ele me ameaçou e eu cheguei a ficar com medo. Mas parece que ele se recuperou bem. Espero que seja feliz.

As duas entraram em casa. Isabel foi levar os pacotes para o quarto e Diva foi cumprimentar Laura, que lia na sala. Vendo-a chegar, fechou o livro e perguntou sorrindo:

— E então, compraram tudo?

— Só um pouco. Isabel ficou cansada e quis vir embora.

— Por quê? Ela parecia tão entusiasmada! Não gostou de nada?

Diva sentou-se ao lado da tia no sofá e disse:

— Comprou dois jogos de cama lindos.

— E as toalhas de jantar que ela tinha visto e adorado?

— Deixou para outro dia.

Isabel aproximou-se e Laura comentou:

— Onde estão os jogos de cama que você comprou?

— No quarto. Depois você vê.

Laura olhou-a admirada. Sempre que Isabel comprava alguma peça para seu enxoval, mostrava, pedia opinião:

— Diva disse que ficou cansada. Está se sentindo bem?

— Apenas uma ligeira dor de cabeça. Nada de mais.

— Quer tomar alguma coisa, um chá?

— Não, mãe. Já está passando.

— Não vai contar à tia quem nós encontramos na rua?

Laura fixou-as curiosa:

— Quem foi?

— Carlos — respondeu Isabel. — Demos de frente com ele, que parou para nos cumprimentar.

— E... como foi?

— Bem.

Diva interveio:

— Muito bem. Tia, ele melhorou muito. Estava elegante, bonito.

— É. Fiquei aliviada. Ele aceitou nossa separação, retomou a vida. Nós podemos seguir em paz.

— Esta noite ele embarcará para Paris a trabalho e ficará fora durante alguns meses — explicou Diva.

Laura surpreendeu-se:

— É mesmo?

— Sim! Está muito diferente do que era. Tornou-se refinado, parece que sabe o que quer.

— Diva está exagerando. Ficou tão entusiasmada com ele! Eu estava vendo a hora em que ela o convidaria para sair.

— Você é quem está exagerando. Depois que ele voltou, eu não o tinha visto. Agora ele ganhou corpo, está mais homem. Foi só isso.

Laura observava em silêncio até que resolveu mudar de assunto, dizendo:

— Você e Gilberto marcaram o casamento para daqui a cinco meses. Gilberto já está reformando a casa e o seu enxoval ainda não está pronto.

— Não se preocupe, mamãe. Na semana que vem terei tempo e continuarei as compras.

— Está bem. Só não quero que deixe tudo para a última hora. Vamos fazer o que precisamos, com calma.

Elas continuaram conversando, mas Laura notou que, enquanto Diva falava com animação, Isabel estava mais calada e pensativa.

Carlos chegou cedo ao aeroporto, olhou o relógio. Faltavam quinze minutos para a hora combinada, e ele se sentou para esperar Nicolai e Yuri.

Pensou em Isabel e sentiu-se triste. Estava difícil suportar a dor da separação. Desde que o deixara, ele se apegava à certeza de que a separação seria temporária. No entanto, depois de encontrá-la e notar sua indiferença, o receio de ter se enganado começava a atormentá-lo.

Ela estava linda, feliz, alegre. Não lhe passara despercebido o pequeno gesto de contrariedade ao abordá-la. Ela não tivera nenhum prazer em vê-lo. Certamente já o esquecera de verdade.

Aquela realidade o chocou. Sentiu vontade de voltar para casa, desistir da viagem, dos projetos, de tudo. Cabisbaixo, imerso em seus pensamentos íntimos, assustou-se quando ouviu Yuri dizer:

— Desculpe o atraso. Houve um imprevisto e Nicolai não pôde vir. Tive medo de que não chegasse a tempo.

— Ainda temos meia hora.

— Um cliente que ia viajar hoje precisava de alguns produtos e mais ainda da orientação dele. Não podia deixar de atender. Além de desejar-lhe boa viagem, ele fez algumas recomendações por escrito nesta carta. Sabe como ele é, não gosta de mandar recados.

Carlos sorriu:

— Eu sei. Diga-lhe que cumprirei à risca. Quando tiver dúvida ligarei para vocês.

Yuri sentou-se ao lado dele e, fixando-o sério, disse:

— Você não parece bem. Está preocupado com a viagem?

— Não. Meus problemas pessoais estão me atormentando.

— Você estava bem. Aconteceu alguma coisa?

— Saí para fazer compras na cidade e dei de cara com Isabel. Ficamos frente a frente, ela estava junto com a prima. Parei para cumprimentá-la.

— E ela?

— Senti que não gostou de me ver. Penso que só não desviou porque não teve como.

Yuri bateu levemente nas costas do amigo:

— É por isso que está tão pra baixo.

— Dá para notar tanto assim?

— Eu o conheço muito bem.

— Para ser sincero, tive vontade de desistir de tudo, voltar pra casa e não sair mais.

— O que é isso, Carlos? Não se deprima dessa forma! Você é um vencedor. Depois de tudo que já passou na vida, não pode ser derrotado por uma mulher que já o trocou por outro. Você é aquele que um dia entrou em nossa loja com uma mão na frente e outra atrás, sem nada, e soube conquistar não só uma boa oportunidade de trabalho, mas também a nossa amizade e admiração. Nós o admiramos, confiamos em sua capacidade. Estou certo de que você vai vencer essas lembranças do passado. São sonhos da juventude. Outros amores virão, você verá.

Conforme Yuri falava, Carlos foi levantando a cabeça. Quando ele terminou, estava ereto, olhos brilhantes, e abraçou o amigo:

— Obrigado pela confiança. Você está certo. Sou forte e vencerei mais essa dificuldade. Nesta viagem, vou dar o melhor de mim, farei grandes negócios, provarei que podem continuar confiando em minha capacidade.

— Assim é que se fala! Está na hora de você ir. Nesta maleta de mão está nosso mostruário, leve-a com você e tenha cuidado com ela.

— Fique tranquilo, sei o quanto ela vale.

Carlos já havia despachado a mala, então eles se dirigiram ao embarque. Abraçaram-se em despedida. Carlos entrou, procurou o portão de embarque e sentou-se para esperar. As palavras de Yuri o tiraram daquele estado depressivo. Ainda sentia tristeza, mas a vontade de vencer, enriquecer e mostrar a Isabel que era um homem capaz e que ela se arrependeria de tê-lo preterido dava-lhe ânimo para seguir em frente.

Com passos firmes, entrou no avião, acomodou-se e, enquanto decolava, olhando a cidade que aos poucos desaparecia de suas vistas, sentiu que o momento era de mudança. Estava voltando à Europa, começando uma nova etapa longe de tudo e de todos, sozinho naquela grande e nova aventura. O que lhe reservaria o destino?

Não importava mais. Ele estava pronto para lutar e vencer. Com coragem, enfrentaria todos os desafios que surgissem, seria forte o bastante para seguir em frente na realização de seus projetos para o futuro.

15

Fazia uma semana que Carlos estava em Paris e o movimento renovador que sentia em todas as áreas da cidade o entusiasmava. Durante a guerra, ele estivera em Paris apenas de passagem e não tivera tempo de conhecer quase nada. Mas mesmo assim admirava-se com o progresso e a recuperação da cidade, onde o movimento turístico lotava os hotéis, teatros e museus, as agendas culturais fervilhavam e as novidades trazidas pelos desfiles de moda atraíam jornalistas do mundo inteiro.

Já havia visitado alguns dos futuros clientes que Nicolai lhe indicara. Houve relativo interesse, mas Carlos não ficou satisfeito. Sentia que poderia conseguir muito mais. Decidiu pesquisar novas possibilidades.

Não falava francês, apenas medianamente o russo e o inglês. Aproximou-se de alguns hóspedes mais acessíveis no hotel em que estava. Entre eles havia dois vendedores, um de tecidos e o outro de couro, ambos italianos, falantes, alegres e que, como ele, desejavam ganhar dinheiro. Os dois eram amigos e estavam em Paris havia mais de seis meses, conheciam o mercado, deram-lhe excelentes informações sobre os negócios e sobre empresas que se dedicavam ao comércio de joias.

De posse dessas informações, Carlos começou a agendar visitas para apresentar seus produtos. Interessou-se particularmente por uma importadora de joias que comprava em grande quantidade em Nova York. Apesar de a secretária dizer que o chefe não o receberia, Carlos não desistiu. Ana era jovem, bonita, e Carlos começou a provocar encontros "casuais" com ela fora da empresa. Ela se esquivava, mas ele insistia, dizendo que estava muito só e que queria conversar.

Aos poucos, ela foi se interessando e ele passou a esperá-la na saída do trabalho. Nunca falava do interesse em apresentar seus produtos ao dono da empresa. Até que, depois de alguns encontros, foi ela quem tocou no assunto:

— Você é muito ousado em vir vender joias aqui. O Brasil, que eu saiba, não fabrica joias. De onde sua empresa importa os produtos?

— Minha empresa não importa, mas fabrica joias. São lindas, o preço é muito bom e temos exportado para vários países. Você trabalha no ramo e não sabia disso?

Notando sua provocação, ela mordeu os lábios e desafiou:

— Pois eu gostaria muito de vê-las.

— Elas ficam guardadas no cofre do hotel, mas, se quiser ir comigo até lá, terei prazer em lhe mostrar.

— Agora?

— Por que não? Depois, poderemos jantar e a levarei até sua casa.

— Está bem, aceito.

Carlos sorriu satisfeito. Uma vez no hotel, ele retirou a maleta de joias do cofre e a levou para o quarto. Ana o acompanhou curiosa.

Carlos colocou a maleta sobre uma cadeira, abriu-a, estendeu uma toalha de veludo azul sobre a mesa e começou a tirá-las lentamente, uma a uma, colocando-as sobre o veludo.

Pôde observar que, embora Ana se controlasse, seus olhos brilhavam de cobiça a cada peça que ele retirava.

— Nós temos muito mais, somos fabricantes e podemos nos dar ao luxo de fazer peças exclusivas para grandes damas.

— Devem cobrar um preço muito alto para essa especialidade.

— Apenas o preço justo. Vale mais a satisfação das nossas clientes. Somos artistas, amamos a beleza.

Ana sorriu:

— De fato, estou encantada. Vou conversar com monsieur La Belle e contar o que vi aqui. Acho que ele vai concordar em recebê-lo.

Carlos fez uma reverência e levou aos lábios a mão dela, dizendo:

— Obrigado. Agora deixemos os negócios para depois. Vamos jantar e comemorar.

— Ainda é cedo para isso.

— Eu sei. Vamos comemorar nosso encontro de hoje e o começo de uma parceria maravilhosa que faremos juntos.

Ela riu bem-humorada. Carlos guardou as joias na maleta, devolveu-a ao cofre do hotel e, juntos, eles foram para o restaurante.

Carlos sentia-se particularmente alegre naquela noite. Durante o jantar, Ana falou sobre os lugares da moda onde se podia comer bem, dançar e assistir aos filmes de sucesso, e sobre as casas de show.

Passava da meia-noite quando Carlos a deixou em casa. Ao despedir-se, ela prometeu ligar assim que conseguisse a entrevista prometida.

Carlos regressou satisfeito ao hotel. Cansado, preparou-se para dormir. Ao se deitar, ficou pensando em como abordaria o empresário na entrevista. Pela admiração com que Ana recebera sua demonstração, tinha certeza de que em breve teria a entrevista.

Pensando nisso, adormeceu. Sonhou que era noite e andava pelas ruas de Montmartre. Algumas pessoas passavam indiferentes, mas ele sentiu que conhecia aquelas ruas, embora nunca tivesse estado ali. Sentiu-se ansioso, inquieto, como se estivesse procurando alguma coisa. Ao virar uma rua, viu uma mulher se aproximando. Seus olhos se encontraram e ela atirou-se em seus braços, dizendo emocionada:

— É você, meu amor! Finalmente nos encontramos. Há muito tempo o procuro.

Carlos sentiu o corpo tremer, enquanto um sentimento forte brotou em seu coração. Apertou-a de encontro ao peito, dizendo emocionado:

— Que saudade! Quanto tempo!

Beijaram-se longamente durante alguns minutos, depois ele disse:

— Sei que estou sonhando, não quero acordar. Você vai dizer-me onde mora? Não quero perdê-la de novo!

— Eu também quero ficar com você! Não suporto mais a nossa separação. Volte pra mim! Estou esperando!

Beijaram-se novamente e ele insistiu:

— Onde você está? Diga-me agora. Irei buscá-la!

— Não estou em Paris. Vivo na Itália, não se lembra?

Carlos acordou emocionado, ainda a ouvindo repetir a mesma frase. Sentia-se mexido, apaixonado, saudoso. Como podia ser? Ele não se recordava de ter conhecido aquela mulher. Por que sentia por ela um amor que nunca sentira por ninguém, nem mesmo por Isabel?

Sentou-se na cama pensativo. Concluiu que aquela mulher só existia em sua imaginação. Talvez, por ter sido rejeitado por Isabel, tivesse forjado aquela história como uma compensação, para sentir-se amado.

Foi ao banheiro, lavou o rosto, deitou-se novamente. As cenas do sonho reapareceram em sua lembrança, despertando as mesmas emoções de antes. A sensação de realidade era muito forte, dando-lhe a certeza de que aquele encontro acontecera de fato. Como poderia ser isso?

Carlos deitou-se, tentou dormir, mas as cenas do sonho voltavam, deixando-o intrigado. O dia já estava clareando quando, cansado, finalmente adormeceu. Dessa vez sem sonhos.

Acordou tarde na manhã seguinte, tomou um banho e saiu para comer alguma coisa. Lembrou-se que Ana combinara de ligar à noite para falar se havia conseguido a entrevista.

Estava quase no meio do dia e precisava aproveitar o tempo. Voltou ao hotel para pegar suas anotações e decidir o que faria. No hall encontrou Benito, o vendedor de couro que ele conhecera no hotel, que, ao vê-lo, aproximou-se:

— Bom dia. Como vão os negócios? Conseguiu algo?

— Bom dia. Tenho algumas possibilidades. E você?

— Estou plantando. Se der certo como espero, receberei uma bolada e tanto.

— Você vai conseguir.

— Você também. Não aguento mais viver fora de casa. Sabe como é, sinto saudades da família, da minha cidade, dos amigos! Se esse negócio sair mesmo, voltarei para Milão. Aqui, sou um peixe fora d'água.

— De fato. Tudo aquié muito bonito, a cidade é maravilhosa, mas não é nossa casa, não tem nossos costumes. No início é excitante, mas depois de um tempo queremos voltar para casa.

— Quero ir assim que puder e levar presente para todos.

— Sua família é grande?

— Somos apenas quatro. Minha mãe, eu e duas irmãs. Meu pai morreu no começo da guerra em um acidente. E você?

— Nós também somos quatro: meus pais e uma irmã. Quando embarquei para a Itália durante a guerra, senti muitas saudades de casa no começo. Mas, em meio aos problemas, lutando pela sobrevivência, não tive tempo de sentir saudades da família e do Brasil.

— Sei como é isso. Ainda bem que tudo acabou e podemos cuidar de nossas vidas. No encontro que terei esta tarde, se a resposta for positiva, dentro de uma semana voltarei para Milão. Não vejo a hora.

Carlos bateu levemente no braço do amigo, sorrindo:

— Será positiva!

Benito se despediu e Carlos foi para o quarto. Queria aproveitar a tarde para tentar a sorte em uma outra empresa. Em sua lista havia mais duas e ele gastou o tempo visitando-as, sem conseguir o que queria. Sentiu fome, fez um lanche e regressou ao hotel, tomou um banho. Em seguida apanhou o livro de francês que estava estudando, acomodou-se na poltrona e começou a ler enquanto esperava pelo telefonema de Ana.

Passava das nove quando Ana ligou para dizer que ele tinha uma entrevista com monsieur La Belle às dez horas da manhã seguinte. Recomendou que fosse pontual, porquanto seu chefe era muito exigente com o horário.

Carlos exultou, mas respondeu com naturalidade que estaria lá na hora marcada. Não queria demonstrar demasiado interesse.

Mais tarde, ao deitar-se, recordou-se do sonho. Aconteceria novamente? Sentiu grande euforia só em pensar naquela possibilidade. Acomodou-se e ficou durante algum tempo recordando aqueles momentos, até que adormeceu.

Ao acordar na manhã seguinte, lembrou-se do sonho e sentiu certa frustração por não ter acontecido novamente.

— Estou me iludindo com esse sonho! Que bobagem! É tudo coisa da minha imaginação. Não vou pensar mais nisso.

Levantou-se, tomou um banho e escolheu uma roupa clássica e elegante que julgou boa para a ocasião. Cinco minutos antes das dez, adentrou a sala de Ana. Vendo-o chegar, ela se levantou dizendo:

— Que pontual! E como está elegante!

Depois dos cumprimentos, ela continuou:

— Está nervoso? Quer um café ou uma água antes de ir para a entrevista?

— Obrigado. Estou muito bem.

— Vou avisá-lo que você chegou.

Ana voltou pouco depois e convidou-o a entrar na sala de monsieur La Belle. Era um homem magro, de meia-idade, elegante e sóbrio. Cumprimentou-o sério.

Carlos apresentou-se, ia falar da empresa que representava, mas ele cortou o assunto dizendo:

— Seja breve. Tenho pouco tempo. Só o recebi porque Ana pediu.

Carlos abriu a maleta, monsieur La Belle designou uma mesa lateral, e Carlos, depois de estender o pano azul, tal qual fizera com Ana, começou a desfilar as peças em silêncio.

Monsieur La Belle assistia sem mexer um músculo. Quando acabou, ele pediu que Carlos guardasse tudo e deixasse todas as informações possíveis com sua secretária. Deu a entrevista por terminada.

Carlos saiu um tanto decepcionado. Sabia que seus produtos eram muito bons. Esperava notar alguma reação dele, o que não acontecera.

Na sala de Ana, a sós, ele desabafou:

— Esperava que fosse diferente. Acho que ele nem olhou direito meu material!

Ana sorriu:

— Você é que pensa! Monsieur La Belle é a pessoa mais observadora que conheço. Nenhum detalhe lhe escapa. Como bom negociante, nunca demonstra o que pensa. Acredite, ele gostou do que viu. Eu notei.

— Não está dizendo isso para me animar?

— Por que faria isso? Ele o deixou expor todo o material. Se não estivesse gostando, o mandaria embora antes de terminar.

— Ele é sempre assim tão formal?

— Ele sabe o que está fazendo. É conhecido na Europa como um dos maiores negociadores e conhecedores de joias do mundo.

— Como posso saber se ele ficou interessado?

— Monsieur La Belle não ilude ninguém. É muito honesto e não vai demorar a dar-lhe uma resposta. Pode esperar.

Carlos agradeceu e despediu-se. Como não tinha marcado nada, voltou ao hotel e, depois de colocar a maleta no cofre, foi para o quarto pensando no que faria.

Ligou para Nicolai, deu-lhe ciência do que fizera e finalizou:

— Foi o que consegui aqui em Paris. Acho que não vai dar em nada. Há poucos importadores. Visitei-os, mas não deu negócio. Estou pensando em viajar para outros países.

— Não faça isso! Fique aí e espere. Você conseguiu o que eu nunca consegui: uma entrevista com La Belle! Ele é o máximo! Se ele comprar, a porta do nosso material estará aberta para toda a Europa!

— Você acha? Ele não comentou nada, parecia pouco interessado.

— Bem se vê que você não sabe nada sobre ele! Claro que ele tem interesse! Assistiu à sua demonstração até o fim! Isso só acontece quando ele está gostando. Não saia daí antes de receber uma resposta dele e, a qualquer novidade, ligue imediatamente.

— Está bem.

Carlos desligou pensativo. Não é que ele tinha mesmo conseguido coisa importante?

Sentiu fome e desceu para ir comer alguma coisa. No *hall* encontrou Benito, que disse eufórico:

— Estou mandando fechar minha conta! Amanhã à noite viajarei de volta para a Itália. A resposta foi positiva, fechamos negócio.

— Você não ia ficar mais uma semana?

— Ia, mas o cliente tem pressa, não posso perder tempo. E você, como foi?

— Ainda não sei. Achei que não daria em nada, tanto que pensei em ir embora, tentar em outro país. Mas, pelo que contei a meu chefe, ele acha que pode dar certo. Vamos ver.

— Tenho pouco tempo e muitas coisas para fazer. Como não sei se o verei antes de ir, vamos nos despedir agora.

Benito abriu a carteira, tirou um cartão e entregou a Carlos, dizendo:

— Gostei muito de tê-lo conhecido. Se algum dia for a Milão, não deixe de me procurar. Quero apresentá-lo à minha família, mostrar-lhe minha bela cidade.

Carlos segurou o cartão e respondeu:

— Eu também gostei de conhecê-lo. Pretendo ir à Itália, sim. E logo que chegar, irei procurá-lo. Pode esperar.

Depois de comer, Carlos voltou ao quarto e passou em revista o roteiro de viagem programado por Nicolai. Saindo de Paris, ele deveria descer pelo sul e visitar três cidades até a Itália.

Ana lhe garantira que monsieur La Belle lhe daria uma resposta. Assim que a obtivesse, deixaria a cidade. Gostaria de dar uma volta, conhecer os lugares da moda, mas resolveu ficar esperando o telefonema.

Quando o telefone tocou passava das três horas, e Ana deu-lhe o recado:

— Monsieur La Belle quer vê-lo amanhã às duas horas para examinar novamente seu material, com possibilidade de algumas encomendas. Seja pontual.

Carlos vibrou por dentro, mas controlou-se. Respondeu com naturalidade:

— Está bem. Serei pontual.

Desligou o telefone radiante. Era sua primeira vitória importante. Pensou em ligar para Nicolai, mas depois decidiu esperar para saber se ele faria mesmo o pedido e de quanto seria.

Pegou a maleta de joias, arrumou-as com capricho, depois pegou o catálogo onde havia informações mais completas sobre os produtos, inclusive sobre a oficina de montagem das peças. Ele já havia mostrado tudo na entrevista com La Belle, que não demonstrara interesse. Mas desta vez certamente olharia tudo com mais atenção.

Depois de guardar a maleta no cofre, Carlos resolveu sair para passear. Ao andar pela Champs-Élysées, imaginou como deveria ter sido a marcha sobre Paris com as tropas da resistência francesa, sob o comando do general De Gaulle. Depois, foi ver o Teatro da Ópera. Com as luzes acesas, parecia estar diante de um cartão postal. Naquela noite, levariam a ópera Carmen, de Bizet. Durante um tempo, ficou olhando as pessoas elegantes que entravam para assistir ao espetáculo.

Observando o luxo e os olhos brilhantes de expectativa e de prazer que eles demonstravam, Carlos sentiu no ar certa euforia, uma vontade de esquecer o passado e aproveitar todas as coisas boas da vida.

Na tarde seguinte, às duas horas, quando chegou à empresa de La Belle, Ana já o esperava. Depois dos cumprimentos, levou-o imediatamente à presença do chefe. Desta vez, La Belle lhe pareceu mais cordial e amável. Pediu que mostrasse novamente todo o material.

Separou algumas peças e começaram a discutir os preços, suas diferenças por quantidade. Depois de informar minuciosamente suas possibilidades de compra e submetê-las ao preço que ele queria pagar, finalmente fez uma proposta. O preço que ele desejava estava bem abaixo do que Nicolai queria, mas a quantidade era muito boa.

Carlos disse que precisava consultar Nicolai. La Belle enfatizou:

— Preciso saber a resposta o mais tardar até amanhã cedo. Se não aceitarem meu preço, não haverá negócio. A entrega terá que ser estritamente dentro do prazo que estipulei. Se atrasar, devolverei a mercadoria. Diga-lhes isso.

— Está bem. Espero poder dar-lhe essa resposta ainda hoje.

Carlos deixou a empresa nervoso. Nicolai nunca baixava seus preços, por isso temia que ele não concordasse com o fechamento do negócio. Era um pedido grande para Nicolai, mas, segundo Ana informara, pequeno para La Belle.

Assim que chegou ao hotel, ligou para Nicolai e passou-lhe o pedido. Ele ouviu tudo e ficou em silêncio. Depois de alguns segundos, Carlos perguntou:

— E então, vamos aceitar esse pedido?

— Ligue-me dentro de dez minutos. Preciso fazer algumas contas.

Carlos desligou e pensou:

— Ele não vai aceitar. Tanto trabalho para nada.

Tomou um copo de água, esperou ansiosamente o tempo passar e ligou novamente:

— E então, Nicolai, o que resolveu?

— Falei com Yuri e decidimos aceitar o pedido.

Carlos suspirou aliviado:

— Ótimo. Amanhã cedo mandarei uma cópia do pedido assinada. Lembre-se que a data de entrega não pode atrasar.

— Eu conheço a fama de La Belle. Sei como ele faz. A mercadoria será entregue até a data marcada. Parabéns, Carlos. Yuri está lhe mandando um abraço. Pode comemorar.

— Obrigado, Nicolai. Diga a Yuri que Paris está linda. Eu gostaria que ele estivesse aqui comigo para apreciá-la.

Carlos desligou, sentou-se aliviado. Havia realizado seu primeiro grande negócio. Pensou em Isabel. Ela ainda se arrependeria de tê-lo trocado por outro. Sua grande vitória estava a caminho.

16

Quinze dias depois, Carlos chegou a Milão. Assim que se instalou no hotel, ligou para Benito, que, ao informar-se do local onde ele estava hospedado, disse com entusiasmo:

— Precisamos nos encontrar! Você tem algum plano para esta noite?

— Não. Acabei de chegar.

— Tenho um compromisso agora, mas no final da tarde irei vê-lo. Você já esteve em Milão?

— Estive na Itália durante a guerra, mas nunca em Milão.

— É uma cidade maravilhosa! Você vai adorar. Vou levá-lo a muitos lugares, apresentá-lo à minha família, a meus amigos, levá-lo a comer. É o melhor lugar do mundo!

— Estou ansioso para conhecer!

Benito continuou falando entusiasmado e Carlos divertia-se com sua euforia. O que ele queria mesmo era conhecer o mercado, vender seus produtos. Depois que saíra de Paris, parara em Nantes, Mônaco e Bérgamo, fez alguns contatos, apresentou seus produtos, mas não vendeu nada. Já Milão era uma cidade grande e ele esperava conseguir fazer mais.

Tomou um banho, estendeu-se na cama para descansar, acabou relaxando e pegando no sono. Acordou com o toque do telefone. Atendeu ainda um pouco sonolento e ouviu a voz de Inês:

— Como vai, Carlos?

— Bem. Como vão todos aí?

— Como sempre. Mamãe reclamando que você não tem ligado, papai dizendo que você não deveria ter viajado para tão longe e eu tentando escapar do mau humor dos dois. E você, como está se saindo com o trabalho?

— Estou conhecendo o mercado, aprendendo a negociar. Mas estou bem. Diga à mamãe que tenho viajado e trabalhado muito. Não telefono porque custa caro. Prometo escrever e mandar notícias.

— Eu direi. Quando você vai voltar?

— Não sei. Estou no meio da viagem. Por quê?

— Isabel está a todo vapor com os preparativos do casamento. Se quiser impedir, precisa voltar o quanto antes.

Carlos empalideceu e ficou calado durante alguns segundos. Inês insistiu:

— Carlos, você ouviu o que eu disse?

— Ouvi.

— E o que pretende fazer?

— Não é da sua conta! Não precisava ter ligado para dizer isso. Vou desligar.

Antes que ela respondesse, ele colocou o telefone no gancho e sentou-se nervoso. Uma raiva absurda contra a irmã o acometeu:

— Ela fez isso só de maldade — pensou. De propósito, para contrariá-lo e provar que ela estava certa ao dizer que Isabel não merecia seu amor.

Passou a mão pelos cabelos tentando controlar-se. Ele não queria perder Isabel! Teve vontade de fazer as malas e voltar imediatamente para o Brasil.

Respirou fundo, tomou um copo de água, tentando reagir, mas as palavras de Inês não saíam de sua mente. A lembrança dos anos felizes que tinham vivido juntos apareceu forte e ele deixou que as lágrimas corressem livremente pelo seu rosto.

Depois, uma tristeza muito grande o acometeu. Lembrou-se de Adriano, seu amigo falecido. A angústia de vê-lo morrer sem que pudesse fazer nada reapareceu forte. A sensação de impotência voltou a incomodar. A raiva por não poder fazer nada para mudar a situação o deprimiu. Sofrendo o impacto do que Inês lhe dissera, esqueceu onde estava e todos os seus planos, imerso na sua dor. Não se deu conta de quanto tempo ficou ali, sentado na cama, deprimido, quase anestesiado, preso às suas recordações.

A campainha da porta soou várias vezes e Carlos estremeceu, levantou-se e foi abrir. Benito estava à sua frente, sorridente, bem vestido e discretamente perfumado. Abraçou-o alegre, dizendo:

— Bem-vindo à minha cidade!

Notando a palidez de Carlos, perguntou assustado:

— O que há com você? Está doente?

— Não. Desculpe. Não estou nada bem... recebi uma notícia ruim e ainda não me recuperei.

Benito o abraçou:

— O que foi, morreu alguém?

— Mais ou menos...

— Como mais ou menos? Morreu alguém mesmo?

— Morreu para mim.

— Não estou entendendo.

— Desculpe. Vou explicar.

Carlos contou-lhe detalhadamente toda a sua história. Enquanto falava, parecia estar vivendo novamente as emoções daqueles tempos. E finalizou:

— Foi por ela que eu reagi, que quis me tornar um vencedor. Sonhava com o dia em que ela reconheceria que me amava e voltaria para mim.

— Sei como você se sente. Também já tive uma desilusão amorosa. Mas quando uma mulher não valoriza o nosso sentimento, é melhor que saia do nosso caminho para não causar uma dor ainda maior.

— Isabel era a mulher da minha vida!

Benito meneou a cabeça negativamente, dizendo:

— Isso não é verdade. Nós podemos amar muitas vezes. Eu sou testemunha disso. Conheci uma mulher linda, delicada, que me ama e, no momento, estou apaixonado. Um dia vai acontecer com você. Tenho certeza disso! O que não pode é se entregar dessa forma! Vamos sair. Vou apresentar-lhe algumas garotas e logo terá esquecido essa notícia desagradável!

— Hoje não. Não estou em condições de conversar com as pessoas, nem tenho disposição para sair.

Benito levantou-se:

— Nada disso! Você vai tomar um bom banho, vestir sua melhor roupa e vamos sair, sim.

— Acredite, não vai dar...

— Você não vai me fazer essa desfeita! Está se colocando na posição de vítima. Não se maltrate dessa forma! Aproveite a mocidade porque ela passa depressa. Depois, o que pensa conseguir ficando aqui, sozinho, sofrendo? Vai acabar com uma tremenda dor de cabeça.

Benito pegou Carlos pelo braço e o levou ao banheiro, dizendo:

— Vamos logo. Dizem que a água ajuda a tirar as energias negativas do corpo. Deixe-a correr sobre você e se sentirá melhor. Estou esperando, não demore! — depois fechou a porta e, enquanto esperava, ligou o rádio, deixando que uma música suave enchesse o ar.

Carlos obedeceu, colocou-se embaixo do chuveiro, sentindo alívio quando a água escorreu pelo seu corpo. Ao vestir o roupão, sentiu arrepios e pensou que estivesse com febre. Quando saiu do banheiro, encontrou Benito acomodado na poltrona e, na mesinha diante de si, uma bandeja com uma garrafa de vinho, dois copos e um prato cheio de fatias de pão torrado cobertas com queijo, presunto, tomate e ervas.

Vendo-o aproximar-se, Benito segurou o prato e o ofereceu a Carlos:

— Essas são as *bruschettas*, especialidade da nossa cidade. Experimente uma!

Carlos estava sem fome, mas, não querendo ser indelicado, pegou uma e começou a mordiscar. Benito serviu o vinho e entregou-lhe um copo, dizendo:

— Vamos comemorar este nosso encontro. Estou seguro de que esta será uma noite mágica que mudará a sua vida!

Carlos sentou-se na poltrona ao lado do amigo. Benito queria animá-lo e esforçou-se para não decepcioná-lo. Comeu o pão, tomou alguns goles do vinho e sentiu que um calor gostoso o fez relaxar.

Benito falava com entusiasmo dos passeios que fariam e das pessoas que Carlos conheceria. Quando todas as torradas acabaram e a garrafa de vinho estava quase pelo fim, Carlos percebeu que se sentia melhor.

— Vamos sair um pouco, dar uma volta.

Então, Carlos concordou e eles saíram. A noite estava fria, mas agradável. Enquanto caminhavam, Benito falava sobre a cidade, contando fatos engraçados sobre a ocupação americana e o modo como os italianos lidavam com a situação. Sua narrativa bem-humorada e seu jeito descontraído distraíram Carlos, fazendo com que esquecesse suas preocupações.

As pessoas elegantes que circulavam pelas ruas e enchiam os bares e as lojas, com suas vitrines iluminadas, fizeram Carlos observar:

— Tudo está muito lindo. Nem parece que este país esteve durante tantos anos em guerra!

— Todos nós passamos por situações dolorosas, sofremos perdas irreparáveis, mas elas acabam e queremos esquecer, varrer da nossa lembrança os horrores que fomos forçados a suportar.

— É verdade. Eu tenho feito tudo para esquecer, mas, de vez em quando, ainda sou assombrado pelos fantasmas que ficaram para trás.

Carlos logo se lembrou de Adriano e uma sombra de tristeza o acometeu. Benito, percebendo, pousou o braço sobre o do amigo, dizendo:

— Espero que nunca mais voltem. Todos já pagamos nossa cota de sofrimento. De agora em diante, só vale a alegria. Estamos vivos, somos jovens, temos muitos anos pela frente. Temos o direito de ser feliz!

Carlos suspirou e não respondeu. Benito continuou:

— Tenho aprendido que cultivar a tristeza atrai sofrimento.

— Ninguém fica triste porque quer.

— Depende. Há pessoas que só olham o lado ruim, dramatizam fatos, exageram, pensando sempre no pior. Você nunca conheceu alguém assim?

Benito fez cara de tristeza e começou a falar com voz fina, como se fosse uma mulher idosa reclamando da vida, dizendo-se vítima da maldade alheia. Em seguida engrossou a voz respondendo a ela, querendo fazê-la mudar. Carlos riu com gosto e, no final, comentou:

— Você é um bom comediante. Nunca pensou em ser ator?

— Nos tempos de colégio. Mas veio a guerra e a vontade passou. Apesar de tudo, continuo bem-humorado, o que tem me ajudado muito. Tenho certeza de que o bom humor atrai coisas boas.

— De onde tirou essa ideia?

— Tenho observado que as pessoas bem-humoradas são as que vivem melhor, com mais saúde e disposição, são aceitas, queridas. Nunca notou?

— De fato. Pensando assim... Mas a vida tem surpresas desagradáveis e nem sempre podemos estar bem.

Caminhavam por uma praça quando Benito parou diante de um banco e sugeriu:

— Vamos nos sentar um pouco. Quero contar-lhe o que aconteceu comigo durante a guerra.

Acomodaram-se e Benito tornou:

— Fui mandado para a guerra em outubro de 1943, depois de alguns meses de treinamento. Como você deve saber, o povo italiano preferia que o Mussolini tivesse se aliado aos americanos. Sabendo disso, os alemães não confiavam em nós. Instalaram-se em nosso país e mandavam mais do que nossos generais, o que fez com que muitos dos meus compatriotas passassem a odiá-los.

— Isso ficou claro quando os americanos invadiram a Itália. O povo os recebeu como libertadores.

— É verdade. Em uma noite escura, fomos colocados em um trem, viajamos durante algumas horas, e eu nem sabia onde estava. Passávamos por cidades cujos nomes eu não conseguia ler nem entender. Desembarcamos em uma pequena vila onde já podíamos ouvir o ruído das metralhadoras.

Benito fez uma ligeira pausa, depois continuou:

— Em um albergue de campanha, onde havia também um hospital, nós nos preparamos para ir às trincheiras. Nosso capitão recebeu as ordens de um oficial alemão e, sem ao menos descansar, nos colocamos a caminho.

"Ao chegarmos à primeira trincheira, nos jogamos dentro e ficamos à espera. O ruído havia parado, mas sabíamos que poderia recomeçar a qualquer momento. Poucos minutos depois, recebemos ordem de deixar a trincheira e avançar. Saímos e começamos a correr. Era madrugada, a noite fria e a fumaça não nos permitiam enxergar nada. Fomos avançando e, de repente, fomos atacados e cercados por inimigos, que caíram sobre nós de todos os lados. Em meio aos gritos de dor, aos clarões das bombas e ao zunir das balas, de repente eu fui arremetido para o alto, e o ruído cessou. Senti-me leve, olhei para baixo e vi os clarões, a luta, tudo, mas não ouvi nada.

Parecia estar sonhando. Então eu pensei: estou morto! Comecei a apalpar meu corpo, mas não encontrei nenhum ferimento e também não sentia nenhuma dor. Nesse momento, vi um homem aproximar-se. Era alto, moreno, cabelos grisalhos, vestia um jaleco branco. Segurou meu braço e disse:

— Eu sou o Mário. Vou levá-lo a um lugar para refazer suas energias.

Deixei-me levar com naturalidade. Era bom poder sair daquele inferno e eu estava me sentindo muito bem. À medida que seguíamos, eu me sentia cada vez melhor, como nunca havia me sentido antes.

— Acho que eu morri! — pensei.

Ele ouviu meu pensamento e respondeu:

— Seu corpo continua vivo, não se preocupe.

Encantado, eu olhava para baixo e, algumas vezes, via as luzes acesas de alguma cidade, até que chegamos diante de um prédio. A porta abriu e entramos."

Benito fez uma pausa e Carlos perguntou:

— Como pode ser? Você dormiu e sonhou em plena batalha?

— Estou contando como tudo se passou. Ao entrar na casa, senti que conhecia aquele lugar. E uma felicidade muito grande brotou no meu peito. Fui abraçado por pessoas que eu conhecia, mas não me lembrava de onde. Depois, fui conduzido a uma sala, onde uma senhora muito bonita e delicada conversou comigo durante algum tempo. Suas palavras me tocaram. Na hora entendi tudo, mas agora não consigo lembrar o que ela disse.

"Ao deixar essa sala, Mário me esperava.

— Vou levá-lo de volta.

— Não quero voltar para aquele inferno. Vou ficar aqui!

— Ainda não é sua hora. Vamos embora.

Segurou em meu braço e fomos deslizando. O dia já tinha amanhecido e fomos descendo. Reconheci o hospital ao lado do nosso alojamento. Mário conduziu-me até lá e, assustado, vi meu corpo deitado em um dos leitos.

— Não se preocupe. Está tudo bem. Você vai acordar, lembrar-se do que for possível, mas nós estaremos sempre do seu lado para ajudá-lo em sua tarefa. Fique com Deus.

Ele me conduziu até meu corpo, e eu parecia estar caindo. Senti um peso muito grande e, em seguida, abri os olhos. Uma enfermeira segurou minha mão, dizendo:

— Está se sentindo melhor?

Demorei um pouco para responder. Sentia-me um tanto confuso. E perguntei:

— O que aconteceu, como vim parar aqui? Não me lembro de nada.

— Você foi encontrado desacordado e trazido para cá. Parecia morto, quase não respirava. Mas não tem nenhum ferimento. Estava em estado de choque. Tentamos reanimá-lo de diversas formas, mas não reagia de jeito nenhum. Você costuma ter essas ausências?

— Nunca tive nada.

— Foi seu primeiro combate?

— Estou lutando há mais de um ano!"

Benito fez uma breve pausa, e continuou:

— Mais tarde, o médico do hospital conversou comigo e tentou me explicar: eu tinha tido um colapso nervoso provocado pela situação. Tive algumas alucinações e precisava ficar algum tempo em observação. Seria perigoso voltar a combater, pois poderia acontecer coisa pior. Receitou-me calmantes e fiquei afastado dos combates. Eu me sentia muito bem e passei a auxiliar os médicos no atendimento aos feridos até o fim da guerra.

— Esse fato pode ter salvado sua vida.

— Não foi apenas isso. Minha vida mudou radicalmente depois daquela noite.

— Por quê?

— Eu não aceitei as explicações do médico, nem tomei os calmantes. Os fatos daquela madrugada reapareciam fortes em minha lembrança nos mínimos detalhes, provocavam fortes emoções e eu tinha certeza de que tinham acontecido de verdade. Estive com Mário, viajei com ele pelo espaço, fui a um lugar conhecido, vi pessoas amigas. Vejo aquela senhora conversando comigo, só não consigo me recordar do que ela me disse.

— Você sonhou. Há sonhos que parecem reais. Tem acontecido isso comigo.

Em poucas palavras, Carlos falou sobre a morte de Adriano, sobre os sonhos que tivera com ele, e finalizou:

— Nosso encontro foi tão forte que até hoje, quando me recordo, fico emocionado. Mas ele está morto e deve ser coisa da minha imaginação.

— Não foi apenas um sonho. Você esteve mesmo com o espírito do Adriano.

— Isso não pode ser...

— Essa é a verdade da vida. Nosso espírito é eterno e continua vivo depois da morte. Pode acreditar. Depois do que me aconteceu, o Mário tem me procurado e me ensinado muitas coisas. Falou das outras dimensões do universo para onde vão os que morrem aqui. Ele é um deles. Nós nascemos na Terra para desenvolver nossos potenciais e aprender a lidar com as nossas emoções. Somos livres para escolher nosso caminho e colhemos os resultados. Assim, entre erros e acertos, vamos evoluindo, aprendendo a viver dentro das leis espirituais que comandam a vida.

— Será isso mesmo? Está me dizendo que o Adriano continua vivo? Mas ele estava muito ferido. Se isso for verdade, ele pode estar sofrendo. Não seria melhor acabar de uma vez?

Benito sorriu e respondeu:

— O corpo que estava ferido morreu. O espírito se libertou e não está sentindo nenhuma dor.

— No meu sonho ele estava em pé, encostado em uma árvore. Parecia muito mal, magro, abatido, sofrido.

— Os ferimentos dele estavam sangrando?

— Não. Mas estava mal, parecia doente, fraco.

— Pelo que me conta, ele ainda deve estar sofrendo as impressões do que lhe aconteceu. Está angustiado, deprimido, confuso. Você pode ajudá-lo.

— De que forma?

— Antes de dormir, faça uma oração. Peça a Deus que o ajude a encontrar a paz. Se sonhar com ele novamente, diga-lhe que o espírito é eterno e que ele continua vivo, mas está sofrendo e precisa de ajuda. Certamente, a essa altura, os espíritos que prestam socorro já estarão ao lado dele. Diga-lhe que aceite ir com eles para um tratamento. Quando ficar bem, ele mesmo poderá procurar a moça e ajudá-la de alguma forma. Assim, tudo ficará bem.

Benito falava com voz firme. Tinha tanta certeza do que afirmava que Carlos começou a sentir que poderia ser verdade: Adriano poderia estar vivo no outro mundo. Sentiu-se dominado por forte emoção.

Quis saber detalhes e Benito explicava o que sabia.

Enquanto os dois amigos conversavam, Carlos não sabia, mas havia dois espíritos ao lado deles. Mário e uma senhora bonita, de traços delicados, sorriso leve. Ela colocava a mão sobre a testa de Carlos com carinho, enquanto Mário, inspirava Benito.

Benito sentia a presença do amigo espiritual e Carlos se sentia sensibilizado, bebendo das palavras que ouvia, enquanto novas indagações apareciam em sua mente e ele desejava saber mais e mais.

Na manhã seguinte, Carlos acordou ouvindo o telefone tocar. Atendeu meio atordoado. Era Nicolai, querendo informar-se de como estava o comércio da cidade e passar-lhe algumas indicações de possíveis clientes. Recomendou muito cuidado com o material, porquanto Milão era famosa por causa dos ladrões de joias, sempre prontos a atacar. Anotou tudo, ouviu as recomendações. Depois de desligar o telefone, sentiu sono, pois fora dormir muito tarde na noite anterior.

Mas resolveu reagir, levantar, começar logo a trabalhar, aproveitar o tempo. Tomou um banho, arrumou-se, pegou as anotações e desceu para tomar café. O salão do hotel estava lotado. Depois de comer, passou na recepção e pediu um mapa da cidade.

Em seguida, sentou-se, fez um roteiro de suas visitas e começou a trabalhar. Foi visitar os endereços que Nicolai lhe dera, levando consigo apenas o catálogo.

O tempo passou rápido e, quando começou a escurecer, ele se assustou ao ver que eram mais de oito horas. O tempo estava agradável e as ruas, cheias de gente elegante. Carlos viu muitas mulheres bonitas. Começou a pensar que precisava melhorar seu guarda-roupa. Pediria a Nicolai que lhe mandasse mais dinheiro a fim de vestir-se melhor.

Voltou ao hotel para tomar um banho, sair novamente e conhecer melhor a cidade. Assim que entrou no quarto, o telefone tocou. Era Benito, dizendo que sua mãe o convidara para um jantar em sua casa na noite seguinte. Carlos aceitou.

— Você vai conhecer a boa cozinha italiana! — disse ele. — Passarei às sete para buscá-lo. Como foi o seu dia?

— Comecei a trabalhar, mas ainda não tenho ideia do que poderei conseguir. Gostei do movimento. Notei que os clientes que visitei têm gosto refinado, são muito exigentes e bons na hora de regatear os preços.

Benito soltou uma gargalhada sonora e respondeu:

— Esses são os italianos. Mas se você souber fazer uma boa parceria, costumam ser fiéis e amigos. Tem programa para esta noite?

— A cidade está muito atraente. Estou pensando em dar uma volta, olhar o movimento.

— Faça isso. Você vai gostar. Esta noite estarei ocupado. Vou ver aquela garota de que lhe falei. Amanhã, durante o dia, se precisar de informação ou alguma coisa mais, pode me ligar. Estarei no escritório o dia inteiro. Não se esqueça que à noite passarei no hotel às sete para apanhá-lo.

— Não vou esquecer. Se precisar, eu ligo. Agradeça à sua mãe pelo convite.

Carlos desligou, arrumou-se e saiu para jantar. Escolheu um pequeno e charmoso restaurante, comeu uma massa, tomou um copo de vinho, depois foi dar uma volta. Mas o sono apareceu forte e ele voltou ao hotel para dormir.

No dia seguinte, depois de trabalhar até o fim da tarde, voltou ao hotel para esperar Benito. Havia comprado algumas rosas para presentear a mãe do amigo e um elegante *blazer* na cor vinho, que ficaria muito bem com sua calça de casimira bege e uma camisa de seda da mesma cor.

Benito foi pontual, elogiou a elegância de Carlos. Desceram e entraram no carro do amigo. Durante o trajeto, Benito explicou:

— Você vai conhecer as mulheres da minha família. Minha mãe é Lúcia, minhas irmãs se chamam Gina e Marta. Somos só nós quatro.

— Agradeço sua mãe por ter me convidado.

— Ela acha que você deve estar com saudades de casa.

Carlos não soube o que responder. Na verdade ele não sentia saudades dos seus. Saíra de casa muito cedo, estivera fora durante muito tempo e, ao regressar, não encontrara o apoio e o carinho que esperava.

— Ela deve ser uma boa mãe — disse pensativo.

— A melhor do mundo! É aqui, chegamos.

Estavam diante de um sobrado, com jardineiras nas janelas e duas portas. Benito parou diante da porta de ferro, atrás da qual havia uma escada, e tocou a campainha. Ouviu-se um estalo e a porta se abriu.

— Vamos subir — convidou Benito.

Ao chegar no topo, uma mulher ainda jovem, de cabelos escuros, lindos olhos verdes, com um sorriso nos lábios, abraçou-os. Corou ao receber as flores, agradeceu e disse:

— Vamos entrar, sinta-se em casa.

A casa era ampla e possuía um teto alto, o que não se notava do lado de fora. Um cheiro agradável pairava no ar. Carlos gostou do que viu. Os móveis clássicos, a sala, os quadros, era tudo muito bonito. Ele admirava o ambiente, quando Benito disse:

— Estas são minhas irmãs: Gina e Marta.

Carlos voltou-se, viu as moças e empalideceu. Seus olhos se turvaram e ele pensou que fosse desmaiar.

Todos os presentes, assustados, rodearam-no. Lúcia foi buscar um copo de água, enquanto Carlos se esforçava para recobrar a calma. Ele reconhecera uma das moças como aquela com quem sonhava e trocava apaixonadas juras de amor.

Aos poucos foi se controlando. Enquanto todos se esforçavam para ajudá-lo, Carlos, já mais senhor de si, pensava:

— É ela! Meu Deus! Estarei sonhando? O que está acontecendo comigo? Como é possível?

Não poderia falar que a conhecia, que costumava se encontrar com ela em sonhos apaixonados. Estava diante de uma terrível coincidência!

Segurou o copo com mãos trêmulas, bebeu alguns goles querendo ganhar tempo, depois disse:

— Desculpe-me. Não sei o que aconteceu. Pensei que fosse perder os sentidos, mas já está passando.

Benito segurou a mão de Carlos, que fechou os olhos durante alguns segundos e começou a respirar melhor, sentindo-se aliviado.

— Você costuma ter esses sintomas? — indagou Lúcia preocupada.

— Não. Foi a primeira vez! Já passou.

Benito segurou-o pelo braço e levou-o até o sofá:

— Sente-se, descanse um pouco.

As duas moças olhavam sérias. Benito continuou:

— Você olhou para minhas irmãs e sentiu-se mal. O que aconteceu?

Carlos não respondeu imediatamente. Não queria dizer a verdade. Tentou contemporizar:

— Do jeito que você coloca, o que elas vão pensar de mim? — e, fixando as duas, continuou: — Vamos fazer de conta que não aconteceu nada.

Carlos levantou-se, aproximou-se delas e estendeu a mão, dizendo:

— Eu sou Carlos e tenho muito prazer em conhecê-la.

— Eu sou a Marta, prazer!

Depois de apertar a mão que ela lhe oferecia, Carlos voltou-se para Gina e, quando fixou seus olhos nos dela, sentiu o coração descompassar. Controlou-se e estendeu a mão, dizendo:

— E você deve ser a Gina. Estou feliz por encontrá-la!

Gina apertou a mão que ele lhe oferecia e, olhando fixamente nos olhos dele, perguntou:

— Nós nos conhecemos de algum lugar?

Carlos sentiu a emoção aumentar. Ela também se lembrava dele. Teve vontade de perguntar se também costumava sonhar com ele, mas se conteve. Ao sentir o calor da mão dela na sua, a atração que o acometia durante os sonhos reapareceu com força e ele teve de se esforçar para agir com naturalidade.

A conversa generalizou-se. Lúcia tinha muita curiosidade e fazia perguntas sobre o Brasil. Contou que, quando ainda era criança, uma tia, irmã de sua mãe, havia se apaixonado, a família não aprovou e ela fugiu com o namorado. Mais tarde, souberam que eles estavam morando no Brasil. Desde então, ela se interessara pelo país.

Aos poucos, Carlos foi voltando ao normal, mas de vez em quando notava que Gina o fixava com interesse. Sentiu que precisava conversar a sós com ela, fazer-lhe as perguntas que o incomodavam. Queria entender o que estava acontecendo. Como ele poderia ter sonhado com ela antes de conhecê-la e, ainda mais, sentir tanta emoção?

O jantar foi servido e a conversa fluiu alegre. Carlos, já mais controlado, gostou da atmosfera que ali reinava. Lúcia era uma senhora inteligente, culta, de classe, e as duas moças eram muito educadas e amáveis. O ambiente era muito agradável.

Depois do jantar, Benito e Carlos tomavam licor na sala e, enquanto Lúcia e as duas moças cuidavam da cozinha, Carlos não se conteve:

— Entendo por que você deixou Paris e preferiu voltar para casa. Tem uma família especial, muito agradável.

— Também acho. Este é o meu paraíso. Às vezes cogito me casar, formar família, mas ao mesmo tempo penso: estou tão bem! Não preciso de nada!

— Não sente falta de um amor?

— Conforme eu já lhe disse, estou começando a me apaixonar. Namorar é muito bom, mas casar e dividir problemas pode acabar com qualquer relação.

Carlos riu e respondeu:

— É verdade. Olhando dessa forma...

— Foi por isso que, quando me contou que perdeu seu grande amor, eu lhe disse que talvez fosse melhor assim. Um dia você ainda vai me dar razão.

— Em que se baseia para afirmar isso? Eu sofri muito por ser rejeitado, ver todos os meus sonhos destruídos.

— Eu gosto de respeitar o que a vida quer. Não gosto de forçar nada. Se ela afastou essa moça de sua vida, é porque está lhe reservando algo melhor, mais adequado ao que você precisa.

— De onde tirou essa ideia? A vida é resultado do que nós queremos. Ela não tem nenhum poder de intervir. Eu decido o que e como quero fazer as coisas.

— Então, como explica que os resultados não saíram como você esperava?

— A culpa foi dela, que não teve paciência de esperar, que me esqueceu e preferiu ficar com outro.

— Jogar a culpa nela não esclarece nada, apenas faz de você uma vítima, o que não é verdade.

— Como não? Eu voltei disposto a cumprir minha parte em nosso compromisso. Ela não quis.

Benito meneou a cabeça e disse:

— As pessoas mudam e ela mudou. Isso acontece com todos nós. Foi sincera, não o enganou. Deve ser uma boa moça.

— Pelo menos falou a verdade. Mas jogou um balde de água fria no meu entusiasmo. Durante todo o tempo que estive fora, sonhei com o dia em que voltaria e realizaria nossos projetos. Foi uma decepção horrível. Tive vontade de cometer uma loucura!

— Quer saber? Você não amava essa moça de verdade. O que você teve foi apenas uma crise de orgulho ferido!

Carlos ficou calado durante alguns segundos. Depois disse:

— Será?

— Claro. Não é fácil ser rejeitado, trocado por outro. Mas estou certo de que um dia você vai perceber que foi melhor assim, que a vida cuidou da sua felicidade melhor do que você mesmo.

Carlos riu e respondeu:

— Você é a primeira pessoa que fala bem da vida. Pelo que sei, este mundo é um vale de lágrimas. A própria religião prega isso. Olhando todo o sofrimento que há no mundo, a violência, as doenças, a morte, a maldade, não dá para ver a vida como uma coisa boa. Basta olhar em volta para saber que você está iludido. Diz isso para mascarar a verdade.

Benito olhou firme nos olhos de Carlos e respondeu:

— Quem está enganado é você e todos os que não sabem nada sobre os mistérios da vida. E sabe por quê? Porque ela é tão sábia que só os revela para quem já tem condições de entender sua linguagem. A maioria das pessoas vive apenas com o que parece, teme ir mais fundo, levantar a ponta do véu. As religiões preferem conservar o mistério para dominar as massas.

— Estou vendo que você não é religioso.

— Não sou mesmo. Depois daquelas experiências que lhe contei, passei a acreditar na espiritualidade. Mário tem me ensinado muito.

Carlos queria fazer-lhe algumas perguntas, mas Lúcia aproximou-se com uma bandeja, dizendo:

— Vocês aceitam mais café?

Os dois aceitaram, ela serviu e, enquanto eles tomavam, ela continuou:

— Vocês gostariam de um pouco de música, ou preferem conversar?

Foi Benito quem respondeu:

— Certamente! — e, voltando-se para Carlos, disse: — Você gosta de música?

— Muito!

— Então venha comigo. Você vai gostar!

Carlos o acompanhou a outra sala muito bonita, mobiliada com classe, onde havia um piano e um violino. Benito indicou uma poltrona para que Carlos se acomodasse.

Lúcia sentou-se ao piano e Marta segurou o violino, enquanto Gina permanecia ao seu lado.

— O que gostariam de ouvir? — indagou Lúcia.

— Fica a seu critério — respondeu Carlos.

— Mostre um pouco da nossa música — disse Benito.

— Vamos ver o que podemos fazer.

Ela começou a tocar uma antiga canção italiana. Marta acompanhava com o violino e logo Gina começou a cantar. Carlos sentiu muita emoção. Parecia já ter vivido aquela cena.

Gina cantava com a alma, e ele parecia hipnotizado. Não conseguia desviar os olhos dela, estava fascinado. Depois da primeira canção, Lúcia tocou algumas músicas em voga na Europa. Quando parou, Carlos não disse nada, e as três o olhavam admiradas.

— Você ficou calado. Acho que não gostou das músicas que apresentamos — disse Lúcia.

Carlos procurou controlar a emoção e respondeu sorrindo:

— Há muito tempo não assistia a um espetáculo tão bom! Desculpe, mas fiquei em estado de choque. Foi maravilhoso! Vocês são artistas, e muito boas!

Benito acrescentou:

— Bem vi a sua cara de surpresa! Você não esperava que elas fossem assim tão boas.

— Não ligue para o que ele diz. Como sempre, exagera! — comentou Gina sorrindo.

Ela se mantivera discreta o tempo todo, falando apenas o indispensável, mas, assim que começou a cantar, seu rosto e sua postura foram se modificando. Ao dizer aquelas palavras, rosto expressivo e corado, olhos verdes brilhando, estava encantadora.

Carlos teve vontade de abraçá-la e beijar seus lábios carnudos. A muito custo se conteve:

— Não é verdade. Você canta como uma deusa. Sua voz é maravilhosa! — depois, percebendo que os três olhavam-no maliciosos, tentou dissimular o que sentia e continuou: — Foi um espetáculo maravilhoso! Dona Lúcia toca divinamente e Marta tem alma de artista.

Continuaram conversando um pouco mais, até que Carlos levantou-se, olhou o relógio e disse:

— Preciso ir. É tarde. Estou abusando da vossa hospitalidade.

— Não diga isso. Sua visita nos encantou. Fez-me recordar os saraus que fazíamos antes da guerra — comentou Lúcia com olhos brilhantes de emoção.

— Eu perdi a noção do tempo. Nunca esquecerei esta noite. Fez-me sentir que a vida pode ser muito melhor do que tem sido.

— Tem certeza de que quer mesmo ir embora? — indagou Gina.

— Não quero abusar. Pretendo voltar a vê-los mais vezes.

— Quanto tempo pretende ficar em Milão? — indagou Lúcia.

— Não sei ainda. Vai depender dos negócios. Mas adorei a cidade e vou procurar ficar o máximo que puder.

— Esta foi uma noite muito agradável e precisa ser comemorada — tornou Benito. — Antes de levá-lo de volta, vou abrir uma garrafa de vinho e vamos brindar ao futuro. Sinto que nossa amizade vem de outros tempos, talvez de outras vidas!

Carlos olhou-o surpreendido. Será que Benito estava sentindo o mesmo que ele? Animou-se a dizer:

— Enquanto elas tocavam, tive a sensação de já ter vivido aquela cena antes. Como pode ser isso?

Benito olhou-o nos olhos e respondeu:

— Nós acreditamos que já vivemos outras vidas antes dessa.

— Será? Seja como for, o que nos acontece é muito estranho. Nós dois nos conhecemos recentemente, e sua família conheci hoje. Mas, ao entrar aqui, tive a sensação de estar reencontrando velhos conhecidos.

— Eu tenho essa sensação desde que o conheci. Não tenho nenhuma dúvida. Por esse motivo vou abrir o vinho. Acho que devemos celebrar este nosso encontro.

Voltaram para a outra sala. Benito abriu o vinho, encheu as taças, ofereceu uma a cada um, depois, erguendo a sua taça, disse:

— Que a alegria desta noite se reproduza em nossas vidas e nossa amizade seja eterna!

Eles tocaram os copos, tomaram alguns goles. Carlos colocou a taça sobre a mesa:

— Eu gostaria de conversar sobre este assunto, entender um pouco mais. Mas fica para outro dia. Vocês devem estar cansados, não quero abusar.

Carlos não lhes deu tempo de responder, estendeu a mão para Lúcia e continuou:

— Obrigado, senhora, pelo carinho. Há muito eu não tinha momentos tão bons.

Ele beijou a mão dela, que sorriu:

— Enquanto estiver em Milão, você está intimado a vir jantar conosco todas as noites e, depois, vocês que são jovens podem sair, passear. As meninas terão o maior prazer em levá-lo a conhecer nossa cidade.

O rosto de Carlos iluminou-se. Estar ao lado de Gina era tudo o que ele mais queria. Estava ansioso para descobrir se ela também sonhava com ele.

Benito interveio:

— Faça isso mesmo. Mesmo que eu tenha algum compromisso, elas lhe farão companhia.

Ao apertar a mão de Marta, Carlos tornou:

— Vai ser um prazer sair com vocês.

Ao segurar a mão de Gina, Carlos estremeceu e, a custo, controlou a vontade que sentiu de abraçá-la. Fitou seus olhos verdes e seu coração disparou. Notou que ela estremeceu e seu rosto enrubesceu. Sem desviar os olhos dos dela, disse emocionado:

— Até amanhã. Pode estar certa de que estarei aqui.

— Estaremos esperando — respondeu ela.

Benito interveio:

— Vamos, vou levá-lo ao hotel.

— Não se incomode, Benito. Posso ir de táxi.

— Não custa nada levá-lo. A esta hora você não vai conseguir táxi nenhum. Vamos embora.

Eles saíram e, durante o trajeto, conversaram animadamente sobre os lugares que Carlos deveria conhecer.

Quando entrou em seu quarto no hotel, Carlos deixou-se cair em uma poltrona, pensando no encontro daquela noite.

Embora os encontros com Gina em sonhos fossem muito fortes e fizessem com que ele passasse dias só pensando nela, nunca imaginara que aquela mulher existisse na vida real.

As indagações surgiam e Carlos procurava hipóteses, sem chegar a conclusão alguma. Parecia impossível, mas havia acontecido. De repente, lembrou-se que, no último sonho, ela lhe dissera: "Não estou em Paris. Vivo na Itália, não se lembra?"

O que ela lhe dissera no sonho era verdade. Ela vivia na Itália. Como não pensara nisso antes?

Mexido, emocionado e curioso, Carlos deitou-se. A recordação dos sonhos e dos acontecimentos da noite não o deixava relaxar e dormir. Rolava na cama, pensando. O dia estava clareando quando, por fim, cansado, conseguiu adormecer.

18

Passava das onze quando Carlos acordou no dia seguinte. Levantou-se apressado, tomou um banho, sentiu fome. Vestiu-se e desceu. O café do hotel já tinha encerrado e então ele saiu. Encontrou uma lanchonete, onde pediu um sanduíche e um café, e sentou-se para comer.

Os acontecimentos da noite anterior lhe vieram à mente e Carlos tentou expulsá-los. Lembrou-se que Nicolai havia lhe indicado alguns endereços para visitar. Fizera muitas recomendações e era preciso traçar um roteiro de trabalho.

Na véspera, Benito lhe falara sobre outras possibilidades e ele precisava checar.

Depois do café, voltou ao quarto munido de um mapa da cidade, sentou-se, programou as três primeiras visitas, apanhou a pasta com o catálogo e saiu.

Visitou duas lojas. Na primeira, foi recebido pelo gerente, que lhe pareceu interessado e prometeu ligar depois que falasse com o dono. Na segunda, depois de esperar mais de uma hora, porquanto o dono estava almoçando, foi atendido pela secretária, que, assim que soube o que ele desejava, informou que seu chefe estava em uma reunião e disse que lhe telefonaria caso houvesse interesse.

Carlos caminhou pelo centro comercial da cidade, admirou as lojas famosas, as vitrines, os produtos expostos com bom gosto e classe, a elegância das pessoas que passavam, vestidas com apuro.

Ao passar por uma confeitaria, decidiu entrar para comer alguma coisa. Como tomara café tarde e não almoçara, estava com fome, mas ainda era muito cedo para jantar.

As mesas estavam cheias e o burburinho alegre das pessoas preenchia o ar. Carlos olhou em volta: não havia nenhuma mesa disponível. Voltou-se para a saída, quando alguém tocou seu braço dizendo:

— Carlos! Que bom vê-lo!

Era Marta, sorrindo. Ela continuou:

— Você ia embora?

— Sim, ia procurar outro lugar. Que prazer encontrá-la!

— Estamos sentadas ali no canto, tomando sorvete. Vi quando você entrou. Venha sentar-se conosco.

Carlos a acompanhou até a mesa onde Gina, diante de uma taça de sorvete, esperava por eles.

Depois de cumprimentá-la, Carlos sentou-se satisfeito. Assim como elas recomendaram, pediu uma taça de sorvete e, enquanto aguardava, comentou:

— Foi um prazer muito grande encontrá-las. A noite de ontem foi mágica para mim, maravilhosa. Ainda estou encantado.

Gina fixou os olhos nos dele quando disse:

— Eu senti algo diferente. Havia mesmo uma magia no ar fazendo-me sentir saudades sem saber de quê. Tive a impressão de estar sonhando!

Carlos esforçou-se para controlar a emoção e respondeu:

— Você costuma sonhar com coisas boas?

Gina suspirou, fechou os olhos, depois disse:

— Os sonhos são parte da vida e nos ajudam a passar o tempo. O que seria de nós sem eles?

— O que você sentiria se um dia esses sonhos se tornassem realidade?

— Bem que eu gostaria, mas acho difícil, se não impossível. No sonho nós podemos tudo, realizamos nossos desejos. No dia a dia, precisamos controlar as emoções, seguir as regras, entrar no papel social.

— Pois eu acho que a realidade é melhor do que o sonho — interveio Marta. — Não sou sonhadora como você, prefiro manter os pés no chão. E você Carlos, o que pensa?

— Tento transformar os sonhos bons em realidade. Esse é o caminho.

A garçonete aproximou-se, colocou a taça de sorvete e um copo de água gelada diante de Carlos, que agradeceu.

Gina o olhou séria e tornou:

— Se eu pudesse vencer as barreiras, faria isso mesmo.

Eles ficaram se olhando em silêncio e Marta sorriu maliciosa:

— Gina, sempre sonhadora! Vive sonhando com um desconhecido e jura que um dia ele vai aparecer para resgatá-la! A época dos contos de fada já passou. Ela tem recusado sistematicamente todos os pretendentes. Se continuar assim, ficará para titia.

Gina corou e respondeu:

— Você não acredita, mas eu tenho certeza do que estou fazendo.

Carlos completou:

— Eu era como você, Marta, não acreditava que meu sonho se tornasse realidade, mas hoje sei que estava errado. Neste mundo tudo é possível!

— O que o fez mudar de ideia? — perguntou Marta.

— Fatos que julgava impossíveis e aconteceram. Eu sonhava sempre com uma pessoa que não conhecia e trocava com ela juras de amor. Até que um dia a encontrei e descobri que ela existe, é uma pessoa real.

Gina empalideceu. Colocou a mão sobre o braço dele, dizendo séria:

— Esse caso está acontecendo comigo! Como pode ser?

Carlos segurou a mão dela e disse emocionado:

— Gina, era com você que eu sonhava. Ao vê-la, ontem, eu a reconheci e me emocionei, pensei que fosse perder os sentidos. Nunca imaginei que um dia a encontraria! Precisamos conversar, tentar esclarecer o que nos aconteceu. Vamos para algum lugar calmo e lhe contarei tudo.

Gina estava trêmula e Marta, olhando-os surpreendida, considerou:

— Vocês precisam conversar mesmo. Por que não vão até a praça? Eu ficarei aqui, tomarei meu sorvete e pagarei a conta. Depois irei encontrá-los.

Carlos segurou a mão de Gina e eles caminharam em silêncio até a praça que ficava ali perto. Procuraram um banco em um lugar sossegado e sentaram-se.

Olharam-se nos olhos e Carlos a abraçou, beijando-a com paixão. Ela correspondeu. Depois, afastou-se um pouco e disse:

— Carlos, o que está acontecendo conosco? Nós nos conhecemos ontem e eu sinto que esperei por você todos esses anos. Estou assustada.

— Eu estou feliz! Você não?

Seus olhos brilharam quando disse:

— Sim. Tanta felicidade me assusta. Não dá para entender! Não tem lógica.

Carlos abraçou-a de novo e beijou-a com amor.

— O que importa é que estamos juntos! Sinto que a conheço, estou emocionado, só sei que é você que eu quero!

Beijaram-se várias vezes, depois ficaram abraçados em silêncio, sentindo o coração bater forte. De vez em quando, Carlos acariciava o rosto dela e a beijava com amor.

Algum tempo depois, Marta aproximou-se e, vendo-os abraçados, não se conteve:

— Vocês se entenderam! Conseguiram descobrir o que está acontecendo? Até agora não consigo acreditar.

— É como um milagre. Não dá para explicar — tornou Carlos. — O que sentimos é muito forte.

Marta balançou a cabeça hesitante:

— Calma. Será que não estão se deixando levar por um impulso momentâneo? Vocês dois sonhavam com encontros amorosos, mas pode ser apenas uma coincidência, a manifestação de um desejo, uma ilusão. Não quer dizer que vocês de fato se amem e sejam os personagens desses sonhos.

Foi Gina quem respondeu:

— Não foi coincidência. Estou certa de que em algum lugar, em alguma época da qual não consigo me lembrar, nós estivemos juntos como agora. O sentimento é muito forte.

— É melhor ter calma. Vocês dois podem estar iludidos. Você sempre foi romântica. Como gostaria que fosse assim, está fantasiando.

Gina sacudiu a cabeça negativamente:

— Você não entende. Não pode sentir o que estamos sentindo.

Marta sentou-se ao lado deles e comentou:

— Cuidado, Gina. Carlos está aqui de passagem. Logo irá embora e você não pode se iludir dessa forma.

Carlos apertou a mão dela, que detinha entre as suas, e disse:

— Ainda não pensei no futuro. Só sei que não desejo mais me separar dela.

Marta balançou a cabeça preocupada. O que Benito e sua mãe diriam quando soubessem? Carlos era estrangeiro e eles não o conheciam bem, nem sabiam quais eram seus valores, suas crenças.

Levantou-se dizendo:

— É tarde, Gina. Temos de ir embora. Mamãe já deve estar preocupada.

— É verdade. Por mim, ficaria aqui a noite toda, mas temos de ir.

Gina afastou-se dele e levantou-se. Carlos a acompanhou:

— Eu também ficaria aqui a noite inteira, mas entendo. Gostaria de acompanhá-las, de conversar com dona Lúcia e Benito. Contar-lhes tudo.

Gina colocou a mão no braço dele, dizendo:

— Eu adoraria. Mas é melhor você não ir. Não vamos nos precipitar. Eu mesma quero contar à mamãe e fazer com que ela entenda o que sentimos. Preciso prepará-la primeiro.

Carlos concordou. Foram caminhando abraçados, rosto radiante, coração batendo forte, até o lugar onde elas se despediram e tomaram um ônibus.

Carlos voltou ao hotel pensativo, emocionado. As emoções misturavam-se e ele não conseguia recuperar a calma. Sentou-se na cama tentando relaxar.

Aquela situação inusitada era inquietante. Ao mesmo tempo que sentia por Gina um sentimento muito forte de amor, uma sensação de medo o inquietava, como se fosse acontecer algo que os impedisse de ficar juntos.

Passou a mão pelos cabelos, tentando afastar os pensamentos desagradáveis. Ambos eram livres e não havia nenhum impedimento que pudesse separá-los.

A família de Gina tinha classe. Viviam bem, mas não eram ricos. No momento, a sua situação financeira não era muito favorável, mas confiava que, com o tempo, realizaria seus projetos e ganharia o bastante para poder pensar em casamento.

No dia seguinte, teria uma boa conversa com dona Lúcia e Benito e pediria Gina em namoro. Queria que soubessem que se amavam e desejavam se casar. O fato de terem de esperar algum tempo para o casamento seria uma oportunidade para que a família o conhecesse melhor. Eles o haviam recebido com carinho, o que por certo facilitaria a aprovação do pedido.

Tendo resolvido isso, sentou-se diante da mesa disposto a programar seu trabalho para o dia seguinte.

Naquele momento, Gina estava sentada na sala conversando com a mãe sobre o assunto. Ela relatou os sonhos amorosos que tivera com um desconhecido e que lhe provocaram fortes emoções que permaneciam durante os dias subsequentes.

Lúcia ouvia admirada. Gina nunca lhe contara nada. Olhava para a filha curiosa, querendo descobrir aonde ela queria chegar. Gina continuou:

— No sonho eu o conhecia e o amava muito, mas quando acordava lembrava que, na verdade, nunca tínhamos nos encontrado. Cheguei a pensar que esse sonho fosse uma fantasia da minha cabeça e que esse homem não existisse. Mas ele existe de verdade e nós nos encontramos.

Lúcia levantou-se admirada:

— O que disse? Tem certeza?

— Tenho. Ao encontrá-lo, não o reconheci de imediato. No sonho, ele estava um pouco diferente, com roupas antigas, e os cabelos eram mais claros. Apesar disso, senti que o conhecia de algum lugar assim que o vi. Porém, hoje nos encontramos por acaso, e ele me confidenciou que tinha os mesmos sonhos que eu, sem nunca pensar que eu pudesse existir mesmo. Tanto que, ao me ver pela primeira vez, foi tanta emoção que ele quase desmaiou.

Lúcia sentou-se novamente, olhando-a desconfiada:

— Por acaso você está falando de Carlos?

— Estou. Ele tinha os mesmos sonhos que eu.

— Como eram esses sonhos?

— Nós trocávamos beijos e carinhos apaixonados, dizendo que queríamos ficar juntos para sempre.

Lúcia passou a mão pelos cabelos pensativa. Esses sonhos seriam fruto de uma fantasia ou estaria acontecendo alguma coisa que ultrapassava as barreiras do mundo físico? Respirou fundo e perguntou:

— Que conclusão vocês tiraram disso?

— Que queremos ficar juntos. Carlos queria vir aqui conversar com você e Benito e pedir permissão para namorarmos.

Lúcia ficou pensativa durante alguns segundos, depois disse:

— Por mais estranho que esse caso pareça, tenho vontade de ouvir o que Carlos tem a nos dizer. Ele pode vir conversar.

Gina levantou-se e beijou efusivamente o rosto da mãe:

— Obrigada, mãe, por entender nosso momento.

— Tenha calma. Vamos analisar tudo isso e descobrir se esse amor tão especial existe mesmo e se não é fruto de uma ilusão ou de uma coincidência.

Gina suspirou e respondeu com voz firme:

— Desta vez ninguém nem nada vai nos separar!

Os olhos dela brilhavam e Lúcia indagou:

— Por que está dizendo isso?

Gina deu de ombros:

— Não sei. Apenas senti que agora é pra valer.

Lúcia a olhou séria. As palavras dela a intrigaram. Gina às vezes dizia coisas inesperadas e, quando isso ocorria, sempre tinha a ver com algum acontecimento futuro. Será que esse amor seria mesmo verdade? Era o que ela tentaria descobrir, e sabia o que fazer para isso.

Na manhã seguinte, Lúcia se levantou cedo, arrumou-se e saiu. Tomou um táxi e parou diante de um prédio de apartamentos. Subiu ao segundo andar, parou diante de uma porta e tocou a campainha.

Uma jovem abriu e, ao vê-la, cumprimentou-a com alegria e convidou a entrar.

— Venha, dona Lúcia, mamãe está na saleta.

— Juliana, se ela está trabalhando, não quero interromper. Posso esperar.

— Não. Ela está separando alguns papéis.

Ela bateu ligeiramente na porta, abriu e Lúcia entrou. Giovana era uma mulher alta, encorpada, cabelos curtos, olhos grandes e sorriso alegre. Ao ver Lúcia, abraçou-a com carinho:

— Que prazer em vê-la! Como vai?

— Bem, mas estou precisando conversar com você.

— Sente-se, vamos conversar. Em que posso ajudar?

— Aconteceu uma coisa incomum. Preciso saber se tem fundamento.

— Pode falar.

— O caso é com Gina. Bem, desde pequena ela sempre foi sensível, sonhadora, e você sempre me disse que tivesse muito cuidado com ela.

— O que aconteceu?

Em poucas palavras, Lúcia relatou os fatos e finalizou:

— Ela está levando isso a sério. Benito conheceu esse moço recentemente e nós, há apenas dois dias. Não sabemos nada sobre ele. Não sei o que fazer. Preciso de ajuda.

— Apesar de ser um caso incomum, sinto que há alguma coisa. Vamos ver.

Giovana abriu a gaveta da mesa, apanhou uma caixa e uma toalha vermelha, que estendeu sobre a mesa. Abriu a caixa, apanhou um baralho e disse:

— Como é o nome dele?

— Carlos.

— Vamos ver o que as cartas dizem. Corte três vezes com a mão esquerda.

Lúcia obedeceu, enquanto Giovana, de olhos fechados, se concentrava. Depois, ela começou lentamente a dispor as cartas sobre a mesa. Não parecia a mesma pessoa de momentos antes. Seus olhos estavam brilhantes e ela começou a falar:

— Esse caso começou há muito tempo.

Naquele instante, ela colocou o maço de cartas sobre a mesa e continuou:

— Foi na Espanha que tudo aconteceu. Ela era nobre, filha de um rico fidalgo. Ainda muito jovem, o pai a forçou a se casar com um homem mais velho para juntar as fortunas. Mas ela nunca aceitou o casamento. Carlos a conheceu e se apaixonou perdidamente. Apesar de saber que ela era casada, tudo fez para conquistá-la.

Giovana, olhos perdidos no tempo, sequer olhava as cartas sobre a mesa:

— Carlos pertencia a uma família de nome. Seu pai fora ministro do rei e sua mãe era aparentada com a família real. Eles tinham muito orgulho de sua casta e se comprometeram a casar Carlos com a filha de um rico senhor, mas ele recusou. Fizeram de tudo, até ameaçaram deserdá-lo, mas ele não cedeu e saiu de casa.

Giovana fez ligeira pausa. Suspirou fundo e prosseguiu:

— Movido pela paixão, Carlos tudo fez para conquistar Gina, que, carente de amor, acabou se tornando sua amante. Durante algum tempo, entregaram-se à forte paixão que os dominava. Carlos não se conformava em dividi-la com o marido. Louco de ciúmes, fazia de tudo para que ela concordasse em fugir com ele. Mas ela se recusava por causa de um filho pequenino que muito amava.

Giovana remexeu-se na cadeira, passou a mão nos cabelos, depois disse:

— É só o que posso dizer por agora.

Lúcia ouvia emocionada, olhos úmidos, sentindo o coração bater forte, como se houvesse participado daquela história, e pediu:

— Por favor, Giovana, continue. Sinto que também vivi essa história. Estou emocionada.

— Sinto muito, minha querida, mas não tenho como. Meu guia espiritual se manifesta só quando ele quer e não posso fazer nada. Mas você já teve a sua resposta: o amor deles não é uma fantasia, existe de fato e remonta a outras vidas. É só o que posso dizer.

— Eu voltarei outro dia. Espero que ele volte e você possa me dizer alguma coisa mais.

— Venha quando quiser, mas não posso prometer nada. Contudo, se ele vier e me revelar mais alguma coisa, eu lhe direi.

— Obrigada, minha querida. Você tem um dom maravilhoso. Enquanto você falava, parecia que eu estava vendo as cenas. Onde será que eu estava naquele tempo?

— Às vezes é melhor ignorar. A vida só age para ajudar a melhorar e só revela o que é preciso.

Durante o trajeto de volta à casa, Lúcia foi pensando no que poderia acontecer dali para frente. Fosse o que fosse, ela rezaria muito para que Gina desta vez pudesse ser feliz.

Na noite seguinte, quando Carlos chegou à casa de Lúcia, encontrou a família reunida na sala à sua espera. Ao voltar da casa de Giovana, Lúcia colocara Benito a par dos acontecimentos. Ele não se surpreendeu. Depois de ouvi-la atentamente, disse:

— Eu sabia que meu encontro com Carlos não tinha sido por acaso. Quando nos encontramos pela primeira vez, tive a sensação de conhecê-lo de algum lugar.

— Vai ver você também fez parte dessa história.

— Pode ser. Mas enquanto você falava sobre as revelações de Giovana, senti muito medo.

— De quê?

— Não posso precisar. É uma sensação de que uma grande tragédia está prestes a nos acontecer.

Lúcia ficou pensativa por alguns segundos, depois disse:

— Pode ser um reflexo do seu passado. Se você teve ligação com os fatos daquele tempo, eles ainda estão em seu inconsciente.

— É... pode ser. Acho que vou falar com Giovana. Talvez ela possa nos esclarecer.

— O importante é que não se trata de uma ilusão. Portanto, é melhor olharmos tudo com bom senso. Analisar a situação como é hoje. Seja lá o que tenha acontecido anteriormente, hoje a vida está nos reunindo para o melhor.

— É verdade. A vida só faz o melhor. Vamos ver o que Carlos tem a dizer.

Gina conduziu Carlos até a sala e, depois dos cumprimentos, ele foi direto ao assunto:

— Vocês já tomaram conhecimento da situação. Eu e Gina nos entendemos, confidenciamos nossos sentimentos, reconhecemos que são profundos, verdadeiros. Embora tenhamos nos encontrado há tão pouco tempo, não nos resta nenhuma dúvida quanto ao amor que nos une. Queremos ficar juntos para sempre e lhes pedimos aprovação e apoio.

Lúcia respondeu séria:

— Eu acredito no que está dizendo, mas penso que precisamos agir com bom senso. Vocês não se conhecem bem. Nós não nos recordamos do passado com clareza. Pode ser que vocês tenham se amado em outras vidas, mas esse tempo passou. Não dá nem para saber como foi a relação que tiveram. Não vamos nos precipitar. É preciso agir com calma.

— Mamãe está certa — comentou Benito. — Vocês precisam se conhecer melhor. Só o tempo vai mostrar o que é melhor a fazer.

— Entendo. Sei que teremos de esperar algum tempo, porque no momento não tenho muita coisa para oferecer. Vocês sabem que estou recomeçando minha vida. Mas pretendo trabalhar muito, conquistar uma situação financeira boa para dar a Gina uma vida igual ou melhor do que a que ela tem agora.

Carlos segurava a mão de Gina e, olhando os olhos brilhantes dos dois, Lúcia disse comovida:

— Está certo, vocês têm a minha permissão para se conhecerem melhor.

Benito concordou e Marta, a pedido da mãe, buscou um vinho para comemorar. Ele abriu a garrafa, serviu o vinho e levantou a taça dizendo:

— Espero que as raízes deste amor deem frutos de alegria e felicidade.

Todos beberam e depois Marta perguntou:

— O que você pretende fazer? Vai vir morar aqui na Itália ou quer ir embora para o Brasil?

Os três o olharam com certa preocupação, mas Carlos sorriu e respondeu:

— Ainda não pensei nisso. Vai depender de como os meus negócios vão se desenvolver. Mas desde já afirmo que meu maior desejo é contribuir para que tenhamos uma vida boa, alegre e muito feliz. Não farei nada que possa trazer-lhes tristeza. Podem confiar.

— Vamos torcer para que possamos ficar todos juntos — disse Marta.

Aquela foi uma noite feliz. Carlos não se lembrava de ter tido momentos tão bons antes. A proximidade de Gina o emocionava e o apoio da família dela o encorajava. Sentia-se forte como nunca, e dentro do seu coração desabrochava a certeza de que naquele amor encontraria a felicidade.

Ao deixar a casa de Gina, Carlos sentia-se de bem com a vida. Tinha certeza de que o pesadelo dos últimos tempos havia acabado. Entusiasmado, fazia planos para o futuro. Deitado em sua cama no hotel, imaginava o que faria para concretizar os seus sonhos. O amor de Gina era tudo que mais queria. Naquele momento, a lembrança de Isabel estava distante e ele nem se recordava mais do amor sofrido que julgara sentir por ela.

Depois que Carlos deixou a casa de Lúcia, Marta e Gina foram para o quarto. Benito ficou um pouco mais para conversar com a mãe:

— Amanhã à tarde vou falar com Giovana. Talvez ela possa me esclarecer. Quando penso no casamento de Gina e Carlos, sinto certo mal-estar e tenho de lutar contra o medo.

— Faça isso. Vou ligar para ela e marcar uma hora. Iremos juntos. Pode ser que o guia espiritual dela tenha dado maiores informações sobre o que aconteceu no passado.

Na manhã seguinte, Lúcia falou com Giovana. Combinaram de estar lá no fim da tarde. Às cinco horas em ponto, os dois tocaram a campainha da casa dela.

Juliana abriu e os convidou a entrar. Giovana estava na sala lendo e, assim que os viu, levantou-se, abraçando-os com carinho:

— Eu sabia que viriam.

— Você descobriu mais alguma coisa?

— Sim. Vamos até a minha sala.

Quando já estavam sentados à sua frente, diante da mesa, ela continuou:

— Esta noite aconteceu algo inesperado. Quando me deitei, adormeci logo, saí do corpo e vi o espírito de José à minha espera.

— Quem é José? — indagou Benito.

— Meu guia espiritual. Ele levou-me a um parque muito lindo, onde havia um banco em que nos sentamos. Eu me sentia leve, feliz e comentei:

— Estamos no céu! Que maravilha! Gostaria de ficar aqui para sempre.

— Ainda não é sua hora. Você tem aprendido muito com a sua mediunidade, mas pode progredir bem mais. Precisamos conversar — disse-me José.

— Pode falar, estou ouvindo.

— Guarde bem o que vou dizer. É sobre o caso de Carlos e Gina. Como já lhe disse, os pais de Carlos, contrariados por ele ter recusado se casar com a moça que eles queriam, deserdaram-no. Mas ele tinha algumas propriedades e não se importou. Só tinha olhos para Gina e, a cada dia mais, insistia para que ela fugisse com ele para longe. Durante as noites, ele rondava a casa dela angustiado, louco de ciúmes ao imaginá-la nos braços do marido.

Giovana, vendo que os dois esperavam ansiosos, disse:

— José fez uma pausa e eu pedi que continuasse. Ele olhou-me sério e disse: "Não sei o que mais aconteceu. Só sei que houve uma tragédia. O marido de Gina foi encontrado morto. Houve um escândalo e a família dela vendeu as propriedades e se mudou para outra cidade, levando Gina e seu filho para longe. Carlos não pôde mais encontrá-la. Só sei que, depois da morte, Carlos procurou Gina e conseguiu encontrá-la, mas não ficaram juntos como queriam. Ambos precisavam melhorar suas condições espirituais para que pudessem um dia viver lado a lado."

Giovana calou-se e Benito disse emocionado:

— Sinto que fizemos parte dessa história. Às vezes, olhava para Gina e sentia um aperto no peito sem saber por quê. Quando eu soube que eles se encontravam em sonhos e se amavam, senti muito medo. Tenho a sensação de ter participado de alguma forma. José não lhe falou sobre nós?

— Não. Quando vocês estavam no astral, antes de reencarnarem juntos na mesma família, é provável que tenham tomado conhecimento de tudo. Mas agora não dá para saber mais. Do que vocês têm medo?

— É uma sensação desagradável, como se eu soubesse que uma tragédia fosse acontecer, acompanhada de um sentimento de culpa — informou Benito.

— Seja o que for, o melhor é você não dar força a esses pensamentos. Mesmo que vocês tenham contribuído para aquela tragédia, tudo passou. Vocês amadureceram, entenderam-se e hoje estão vivendo um tempo muito diferente, com imensas possibilidades de sucesso. Deixem o passado para trás. Ele não vai voltar. Vocês só têm o momento presente para viver, escolher suas atitudes, fazer o melhor e desfrutar de uma vida mais feliz.

— Bem que eu gostaria de ficar só no presente — tornou Lúcia. — Mas, quando brotam esses sentimentos inesperados de medo e preocupação e não se sabe de onde eles vêm, é difícil conservar a paz.

— Sei o que quer dizer. Mas vale a pena reagir, fazer um esforço para não dar importância a tudo que for negativo. O medo nos paralisa, limita, alimenta ilusões, fazendo-nos sofrer com coisas que nunca acontecerão. Ele é o reflexo de situações difíceis vividas em outras vidas, cujas marcas ainda conservamos em nosso inconsciente. Mas isso não significa que essas situações vão acontecer novamente. Pense: quantas vezes você teve medo de coisas que nunca aconteceram?

— Tem razão. Com relação a Gina, sinto insegurança, medo de que ela seja infeliz.

— Procure aceitar as coisas com naturalidade. Estou certa de que, conhecendo melhor o rapaz, vocês se sentirão mais confiantes. O que eles pensam em fazer?

Foi Benito quem respondeu:

— Querem se casar. Carlos serviu na guerra, foi prisioneiro, só recomeçou a trabalhar agora, mas está se esforçando e promete oferecer a Gina uma vida boa.

— Podem confiar. Estou certa de que vocês vão se dar muito bem.

— Na verdade, simpatizo com ele — reconheceu Lúcia.

— Eu também — ajuntou Benito.

— Vamos dar as mãos e fazer uma prece para pedir ajuda espiritual.

Eles obedeceram e ela continuou:

— Fechem os olhos, imaginem que estamos sentados em um jardim florido e que uma luz muito branca desce do alto sobre nossas cabeças. Respirem devagar, relaxem. Nós somos pessoas protegidas pelas forças divinas e Deus é nosso provedor. Ele é a fonte de todos os nossos suprimentos e deseja nos dar o melhor.

Giovana respirou fundo e continuou:

— Agora, imaginem que estão escrevendo uma carta relatando todos os seus medos e dúvidas. Assinem, joguem luz sobre ela e digam: "Estou entregando esse assunto nas mãos de Deus." Essa é uma boa maneira de aliviar o coração e receber a inspiração divina. Agradecemos por tudo que recebemos sobre esse caso.

Depois, todos soltaram as mãos e Giovana perguntou:

— Como estão se sentindo?

— Melhor. Senti alívio e bem-estar — informou Lúcia.

— Senti-me leve, flutuando. Uma brisa suave e agradável me rodeou trazendo grande bem-estar — comentou Benito.

— A bondade divina nos oferece luz, paz, inspiração. Só precisamos abrir o coração para receber.

— Eu gostaria de conservar essas energias — tornou Lúcia.

— Sempre que pensamentos negativos a incomodarem, reaja, não se impressione nem dê importância. Troque-os por coisas positivas e acredite que elas se materializarão.

— Nunca pensei em escrever uma carta para Deus — comentou Benito.

— Quando você escreve uma carta para Deus pedindo ajuda para seus problemas, formaliza uma atitude, reconhece que Deus é a fonte de todos os suprimentos. Ao entregar a Ele coisas que você não sabe como resolver, está dando uma demonstração de confiança e fé. Depois, evite voltar a preocupar-se com o assunto, porque, se o fizer, tirará a força do seu pedido. Confie. Se ficar firme, mudanças significativas podem começar a acontecer logo, trazendo respostas às suas indagações.

Benito pensou um pouco e respondeu:

— Gostaria de aprender um pouco mais sobre essas energias.

— Posso emprestar-lhe alguns livros que analisam esse assunto. Mas, para descobrir como a vida funciona, é preciso experimentar, observar como as coisas acontecem, analisar suas crenças e questioná-las a fim de descobrir até que ponto são verdadeiras. Para obter bom resultado, é preciso deixar de lado os preconceitos e buscar a verdade onde quer que ela esteja.

— De algum tempo para cá, estou mais sensível. Durante a noite, sonho que estou fora do corpo, encontro pessoas que me são desconhecidas, mas que naquele momento me parecem amigas. Há uma mulher que segura no meu braço e deslizamos juntos pelo ar, sobre as casas, cidades.

— Como você se sente nesses momentos?

— Muito bem. Entro em um estado de serenidade, alegria e disposição. Essas emoções são tão fortes que permanecem vivas durante dias.

— Essa mulher não lhe disse o nome?

— Não sei. Quando estamos juntos, estou consciente, mas, ao acordar, quero recordar o que falamos, porém não consigo.

— Sempre que dormimos, nosso espírito sai do corpo com a finalidade de repor energias. A maneira como ele reage durante essa experiência depende do nível espiritual que possui. A sensação agradável que você tem demonstra que seu espírito já conquistou um nível bom de conhecimento.

Lúcia, que ouvia atentamente a conversa dos dois, interveio:

— Já eu sempre sonho que estou diante de uma plateia, conversando e tocando piano.

Giovana sorriu e respondeu:

— Você tem alma de artista, utiliza a música para abrir a sensibilidade das pessoas, depois aproveita para dar a sua aula.

— Aula? Eu apenas passo algumas experiências que vivi. Mas sempre que tenho esses sonhos, sinto-me muito bem. Tenho a sensação de que sou muito querida e acordo muito bem-disposta. O lugar me parece familiar, quase sempre o mesmo, mas as pessoas são diferentes. É tudo tão real. Sei que esse lugar existe. Mas onde será?

— É muito bom ter amigos para trocarmos experiências enriquecedoras como as nossas. A mediunidade nos abriu a porta da espiritualidade e nos fez descobrir que somos eternos e que, apesar de estarmos mergulhados nos limites do mundo material, nosso espírito é livre e pode viajar pelo mundo espiritual. Além de abraçar amigos e ouvir conselhos dos espíritos de luz, ainda temos a chance de contar nossas experiências para aqueles que estão esperando o momento de nascer neste mundo. Podemos nos considerar pessoas abençoadas.

A palavra emocionada de Giovana comoveu os dois. Eles se levantaram e a abraçaram com carinho. Quando a emoção serenou, Giovana disse sorrindo:

— Agora vamos à copa tomar um bom café. Juliana fez um bolo delicioso. Tenho certeza de que vão gostar.

Na copa, Juliana os recebeu com alegria e a conversa fluiu agradável. Juliana tinha se matriculado na universidade em um curso de biologia e estava tendo as primeiras aulas. Bem-humorada, contava com graça e humor suas primeiras experiências com os colegas, provocando o riso de todos. Uma hora depois, quando Benito e Lúcia se despediram, sentiam-se serenos e confiantes. Toda a angústia de Benito havia passado.

Durante o trajeto, foram conversando e Lúcia comentou satisfeita:

— Foi ótimo termos vindo. Giovana é uma mulher maravilhosa e Juliana é adorável.

— Tem razão, ela é lúcida, esclarecida e tem nos auxiliado a vida inteira. Quanto a Juliana, penso que escolheu a carreira errada.

Deveria estudar psicologia. Ela é observadora e tem um senso de humor invejável.

— Pensando no que soubemos sobre o passado, talvez não seja tão simples resolver os problemas que ficaram para trás. Apesar de esquecermos o que passou, há o risco de as mágoas e ressentimentos ainda estarem em nosso inconsciente e dificultarem o entendimento entre nós.

— Até que ponto estamos envolvidos naqueles acontecimentos?

— Giovana disse que o tempo passou, que todos nós mudamos e hoje as coisas estão diferentes. Acho razoável esquecermos esse passado e nos esforçarmos para viver melhor agora. Afinal, de concreto mesmo só temos o momento presente. O passado acabou, não dá para voltarmos atrás, e o futuro depende do que escolhemos hoje.

— Concordo. Estou bem agora e não quero ter aquelas sensações ruins novamente.

— Vamos mudar de assunto para mandar embora aquelas energias.

Benito assentiu e passaram a falar de coisas mais agradáveis.

Ao chegarem em casa, encontraram Marta, Gina e Carlos conversando na sala. Depois dos cumprimentos, Marta disse:

— Vocês demoraram! Aonde foram?

— Conversar com Giovana. E vocês, o que fizeram esta tarde? — perguntou Lúcia.

— Eu estudei violino — informou Marta.

— Eu coloquei meu quarto em ordem. Depois que Carlos chegou, falamos sobre como gostaríamos que nossa vida fosse no futuro — disse Gina.

Lúcia considerou:

— Vocês devem estar com fome. Vou preparar um lanche. Ficará pronto em alguns minutos.

Pouco depois, sentados ao redor da mesa e saboreando as apetitosas guloseimas que Lúcia servira, continuaram conversando, cada um falando sobre o que pensavam da vida, seus sonhos e o que fariam para conquistar a felicidade.

O ambiente estava agradável e todos mostravam-se relaxados, à vontade. Carlos sentia-se muito feliz ali, no meio deles. Parecia-lhe que havia encontrado seu verdadeiro lugar. Tudo de ruim que havia passado durante a guerra, a frustração de seu amor com Isabel e a falta de apoio de sua família, que o fazia sentir-se um estranho entre eles, não mais o incomodavam. Por ele, ficaria ali para sempre.

20

A tarde estava quente e Isabel desceu as escadas apressada. Vendo-a chegar, Laura perguntou:

— Aonde você vai com tanta pressa?

— Gilberto deve estar chegando e estou atrasada. Vamos visitar uma casa que ele deseja comprar.

— Vocês não tinham combinado que ficariam no apartamento dele nos primeiros tempos?

— Ele acha o apartamento pequeno. Prefere uma casa maior.

— Falta pouco tempo para o casamento. Vocês estão ocupados com os preparativos. O melhor é deixar para depois.

— Quatro meses é pouco tempo mesmo. Mas os preparativos estão em andamento e sob controle. Não há muito mais a fazer. Ele gostou muito dessa casa, estou ansiosa para vê-la.

A campainha tocou e Isabel foi abrir. Gilberto entrou, beijou-a com carinho e cumprimentou Laura, que disse sorrindo:

— Fiz um suco de laranja, venham tomar um copo.

— Obrigado, mas fica para depois. O corretor já está à nossa espera e estamos atrasados. Na volta, conversaremos.

Eles saíram conversando animadamente. Ao chegar na casa, Gilberto disse:

— Eu gostei desta casa. O bairro é novo e a casa é recém-construída. É um pouco distante do centro, mas é espaçosa e bonita.

— Você está entusiasmado! E o preço?

— Está dentro de minhas posses. Se você gostar, vou fechar o negócio.

O corretor já os esperava. A casa era bonita, isolada dos dois lados e rodeada de jardim. Tinha garagem, três quartos, duas salas e demais dependências, tudo muito elegante. Isabel ficou encantada e Gilberto fechou o negócio. A casa já estava pronta e a chave seria disponibilizada assim que o negócio fosse ultimado.

Os dois saíram de lá felizes e imaginando como gostariam de decorá-la. Voltaram para a casa de Laura, que ficou alegre com o entusiasmo deles.

— Ainda tem aquela laranjada que nos ofereceu? — indagou Gilberto.

— Vou fazer uma bem gostosa rapidinho.

Ela deixou a sala e eles continuaram trocando ideias sobre a decoração da casa. Tomaram a laranjada e a conversa esticou-se até depois do jantar, quando Sônia se juntou a eles e quis saber tudo.

Passava das onze quando Gilberto chegou ao apartamento. Estava cansado, mas satisfeito. A compra da casa levaria quase todo o dinheiro que juntara, e a decoração teria de ser feita gradativamente, o que levaria certo tempo, uma vez que ele preferia comprar peças de qualidade.

Estava se preparando para dormir quando o telefone tocou. Era Nivaldo:

— Desculpe ligar a esta hora. Tentei falar com você antes, mas ninguém atendeu.

— Cheguei agora. Sua voz está diferente, aconteceu alguma coisa?

— Aconteceu o que nós temíamos. Papai gastou muito mais do que poderia e a situação é grave.

— O que ele fez? Explique melhor.

— Gostaríamos que viesse até aqui. Sei que é difícil e que você deve estar muito ocupado com os preparativos para o casamento, mas mamãe não está bem e precisamos de você.

— Ela está doente?

— Está muito deprimida, revoltada. Receio que fique pior.

— Está bem. Vou dar um jeito no hospital e irei amanhã mesmo.

— Ela só chora e não consegue falar no assunto. Preciso de ajuda.

— Irei o mais rápido que puder. Aguente firme.

Gilberto desligou e sentou-se na cama preocupado. Se dependesse dele, Glória há muito já teria acabado com aquele casamento. Não entendia por que ela insistia naquilo.

Deitou-se e teve dificuldade para dormir. Quando conseguiu, teve sonhos confusos, onde se via pressionado e com medo. Acordou muito cedo na manhã seguinte, com o corpo dolorido.

Tomou um banho, vestiu-se e preparou uma roupa para a viagem. Depois, foi ao hospital e pediu a um colega que o substituísse.

Com tudo resolvido, foi à casa de Isabel. Laura o conduziu à copa, onde ela tomava café. Vendo-o chegar, admirou-se:

— Gilberto! Aconteceu alguma coisa?

Em poucas palavras, ele falou-lhe sobre o telefonema e a sua ida a Pouso Alegre, e finalizou:

— Estou preocupado com mamãe.

— Gostaria de ir com você.

— Não é preciso, você tem de trabalhar. Chegando lá, vou saber o que está acontecendo de fato e ligarei informando. Não pretendo me demorar.

Ele a beijou no rosto em despedida. Laura, que ouvira a conversa, aproximou-se:

— Seja o que for que estiver acontecendo, não se deixe envolver por sentimentos ruins e procure conservar a serenidade. Nós vamos orar e pedir a Deus que o acompanhe e inspire. Se precisar de alguma ajuda mais direta, ligue e iremos até lá ajudá-lo.

— Obrigado, dona Laura. Mas espero que não seja preciso.

Ele se foi e Isabel sentou-se pensativa. Laura pediu:

— Venha, filha. Vamos orar e pedir a Deus que os ajude. Estou sentindo que vão precisar.

Elas deram as mãos, fecharam os olhos e Laura fez sentida prece em favor de Glória e sua família. Quando terminou, agradeceu a Deus pela ajuda.

— Senti que fomos ouvidas — comentou Isabel. — O temor desapareceu.

— A união com Deus fortalece e acalma. Ao pensarmos neles, vamos abençoá-los e imaginar que só acontecerá o melhor para todos os envolvidos. Deus está cuidando e você pode ir trabalhar em paz. Não se preocupe nem fique imaginando nada de ruim para não sobrecarregar ainda mais o problema deles.

— Farei o possível, mamãe. Você está certa. Deus cuida de tudo melhor do que nós.

Eram mais de duas da tarde quando Gilberto entrou na casa dos pais em Pouso Alegre. Nivaldo o recebeu na varanda e, depois do abraço afetuoso, ele perguntou:

— E então, como está mamãe?

— Está no quarto desde ontem de manhã, que foi quando chegamos e ela tomou conhecimento do problema. É melhor ir vê-la.

— Antes preciso saber o que aconteceu.

— Vamos conversar no escritório.

— Papai está em casa?

— Não. Está sumido há mais de uma semana.

Sentaram-se no escritório e Nivaldo continuou:

— Anteontem, demos em pagamento um cheque de valor alto. Mais tarde, recebemos um telefonema do banco avisando que todo o dinheiro de reserva aplicado havia sido sacado e que na conta corrente não havia saldo para compensar o cheque. Assustada, mamãe conversou com o gerente, que era autorizado para usar o dinheiro aplicado sempre que precisasse, e ficou sabendo que papai havia retirado todo o valor aplicado três dias antes.

— Ele não lhes falou nada sobre isso?

— Tentamos falar com ele, mas Dete contou que ele havia viajado e ela não sabia para onde nem quando voltaria. Até agora ele não deu notícias. Quando chegamos aqui, ontem de manhã, descobri que Alda também viajou. Imaginamos que tenha ido com ele.

Gilberto passou a mão pelos cabelos, nervoso:

— Papai perdeu o juízo! Quanto dinheiro ele levou?

— Tudo que juntamos durante os últimos três anos lá na fazenda. O pior é que ficamos sem condições para manter nossos negócios daqui para frente. Não sei o que fazer. Talvez tenhamos de vender a fazenda.

Gilberto respirou fundo. Lembrou-se das palavras de Laura, tentou se acalmar e disse:

— Não vamos entrar em desespero. Precisamos conservar a serenidade e encontrar a melhor solução. No momento, é mais urgente cuidar da mamãe.

Eles foram até o quarto, entraram e aproximaram-se da cama onde Glória estava deitada. Vendo-os entrar, ela começou a chorar e Gilberto abraçou-a com carinho:

— Mãe, reaja. Não se deixe abater. Sua saúde é mais importante do que todo o resto.

— Aconteceu o que eu temia. De nada adiantou continuar aqui para defender nosso patrimônio. Perdemos tudo!

— O mal está consumado e agora vamos ter que cuidar do estrago e tentar salvar o que restou. Sua saúde e bem-estar são mais importantes para nós agora.

— Isso mesmo, mãe — interveio Nivaldo —, precisamos de você. Nossa felicidade não está nas coisas materiais, que são transitórias, mas em estarmos juntos e tocar nossa vida pra frente.

— Teremos de vender a fazenda que amamos tanto e onde você fez um trabalho maravilhoso! O que será de nós agora?

Nivaldo ficou sério durante alguns segundos, depois levantou o queixo da mãe, dizendo:

— Olhe nos meus olhos e ouça o que tenho a lhe dizer: o trabalho na fazenda era bom e nos ajudava a suportar uma situação dolorosa que nos desagradava, mas não éramos felizes. Você vivia deprimida e eu sofria assistindo impotente à sua infelicidade. Estive pensando muito sobre o que nos aconteceu. Cheguei à conclusão de que essa mudança, embora nos assuste e desagrade, vai nos dar a chance de desfrutarmos de uma vida mais feliz.

Glória fixou-o admirada e Gilberto, comovido, observou:

— É verdade. Agora você está livre daquele peso. O tempo vai passar, você vai entender que foi melhor assim e aos poucos poderá retomar o prazer de viver. Quando eu era criança, você era uma mulher alegre, de bem com a vida, muito diferente do que é hoje.

— Depois de tantos anos trabalhando e me sacrificando para a nossa família criar um patrimônio, dói muito perceber que ele evaporou dessa forma. Alberto vai pagar caro por isso.

— Mãe, uma maldade não justifica outra. Se papai errou, não vamos cometer o mesmo erro e nos tornar iguais a ele. Se desejamos ter uma vida melhor, não vamos julgá-lo e muito menos condená-lo — tornou Nivaldo.

— Você é muito bom e não merecia o que ele nos fez!

Nivaldo retrucou:

— Procure ver as coisas de uma forma melhor. Trabalhamos muito, é verdade, mas não era sacrifício, pois gostávamos do que fazíamos. Além disso, tivemos chance de aprender muito com ele. Mãe, todas as coisas têm prazo de validade. Nada dura para sempre. É hora de mudar, aprender outras coisas. Não se deixe levar pelo orgulho. Você tem motivo para estar indignada, mas não se deixe levar pelo orgulho. Reconheça que papai é como é e não há nada que possamos fazer para mudar isso. Vamos deixar que ele siga o caminho que escolheu e, daqui para frente, cuidaremos da nossa vida.

Glória respirou fundo:

— É difícil aceitar isso.

— Anos atrás, diante do que papai fez, sugeri a separação. Não se pode esperar de uma pessoa o que ela não tem para dar. Procure aceitar o inevitável, esqueça o que passou. Você tem nosso apoio e estamos juntos. Acalme seu coração — tornou Gilberto.

— Estamos sem dinheiro, temos dívidas. Como vamos pagar os fornecedores?

— Deixe comigo. Estive pensando e a situação não é tão ruim como parece. O importante é você se cuidar — Nivaldo quis tranquilizá-la.

— Nivaldo está certo.

Gilberto segurou o pulso de Glória durante alguns segundos, depois disse:

— Você está muito agitada. Precisa descansar.

Sentou-se, prescreveu uma receita e pediu para Dete ir comprar. Depois, acomodou-a na cama, apanhou uma cadeira, sentou-se do lado e ficou segurando a mão dela.

De vez em quando, Glória estremecia e recomeçava a chorar. Gilberto apertava ligeiramente a mão que segurava e ela tentava se controlar.

Depois que ela tomou o remédio, Nivaldo perguntou sobre os preparativos para o casamento. Gilberto levou a conversa de forma leve e agradável. Glória ouviu com interesse, ficou mais calma e acabou adormecendo.

Os dois irmãos olharam-se aliviados e Gilberto comentou:

— Ela vai dormir algumas horas e acordar melhor. Vamos sair para conversar.

Os dois foram para o escritório do pai e Nivaldo esclareceu:

— O cofre está aberto. Ele levou tudo.

— Tinha muito dinheiro?

— Não sei. Ele costumava deixar em casa sempre uma boa quantia.

— Quero saber de tudo.

— Nós estávamos na fazenda. Eu fiz um cheque de valor alto para pagar um fornecedor e o banco não aceitou por falta de fundos. Pensamos que fosse um engano, pois tínhamos saldo suficiente na conta corrente para cobrir aquele valor. O gerente contou que, há uma semana, papai havia retirado todo o dinheiro, inclusive o que estava aplicado. Imediatamente viemos para cá. Dete contou que uma semana atrás papai viajara, sem dizer para onde, levando só as roupas mais novas. Sem querer acreditar, fui até o banco e o gerente mostrou-me os comprovantes. Foi isso.

— Eu sabia que um dia ele aprontaria alguma, mas não esperava que fosse tão cruel.

— Tem mais. Fui ao clube e soube que Alda tinha mesmo ido embora com ele.

— Espero que tenham ido de vez, que nunca mais cruzem nosso caminho. Mamãe precisa viver em paz. E como ficaram os negócios?

— Ainda não tive tempo de fazer um estudo mais apurado. Pelo que sei, talvez tenhamos mesmo de vender a fazenda. Sem capital não teremos como pagar os fornecedores e equilibrar as contas.

Gilberto pensou um pouco, depois disse:

— Vocês amam a fazenda. Fizeram um excelente trabalho que deu bons frutos. Mas se não der para conservá-la, poderão morar em São Paulo. Ajudarei no que puder.

— Vou avaliar todas as possibilidades. Papai foi instrumento dessa crise, mas sei que, se não precisássemos passar por esta experiência, Deus nos teria poupado. Se Ele não fez isso, deve haver uma boa razão. Preciso sentir o que a vida quer nos ensinar com esse desafio, para podermos enfrentá-lo com sucesso.

Os olhos de Gilberto marejaram quando ele respondeu:

— Sua atitude me comove. Estou certo de que você encontrará o melhor caminho. Ontem fechei negócio com a casa. Se soubesse o que estava acontecendo, teria esperado. Fiquei quase sem dinheiro. Talvez possa desistir do negócio.

— Não precisa fazer isso. Tanto eu como mamãe temos algum dinheiro em nossa conta pessoal que nos permitirá viver bem até resolvermos as dificuldades. O que precisamos agora é de uma avaliação dos nossos bens, saber se vamos poder dispor deles. De todo nosso patrimônio, só a fazenda que mamãe herdou antes do casamento está em nome dela.

— Não sei se poderão vendê-la sem a assinatura de papai. Eles são casados em comunhão de bens.

— O melhor será convencer mamãe a tratar de legalizar a separação.

— Ela pode não aceitar.

— Nós teremos de convencê-la a entrar na justiça, alegar abandono de lar e pedir a separação. É a melhor solução. Além de regularizar a situação de fato, ela terá meios para sobreviver. Eu posso perfeitamente cuidar da minha vida, da mesma forma que você vem fazendo.

— O difícil será ela aceitar entrar na justiça. Nenhuma mulher gosta de tornar-se desquitada.

— Esse é um preconceito detestável! Ninguém é obrigado a tolerar uma união que não está sendo satisfatória. Todos temos o direito de cuidar do nosso bem-estar e viver em paz. Um dia a sociedade terá de reconhecer isso.

— Tem razão.

— Até quando você poderá ficar aqui?

— Deixei um amigo atendendo os pacientes no hospital, mas não poderei ficar muito tempo.

— Nesse caso, seria bom que fôssemos conversar com o doutor Lentini para tirar todas as dúvidas legais.

— É um bom advogado?

— Não o conheço pessoalmente, mas tenho ouvido boas referências dele. Não podemos procurar o doutor Eurico.

— De forma alguma. Aliás, eu nunca confiei nele.

Nivaldo sorriu e comentou:

— É sinal de que sua intuição é boa. Ele não é confiável mesmo, mas papai sempre o preferiu para cuidar dos seus negócios. Se não estiver muito cansado, poderemos ir vê-lo agora. Ganharíamos tempo.

— Podemos ir sim. Mamãe vai dormir mais ou menos umas duas horas. Pediremos a Dete que cuide dela. Enquanto você liga e marca a entrevista, vou subir e tomar um banho rápido.

Pouco tempo depois, os dois irmãos entraram na sala do advogado, que se levantou para cumprimentá-los. Aparentava uns quarenta anos, muito elegante, cabelos claros, fisionomia calma, e os recebeu cortesmente. Sentado em frente à mesa dele junto a

Gilberto, Nivaldo discorreu rapidamente sobre os acontecimentos e finalizou:

— Diante desses fatos, nós pensamos que, formalizando a separação e dividindo os bens, minha mãe poderá refazer sua vida. Viemos consultá-lo para nos informar sobre como lidar com esse caso de forma legal.

— Vocês estão certos. Antes precisam saber se não há a possibilidade de eles voltarem a viver juntos. Os fatos são recentes, não sabem onde ele está. E se, daqui a alguns dias, ele voltar para casa?

Os dois se entreolharam admirados. Nivaldo considerou:

— Conhecendo meu pai como conheço, não creio que ele faça isso. Se fosse apenas uma escapada, ele não teria levado todo o dinheiro do banco, sabendo que tínhamos compromissos de pagamentos. O que desejamos é saber como resolver os problemas sem ele estar presente.

— Vocês poderão entrar na justiça alegando abandono de lar, e o juiz certamente vai mandar fazer um edital e estipular um tempo. Depois que o prazo terminar, se ele não aparecer, tudo poderá ser resolvido à revelia.

— É um alívio saber dessa possibilidade — comentou Gilberto.

— Mamãe está muito abalada, deprimida. Gilberto é médico, deu-lhe um calmante e ela conseguiu dormir. Ainda não conversamos com ela sobre a separação legal.

— Talvez ela não aceite — lembrou o advogado.

— É uma hipótese — tornou Nivaldo —, mas penso que lograremos convencê-la. Há anos eles viviam separados dentro de casa, mas ela nunca quis se separar definitivamente. Acreditava que, se ela o deixasse, ele acabaria com todo o patrimônio da família. Vivia infeliz e muitas vezes nós sugerimos que o deixasse, mas ela achava injusto nos privar dos bens de família. Agora terá de conformar-se.

— Infelizmente, muitas mulheres suportam essa situação, sacrificando a própria felicidade e acreditando assim evitar o que temem, mas a verdade é que, alimentando um problema, acabam atraindo exatamente o que desejavam evitar.

O advogado explicava olhando firme nos olhos dos dois, o que os fez sentir que ele falava com conhecimento. Notando que os dois o olhavam pensativos e em silêncio, continuou:

— As atitudes das pessoas revelam como elas veem a vida. Ao nos interessarmos por alguém, é bom prestar atenção à forma como essa pessoa pensa e avaliar se nos convém manter um relacionamento. É ilusão pensar que mais tarde ela possa mudar. Essa forma de pensar sempre custa muito caro. As pessoas só mudam quando elas querem.

— Está certo, doutor — respondeu Nivaldo, satisfeito.

— Vamos conversar com mamãe e, se ela concordar em abrir a ação, gostaria que fosse nosso advogado — disse Gilberto.

— Eu também — tornou Nivaldo. — Quanto deveremos pagar pela consulta?

Doutor Lentini sorriu e respondeu:

— Interesso-me pela criação de gado e há muito acompanho suas pesquisas. Admiro suas ideias. Quando dias melhores vierem, gostaria de conversar contigo sobre o assunto. Aceitarei ser o advogado de sua família, mas não vou lhe cobrar pela consulta. Foi uma honra conhecê-lo. Independentemente de qualquer coisa, podem contar comigo.

Os dois perceberam que haviam encontrado um amigo. Comoveram-se e despediram-se, prometendo voltar assim que tivessem uma resposta.

Durante o trajeto de volta, eles se sentiram mais confiantes e calmos. A tempestade amainara, e estavam convictos de que tudo terminaria bem.

21

Na tarde do dia seguinte, quando Isabel chegou em casa após o trabalho, Laura avisou que Gilberto havia ligado.

— Ele estava bem? Contou como estão as coisas?

— Queria falar com você. Vai ligar mais tarde.

— Que pena! Estou ansiosa por notícias. O ônibus demorou demais e me atrasei. Ele não disse quando vai voltar?

— Não. Disse que fez boa viagem e que ligaria mais tarde. Só isso.

— Você notou se ele estava nervoso?

— Não notei nada de anormal. Conversamos com naturalidade. Procure dominar a ansiedade. Em uma situação como essa, o que ajuda é imaginar sempre o melhor.

— Tem razão.

Isabel foi para o quarto, trocou de roupa, lavou as mãos e desceu exatamente na hora em que o telefone tocou. Ela atendeu prontamente:

— Gilberto? Eu estava ansiosa esperando você ligar. Como estão as coisas?

— Sob controle. Não liguei ontem à noite porque ainda não havíamos decidido o que fazer e eu não sabia quando poderia voltar pra casa. Se tudo der certo, amanhã à tarde estarei aí.

— Que ótimo! Como está sua mãe?

— Deprimida, chorosa, muito nervosa. Eu e Nivaldo decidimos tratar da separação legal, consultamos um advogado que nos orientou a tomar esse caminho, que é o melhor. O difícil foi convencer mamãe a entrar na justiça e pedir o desquite. O advogado nos auxiliou a convencê-la. Amanhã cedo vou providenciar uma procuração minha, para que ela possa assinar por mim sempre que precisar, e depois poderei ir embora.

— E Nivaldo, como está? Vai mesmo precisar vender a fazenda?

— Não sabemos ainda. Ele primeiro precisa estudar os detalhes, mas está disposto a fazer o que for necessário para que mamãe possa passar por essa fase da melhor forma possível.

— Não esperava outra atitude dele. Mande um abraço para ele e para dona Glória. Diga que estamos rezando para que tudo dê certo. Nós nos colocamos à disposição para ajudar no que for preciso.

Os dois conversaram mais alguns minutos e, depois que desligou o telefone, Isabel colocou Laura a par dos acontecimentos. Depois de ouvir, ela comentou:

— A melhor coisa que poderia acontecer é Glória oficializar a separação. Desligar-se desse marido é uma libertação. Sinto que daqui para frente ela vai viver mais feliz.

— Por que será que ela não queria se separar legalmente? Será que apesar de tudo ainda gosta dele?

— Não. Há muito esse amor acabou. Acontece que nenhuma mulher gosta de ser chamada de desquitada. Nossa sociedade é muito preconceituosa. Quando o marido da Leninha a deixou e ela se desquitou, passou por situações desagradáveis. Os casais amigos se afastaram.

— Por quê?

— As esposas temiam que ela desse em cima dos maridos e um deles passou a assediá-la, mas felizmente ela soube sair da situação com dignidade. Três anos depois, conheceu o Renato e casaram-se no exterior.

— Eles vivem muito bem. Ela foi corajosa.

— Fez as coisas do jeito dela. Não se importou com o que os outros pensavam, agiu com o coração.

— Ainda bem que dona Glória concordou. Assim, ela ficará livre para fazer da vida o que quiser. Com o tempo talvez possa jogar fora aquela tristeza que, de vez em quando, transparece em seus olhos. Será que vão precisar vender a fazenda?

— Sei que tanto ela como Nivaldo gostam muito da fazenda, mas eu gostaria que eles viessem morar em São Paulo. Ficariam mais próximos de todos nós. Depois, continuando lá, será mais difícil Glória esquecer os momentos desagradáveis que viveu. É hora de mudança, de virar a página e mudar o cenário.

Isabel sorriu e respondeu:

— É verdade! Uma vida nova requer cenários novos, mais alegres, novas amizades, novos projetos. Vou torcer para que eles se mudem para cá!

Em Pouso Alegre, Glória, em companhia dos dois filhos, comparecia ao escritório do doutor Lentini. Sentados diante do advogado, Gilberto leu e assinou a procuração para a mãe.

Nivaldo entregou ao advogado os documentos que ele havia pedido e considerou:

— Faltam as escrituras das propriedades. Costumavam ficar guardadas na parte baixa do cofre, mas desapareceram. Imagino que papai as tenha levado, inclusive o formal de partilha onde mamãe figura como herdeira da fazenda.

— Nesse caso, teremos que pedir uma cópia no cartório. Façam isso hoje mesmo — disse o advogado.

— Eu quero acabar com esse assunto o quanto antes — tornou Glória com voz firme.

— Irei hoje mesmo — respondeu Nivaldo.

Quando eles deixaram o escritório do advogado, observando o rosto contraído de Glória, Gilberto disse:

— Mãe, você tem pressa de resolver este assunto. Infelizmente, isso pode demorar. Se papai estivesse aqui, tudo se resolveria mais depressa.

— Ele não teve coragem de nos enfrentar. Sempre fez tudo na dissimulação. É próprio do seu caráter. A notícia já se espalhou, todos devem estar comentando o escândalo. É doloroso e humilhante. Assim que puder, vou voltar para a fazenda e ficarei lá. Quando isso acabar, pretendo varrer esse tempo da minha lembrança.

— Você não tem do que se envergonhar — interveio Nivaldo. — Não se deixe levar pelo que os outros dizem. A maldade não merece atenção.

Nivaldo deixou a mãe e o irmão em casa e saiu para o cartório a fim de providenciar a segunda via dos documentos.

Glória ia subir para o quarto, mas Gilberto segurou seu braço, dizendo:

— Venha sentar-se um pouco na sala, vamos conversar.

— Estou cansada, meu corpo todo dói. Você não imagina o que me custou ir a esse advogado. Vou me deitar.

— Serei rápido. Venha.

Sentaram-se lado a lado no sofá. Gilberto segurou a mão dela com carinho e disse:

— Mãe, não acho uma boa ideia você ficar na fazenda neste momento.

— Todos vão ficar sabendo aqui. A cidade é pequena, somos muito conhecidos.

— O melhor será você ficar um tempo em São Paulo comigo. Lá ninguém a incomodará. Além da minha companhia, a amizade de Isabel e de dona Laura a ajudarão a passar por isso tudo de uma forma mais leve.

Glória balançou a cabeça negativamente:

— Não posso deixar Nivaldo sozinho para resolver tudo. Ainda não sabemos qual é a extensão do problema.

— Você precisa poupar sua saúde. Nivaldo tem habilidade para resolver tudo. Além disso, ele pode ligar para você sempre que quiser.

— Ainda assim, não quero deixá-lo.

— Você está precisando espairecer. Vá comigo, fique pelo menos dois ou três dias, pois isso lhe fará bem. Poderá voltar quando quiser. Eu mesmo a trarei de volta.

Glória baixou a cabeça pensativa. Duas lágrimas surgiram e ela levantou-se rapidamente, pegou a bolsa que deixara na mesinha, tirou um lenço, enxugou os olhos e sentou-se novamente de cabeça baixa.

Gilberto levantou o queixo dela, dizendo:

— Mãe, enfrente a verdade com coragem. Assuma o que aconteceu e não se envergonhe. Quanto mais depressa o fizer, mais rápido as pessoas esquecerão.

Glória o olhou firmemente e respondeu:

— Tem razão. Obrigada pelo convite, mas no momento não posso mesmo viajar. Quando as coisas estiverem mais claras, ficarei alguns dias com vocês. Você pretende ir embora hoje?

— Assim que Nivaldo voltar. Além do trabalho no hospital, há as providências para o casamento.

— Você comprou uma casa. É um bom começo.

— É, mas agora teremos de mobiliá-la devagar, não vai dar para comprarmos tudo.

Enquanto falava sobre os projetos que fizera com Isabel, o rosto de Gilberto iluminou-se. O entusiasmo dele fez Glória esquecer por alguns momentos o seu drama e sentir-se mais calma. Quando Nivaldo chegou, os dois ainda estavam na sala conversando.

Mais tarde, Gilberto despediu-se, após recomendar que a mãe continuasse tomando o remédio que ele lhe indicara e que o mantivessem informado.

Depois que ele se foi, Nivaldo sentou-se ao lado da mãe:

— A conversa com Gilberto lhe fez bem. Você melhorou.

— Conversamos sobre o casamento dele. Está cheio de projetos, muito feliz com a compra da casa. Queria que eu ficasse alguns dias em São Paulo, mas eu não quero ausentar-me agora. Há coisas para resolver, decisões a tomar. Iremos para o casamento.

— Certamente.

— Gostaria de voltar para a fazenda hoje mesmo.

— Infelizmente não será possível. Teremos de ficar aqui até que o doutor Lentini tenha em mãos as informações e os documentos que ele pediu.

— Acha que vai demorar?

— Espero que não. Para programar o que fazer, teremos que analisar os livros de administração da fazenda, mas eles estão lá. Para ver com o que poderemos contar e programar os próximos passos, teremos de estar lá o quanto antes.

— Se pudéssemos vender esta casa, tudo estaria resolvido. Pagaríamos os fornecedores e teríamos como continuar com a fazenda.

— Não dá para vender a casa sem a assinatura de papai. Mas, mesmo que ele apareça, não sei se vai querer vendê-la. Ele sempre gostou muito dela.

— Pois eu a venderia de bom grado. Não fui feliz aqui.

Nivaldo colocou a mão sobre o braço dela, fixou-a nos olhos e disse sério:

— Nós gostamos da fazenda, mas talvez seja melhor vendê-la e vivermos em outro lugar. Ficar pode tornar difícil esquecer o que passou. Na fazenda, embora você se entusiasme com o trabalho, nunca deixou de sentir-se triste.

— Você está enganado, eu fui feliz na fazenda.

— Era o que você queria demonstrar, mas, muitas vezes, quando eu me aproximava, sentia sua energia de tristeza.

Glória ficou silenciosa durante alguns segundos, depois disse:

— Sinto que mudar de lugar não vai adiantar, porque essa dor está dentro de mim. Para onde eu for, irá comigo.

— É verdade. Mas se você for para um lugar diferente, terá mais condições de reagir, interessar-se por outros assuntos, abrir sua mente para outras possibilidades.

Glória meneou a cabeça:

— Não creio. Só quero viver em paz os anos que me restam. Desejo que vocês dois consigam o que eu não consegui. Ter um casamento e uma família felizes e, claro, uma vida boa.

— Eu acreditava que papai fosse culpado pela sua constante depressão. Quando se recusava a deixá-lo, imaginava que permanecia aqui apenas na tentativa de evitar que ele acabasse com o nosso patrimônio. Mas agora percebo que é você quem está se destruindo, julgando-se incapaz de construir uma vida melhor.

Glória olhou-o surpreendida. Ele continuou:

— Percebo que você tem se colocado na cômoda posição de vítima durante todos esses anos, como uma criança mimada, para encobrir sua falta de confiança em si mesma. Imaginei que, quando a hora da liberdade soasse, você quebraria os grilhões do passado e surgiria renovada, linda, livre para escolher novos caminhos, como um botão que se abre para a vida e se transforma em uma flor maravilhosa.

Nivaldo falava com suavidade, olhos semicerrados, voz um tanto modificada. Lágrimas corriam pelas faces de Glória, que não se atrevia a interrompê-lo.

Ele continuou:

— Acorde, Glória! É hora de largar as ilusões e aceitar a realidade. Você é um espírito eterno criado à semelhança de Deus, poderoso e lindo, e precisa enxergar a beleza da vida e a grandeza da oportunidade que está tendo de viver neste mundo. Você tem um projeto divino para a sua vida e precisa executá-lo. A natureza trabalha em favor da sua evolução, mas respeita suas escolhas. Quero que pense nisso: você pode escolher continuar nessa postura infeliz, mas, se reagir e colocar sua força interior na conquista de uma vida melhor, receberá todo o apoio do universo.

Glória olhava fixamente para Nivaldo, sentia um calor agradável, uma energia diferente percorrer seu corpo. Nivaldo continuou:

— Agora, deite-se no sofá.

Glória obedeceu. Ele colocou a mão sobre a testa dela dizendo:

— Você agora vai descansar um pouco. Quando acordar, vai se sentir melhor. Mas esse alívio será temporário. Você vai se lembrar de tudo que conversamos e decidir como vai viver daqui para frente. A decisão é sua. Fique com Deus.

Nivaldo respirou fundo, abriu os olhos e viu que Glória estava dormindo.

Sentou-se na poltrona ao lado e fez uma prece agradecendo a ajuda de Norma, um espírito que ele se habituara a ver desde criança. Era uma mulher de meia-idade cujos olhos vivos e magnéticos o encantavam. Sempre que se sentia triste ou preocupado com algo, ela aparecia, dava-lhe conselhos e ele ficava bem.

Ela quem lhe levara o espírito que o auxiliou a desenvolver as experiências genéticas tão bem-sucedidas na fazenda. Sempre discreto, nunca falara com ninguém sobre essas experiências. Ele as aceitou com naturalidade, respeito e gratidão, e preferia guardá-las só para si.

Apesar dos problemas que enfrentavam, ele confiava na ajuda espiritual e não temia o futuro. Sentia-se forte e determinado a enfrentar os desafios e seguir em frente em busca de uma vida melhor.

Mesmo estando a maior parte do tempo distante do pai, ele sentia que a situação familiar estava se tornando mais tensa a cada dia. Esforçava-se para apoiar a mãe, procurando fazê-la esquecer um pouco os problemas familiares e despertando nela o interesse em suas pesquisas, pedindo sua opinião, fazendo com que descobrisse outros interesses e percebesse que a vida ainda tinha muitas coisas boas a oferecer.

Mas Glória estava resistente e, apesar de todo o bem que Nivaldo tentava lhe proporcionar, ela continuava obcecada pela traição do marido, sem querer separar-se.

Pela primeira vez, Nivaldo tomou consciência de que, recusando-se a deixar o marido e colocando-se no lugar de vítima, o que Glória pretendia mesmo era vingar-se dele. Talvez ela mesma ignorasse isso, mas, ao suportar a traição e ser vista como uma esposa digna, dedicada, que continuava ao lado do marido por amor à família, ela o estava condenando. As virtudes de Glória tornavam ainda mais graves os deslizes de Alberto. Ela era a mártir, ele, o algoz. Era o sentimento de raiva que fazia Glória viver esse papel.

Glória nunca expressara sua raiva, o que não era natural na situação em que se encontrava, mas o sentimento continuava lá, influenciando suas atitudes.

Ela não era vítima, como queria fazer crer, ela estava castigando o marido durante todo o tempo.

Naquele instante, Nivaldo compreendeu que, enquanto ela não entendesse aquilo, continuaria presa, sofrendo com a traição do marido o resto da vida. O que poderia fazer para ajudá-la?

O melhor era pedir inspiração divina. Antes de orar, sentiu que o espírito de Norma estava ao seu lado e esperou. Ela aproximou-se e colocou a mão na testa dele dizendo:

— Agora você entendeu e poderá agir com mais eficiência. Não se preocupe. Confie em Deus.

— Sinto que a relação entre nós e papai já acabou e não tem volta. Mas sei que, enquanto ela não entender a verdade, continuará presa a ele, alimentando a infelicidade. Eu quero fazer alguma coisa, acabar com esse sofrimento. Meu maior desejo é que ela esqueça esse tempo e possa viver mais feliz.

— Eu também gostaria de poder tornar feliz todos os que sofrem. Mas isso não depende de nós. Cada um tem seu próprio processo de seguir adiante e não temos como apressá-los. Vamos confiar na vida, que sabe melhor do que nós conduzir as pessoas para onde devem ir. A conquista da felicidade é de responsabilidade pessoal e intransferível. Vamos confiar no futuro. Sei que você continuará apoiando-a, como sempre, e nós, seus amigos espirituais, faremos o possível para auxiliá-los.

Ela fez uma pausa. Nivaldo sentiu que uma energia suave e agradável o envolvia, e o ambiente tornou-se claro e leve. Sentindo grande bem-estar, suspirou satisfeito.

Norma continuou:

— Apesar do que conversamos, consideramos o caso de Glória resolvido. Devo dizer-lhe que é hora de começar a realizar os projetos pessoais que você trouxe para esta jornada.

— Você tem mencionado isso. Refere-se às experiências genéticas na fazenda? Vamos conseguir continuar?

— Há sempre vários caminhos para seguir. Nós não podemos interferir em suas escolhas. Por esse motivo, não posso revelar nada agora. Você está esquecido, mas saberá na hora certa. Agora, preciso ir. Deus o abençoe.

Ela desapareceu e Nivaldo abriu os olhos, ainda sentindo a energia agradável que o envolvia.

Naquele momento, Glória acordou e fixou-o, como se quisesse situar-se. Depois disse:

— Eu dormi sem querer. Você me deu algum sedativo?

Nivaldo sorriu e respondeu:

— Não, mãe. Eu só orei. Como se sente?

— Aliviada. Fazia tempo que eu não conseguia dormir desse jeito. Acho que você tem uma parte com Deus. Sua reza sempre me faz bem.

— Você pode fazer o mesmo. A oração nos liga aos espíritos de luz, traz paz, bem-estar.

— Às vezes eu tento, mas não consigo o mesmo efeito que você.

— Você pode, acredite. Estou com fome. Vamos comer alguma coisa?

Os dois foram à procura de Dete na copa:

— Você esqueceu do jantar? — perguntou Glória.

— Não. Quando fui chamá-los, estavam dormindo e eu resolvi esperar. Está tudo pronto, vou esquentar rapidinho.

Enquanto os dois lavavam as mãos, ela esquentou a comida e, em poucos minutos, ambos comiam com apetite.

Carlos deixou o aeroporto com sua bagagem e saiu à procura de um táxi. Durante o trajeto de volta para casa, sentia-se alegre, satisfeito por poder contar suas vitórias.

Durante os quatro meses que estivera ausente, sua vida havia mudado radicalmente. Conseguira realizar bons negócios, estava ganhando dinheiro. Benito o apresentara a algumas joalherias, levando seu mostruário, mas não conseguiu realizar nenhum negócio. Eles queriam novidades, mas Nicolai não queria inovar.

Vendo que Carlos estava preocupado, Benito sugeriu:

— Por que você mesmo não cria alguma joia diferente?

A princípio, Carlos não deu ouvidos, mas Gina e Marta insistiram para que ele o fizesse. Para estimulá-lo, as duas desenharam algumas peças, e ele, mais para agradá-las, fez o mesmo. Todos se entusiasmaram com o resultado e sugeriram que Carlos as mostrasse aos compradores.

Carlos gostou das peças, mas não se entusiasmou. Todavia, para não decepcioná-las, resolveu mostrar aos compradores, que, para sua surpresa, adoraram e desejaram comprá-las.

Carlos combinou de voltar com os preços para fechar o negócio. Era provável que Nicolai não aceitasse esse pedido, uma vez que não queria inovar. O que fazer, então?

Benito conhecia dois ourives e levou Carlos para conhecer o trabalho deles, pois sabia que poderiam aceitar as encomendas. Os dois eram muito bons, fizeram uma parceria e assim começaram um novo e promissor negócio. Carlos e as duas moças desenhavam os modelos, mandavam fazer e vendiam.

Carlos havia proposto o negócio para Nicolai, mas, como já esperava, ele não aceitou. Não queria aventurar-se a lançar joias que fugissem do que considerava clássico.

Durante meses de trabalho, eles descobriram que estavam no rumo certo. Os quatro abriram uma firma em sociedade e os resultados foram além do esperado. Entusiasmados, Carlos e Gina marcaram a data do casamento.

Decidido a casar-se e morar na Itália definitivamente, Carlos regressou ao Brasil para conversar com a família e com Nicolai, formalizando sua decisão.

Estava feliz. Sentia-se mais ligado à família de Gina do que à sua. Com eles podia conversar sobre arte, música, beleza, entre outros tantos assuntos que lhe davam prazer, o que não acontecia quando estava ao lado dos seus.

Além disso, seu inesperado encontro com Gina apagara a opressão que a rejeição de Isabel lhe causara.

Benito costumava dizer: "A vida tem sabedoria e sempre faz tudo certo". Se, ao voltar da guerra, Isabel estivesse à sua espera, teria se casado com ela. O que aconteceria quando Gina aparecesse em sua vida depois do casamento?

Teria ficado em uma situação desagradável. Sabia que não conseguiria resistir ao que sentia por Gina, que se entregaria à paixão e faria Isabel sofrer.

Conversara com Lúcia, abrira seu coração falando sobre sua desilusão amorosa e sobre como se identificara com ela e toda sua família, a ponto de sentir-se mais feliz ao lado deles do que com seus próprios familiares.

Ao que ela lhe dissera:

— Nosso encontro não foi obra do acaso. Nós não fazemos amizade com facilidade. Com você foi diferente. Você entrou em nossa casa e em nosso coração como se sempre estivesse lá. Estou certa de que nossa amizade vem de outras vidas.

Eles falavam com naturalidade sobre vida após a morte, reencarnação e comunicação com aqueles que partiram, o que fez Carlos lembrar-se de Adriano e começar a despertar para a espiritualidade.

Uma noite, convidaram-no para ir a uma reunião na casa de Giovana. Carlos preferia não ir, mas Lúcia lhe pediu com tanto empenho que os acompanhasse que ele aceitou.

Aquela foi para ele uma noite inesquecível. Giovana os recebeu com carinho e conduziu-os diretamente para outra sala, onde seria realizada a reunião. Além da família de Lúcia e de Giovana, ali estavam sua filha Juliana e um casal a que Carlos foi apresentado.

— Vamos nos sentar, que é hora de começar.

Acomodaram-se todos ao redor da mesa, onde havia alguns livros, papéis, lápis. Sobre um console, um vaso com flores frescas, a bandeja com uma jarra de água e alguns copos. A sala estava iluminada por uma parca luz vermelha e, no som, tocava uma música suave.

Giovana começou a falar:

— Queremos agradecer a Deus por todas as bênçãos que temos recebido e saudar os amigos espirituais que estão aqui, dispostos a nos auxiliar a encontrar o caminho da luz. Envolvidos pelas energias do mundo material, muitas vezes não nos lembramos que somos espíritos eternos estagiando temporariamente aqui, e deixamos de realizar os projetos de progresso que viemos buscar. As lições que temos recebido dos amigos espirituais nos fazem recordar o mundo espiritual e nos têm auxiliado muito. Estamos prontos para ouvir as lições desta noite com carinho e gratidão.

Todos silenciaram e a música continuou vibrando no ar. De repente, Carlos sentiu-se angustiado, teve vontade de levantar-se, mas controlou-se. Sentada à sua frente, uma das mulheres remexeu-se na cadeira, respirou fundo e disse:

— Carlos, finalmente podemos conversar!

Carlos estremeceu, sentindo arrepios lhe percorrerem o corpo. O medo o paralisou. Ela continuou:

— Sou eu, Adriano, não se lembra? Hoje pude vir para falar com você. Durante muito tempo o procurei, mas você se assustava quando me via. Eu estava desesperado sem saber aonde ir, como curar as feridas que me incomodavam. As enfermeiras queriam levar-me, mas eu estava com muito medo. Uma noite, eu estava em um lugar muito triste, ouvindo o gemido dos feridos e o matraquear das metralhadoras; sem saber onde me esconder, atirei-me no chão e pedi a Deus que me tirasse daquele lugar. Então, vi-me transportado para um campo e, quando olhei em volta, vi Anete, linda, estendendo a mão.

Ele se calou e, no silêncio que se fez, além da música, ouvia-se apenas a respiração comovida das pessoas e os soluços de Carlos, que não conseguia conter a emoção.

Ele continuou:

— Estou aqui para agradecer tudo que fez por mim no momento mais triste da minha vida e dizer-lhe que, apesar de ter pedido que você procurasse Anete, isso não seria possível porque ela também já havia deixado a Terra. O hospital de campanha em que ela trabalhava foi atingido por uma bomba. Hoje ela vive em uma comunidade e eu em outra. Mas estou me esforçando para melhorar e, dentro de pouco tempo, poderei viver lá ao lado dela. Anete me visita sempre e estamos felizes. Você foi meu amigo e companheiro e rezo para que seja muito feliz e viva em paz.

Ela se calou e Giovana tomou a palavra:

— Queremos agradecer aos amigos espirituais pela ajuda que recebemos. Mais uma vez, eles nos trouxeram provas de que somos eternos e de que a morte do corpo de carne é apenas o desgaste de uma máquina inteligente e perfeita, criada pela divina fonte para nos dar condições de viver na Terra e enriquecer nosso espírito. Agradecemos a Deus e encerramos nossa reunião.

Juliana acendeu a luz. Gina segurava a mão de Carlos, que se esforçava para controlar as emoções.

Recordando-se daquela noite, Carlos sentiu-se comovido. A certeza da imortalidade brotou em seu coração, abrindo as portas da eternidade e dando um sentido mais amplo à sua vida.

Comparecia todas as semanas às reuniões na casa de Giovana. Auxiliado por ela, Carlos dedicou-se aos estudos da vida e da morte, mudando radicalmente sua forma de pensar. Na casa de Lúcia, onde todos compartilhavam dessas ideias, foi se sentindo cada vez mais à vontade, integrado. Lá, as conversas eram sempre elevadas, e o ambiente de respeito e carinho em que se relacionavam o inspirou a tornar-se mais otimista e a sentir mais prazer de viver.

O táxi parou em frente à casa de seus pais e Carlos olhou em volta satisfeito. Desceu, dispensou o táxi, tocou a campainha.

Albertina abriu e, vendo o filho, seu rosto iluminou-se:

— Carlos! Você veio! — exclamou ela, abraçando-o emocionada.

Quando se acalmou, distanciou-se um pouco e o olhou embevecida:

— Como você está lindo, elegante!

— Estou muito bem, mãe. E vocês, como vão?

— Vivendo. Como sempre. Aqui tudo continua igual. Nada acontece.

Carlos colocou a mala para dentro e Albertina fechou a porta, fixando-o curiosa. Não se conteve:

— O que você fez, meu filho? Parece outra pessoa!

Ele riu bem-humorado.

— Estou muito bem mesmo.

— Quando você ligou dizendo que vinha, quase não acreditei. Estava morrendo de saudades. Arrumei seu quarto.

— E papai e Inês, como vão?

— Como sempre. Estão trabalhando. Logo estarão de volta. Você deve estar cansado da viagem. Talvez queira descansar.

— Estou bem. Mas vamos levar as bagagens para o quarto.

Os dois subiram. Carlos abriu uma das malas, tirou alguns pacotes e entregou à mãe, dizendo:

— São para você. Espero que goste!

— Não precisava! Sua presença para mim é o bastante!

Carlos colocou as duas mãos sobre os ombros dela, olhou firme em seus olhos e respondeu:

— Precisava, sim. Você sempre cuidou de mim com muito carinho, merece muito mais do que essas coisas.

Os olhos de Albertina encheram-se de lágrimas e ele a abraçou sorrindo:

— É bom se acostumar porque, de hoje em diante, tenho a intenção de dar-lhe muito mais.

A emoção impediu que ela respondesse e Carlos continuou:

— Vamos descer e você vai me fazer um café, daqueles que só você sabe fazer!

Os olhos dela brilharam quando respondeu:

— Está dizendo isso só para me agradar! Imagine as coisas boas que você experimentou na Europa! Depois que você viajou, comprei dois livros e tenho lido sobre os países que você visitou. Fiquei curiosa, com vontade de conhecer a França, a Itália. Pelo que eu li, nem parece que passaram por aquela guerra tão cruel.

— Não sabia que você tinha interesse por esses países.

— Eu queria ter ideia do lugar onde você estava. Vi como tinham ficado alguns dos lugares depois da guerra, tudo destruído pelos bombardeios. Fiquei surpresa com a rápida reconstrução e com o progresso!

— Um dia terei o prazer de mostrar-lhe todos esses lugares.

Os olhos de Albertina o fixaram com admiração:

— Eu?! Acha isso possível?

— Claro. Agora, você vai fazer um café e vamos nos sentar. Precisamos conversar.

— Não precisa ser agora. Você deve estar cansado. Descanse, conversaremos mais tarde.

— Não, mãe. É melhor agora. Essa conversa eu prefiro ter com você antes que papai e Inês cheguem. É um assunto só nosso.

Ela aceitou. Pouco depois, estavam sentados lado a lado no sofá, saboreando um café com bolo que ela fizera para esperá-lo.

Tomaram o café, Carlos colocou a xícara na bandeja e segurou a mão dela com carinho, dizendo:

— A história que vou lhe contar deverá ficar só entre nós. Vou abrir meu coração porque sei que vai entender.

Albertina olhou-o séria e respondeu:

— Está bem. Pode falar.

Carlos começou falando sobre seu sofrimento com a rejeição de Isabel, seu desejo de vingar-se, de provar a ela que era capaz de vencer na vida e de reconquistá-la. Depois falou sobre a morte de Adriano, sobre seus sonhos apaixonados com uma mulher, sua amizade com Benito e a surpresa de encontrar a mulher que via naqueles sonhos, Gina. Contou sobre seu trabalho e sua associação de negócio com Benito e as irmãs, sobre Giovana e a crença na eternidade do espírito. Por fim, revelou a decisão de se casar e ir morar na Itália.

Albertina ouviu tudo com atenção, sentindo cada emoção do filho querido, que continuava segurando sua mão. Quando ele se calou, olhos brilhantes de emoção, ela o abraçou com força e em silêncio. Tinha receio de falar e quebrar aqueles momentos tão mágicos que estavam vivendo.

Ficaram assim durante alguns segundos, depois Carlos disse:

— Obrigado por ter me ouvido. Sinto que fui entendido. Eu sabia que você ficaria feliz em ver-me tão bem.

Albertina suspirou e respondeu:

— Tem razão. Você tem todo o direito de procurar sua felicidade. Fico feliz por saber que você conseguiu aceitar as mudanças que a vida lhe reservou e entendeu que foi melhor assim. Eu esperava que você tivesse vindo para ficar, mas, por outro lado, já gosto de Gina e de toda essa família que o recebeu com amor, como a um filho.

— Não fique triste por eu decidir morar longe. Virei visitá-los sempre e desejo que toda a família compareça ao meu casamento. Acredite que nossos laços de amor continuarão existindo para sempre. Vocês me deram a oportunidade de nascer de novo na Terra. Tenho com nossa família uma dívida de gratidão que nunca poderei pagar. Gostaria que soubessem disso.

— Eu sei, meu filho. Apesar da descrença de seu pai e de Inês, eu sempre acreditei que a vida continua. Às vezes, quando aqui em casa as coisas não estão bem, sem ninguém saber, eu vou a um centro espírita rezar, pedir ajuda. E ela sempre vem.

— Seria bom que levasse papai também.

— Ele diz que não acredita em nada. Se eu falar, pode me proibir de ir.

— Deixe comigo. Sei como fazer. Vou procurar um lugar bom para levá-los.

— Seria bom mesmo que eles fossem. No centro, eles só falam no bem, dão bons conselhos, ajudam todo mundo. Se Inês fosse, talvez deixasse de ser tão implicante, de pensar mal dos outros. Ela sempre pensa no pior.

— É por isso que a vida dela não vai para frente. Quem dá forças ao que é negativo atrai o mal para a sua vida.

— É o que eu penso. Se ao menos ela conseguisse ser mais otimista...

— Vamos ver o que posso fazer.

— Quanto tempo pretende ficar aqui?

— Não sei ao certo, mas não posso me demorar por causa dos negócios. Assim que resolver o que preciso, irei embora. Agora vou subir, tomar um banho.

— E eu vou preparar o jantar. Logo mais eles estarão aqui, e seu pai, como sempre, não gosta de esperar.

Albertina foi para cozinha pensativa. Apesar de sentir-se triste por Carlos ir morar fora do país, tudo que ele lhe contara a fizera entender que as coisas tinham sido conduzidas para o lugar certo.

Deus ouvira suas preces. Durante os cinco anos em que ele estivera ausente, ela rezara todas as noites pedindo a Deus que o protegesse. A volta dele são e salvo a fez sentir que suas orações tinham sido ouvidas. E, quando Carlos se revoltou pela rejeição de Isabel, planejando vingar-se, ela teve medo de que ele cumprisse o que dissera.

Foi ao centro espírita pedir ajuda a Sônia, uma médium que sempre a confortara com mensagens de seus guias espirituais. Eles lhe pediam para confiar na sabedoria da vida, que sempre faz tudo certo. Ela confiara, e agora tinha a prova de que eles estavam certos.

Carlos estava destinado a reencontrar-se com o grande amor de outras vidas. Estava escrito que, desta vez, eles seriam felizes. Lembrou-se de uma frase que o guia espiritual de Sônia lhe dissera:

"Acalme seu coração e confie na bondade divina. Pense que seu filho está no bem e essa fase é temporária. Ajude-nos mentalizando luz sobre ele."

Desde esse dia, Albertina se esforçara para melhorar o seu padrão de pensamentos. Quando surgiam em sua mente pensamentos ruins, sensação de medo, ela lembrava-se dessas palavras e pegava um retrato de Carlos ainda adolescente, em que ele estava sorrindo alegre, e então rezava, imaginando que do alto caíam raios de luz sobre ele.

Inês apareceu na cozinha perguntando:

— Então, mãe, Carlos já chegou?

— Já. Ficamos conversando até há pouco, e agora ele foi tomar um banho.

Inês aproximou-se:

— Como ele está? Contou as novidades?

— Contou. Está muito bem.

— O que foi que ele disse?

— Ele mesmo vai contar.

— Só quero ver a cara dele quando souber que Isabel se casa dentro de uma semana.

— Não seja maldosa.

— A verdade tem de ser dita. Ele dizia que ganharia muito dinheiro e a reconquistaria. Nada disso aconteceu. Ela vai mesmo casar com aquele médico. Compraram casa, está tudo pronto. Carlos já perdeu essa.

Albertina mordeu os lábios e não respondeu. De que adiantaria?

— Vou subir e me lavar. O jantar vai demorar? Papai deve estar para chegar e ele não gosta de esperar.

— Está quase pronto. Vá se lavar e volte logo para pôr a mesa. Comprei umas flores, quero que tudo fique bem bonito.

— Ele sempre foi seu preferido. Você dá mais atenção a ele, que sempre vive fora, enquanto eu, que estou sempre a ajudando, fico em segundo plano.

Albertina riu e respondeu:

— Deixe de ser criança. Onde já se viu?

Inês não esperava essa resposta e, irritada, subiu para se lavar. Quando ela desceu pouco depois e foi arrumar a mesa, viu que a mãe separara a toalha que usava para as visitas, a melhor louça e os copos de cristal.

Pouco depois, Albertina foi verificar a arrumação e, diante do olhar sério de Inês, mudou algumas coisas. Naquele instante, Antônio entrou, pendurou o chapéu e foi ter com elas, perguntando:

— Carlos já chegou?

— Estou aqui, pai. Como vai?

— Bem — respondeu Antônio.

Carlos descera sem ser notado e todos os olhares foram voltados para ele, que estava muito elegante em uma calça de flanela cinza e uma camisa de seda bege.

Abraçou o pai e a irmã, que o olhavam admirados. Depois, apanhou dois pacotes que deixara sobre uma cadeira, entregando-os a eles.

— Espero que gostem. É a última moda na Itália.

Ambos abriram os presentes. Para Inês, uma blusa de lã cor verde-escuro e, para o pai, uma carteira e um cinto de couro legítimo.

O olhar admirado de ambos passeava dos presentes finos a Carlos, que parecia ter se tornado um estranho. Ambos agradeceram com certa cerimônia, o que fez Albertina sorrir, antegozando a surpresa deles ao escutar o que Carlos tinha para contar.

Carlos notou certo constrangimento deles e procurou deixá-los à vontade. Durante o jantar especial que Albertina fizera com capricho, ele falou sobre os países que visitara, seus costumes, suas belezas e o progresso que havia por toda parte.

De vez em quando, eles se animavam a fazer uma pergunta ou outra, que Carlos respondia com desenvoltura. Depois da sobremesa, foram conversar na sala.

Assim que se sentaram, Inês não perdeu tempo:

— Você está muito bem. Não sei se foi bom ter vindo agora ao Brasil.

— Por quê?

— Porque Isabel vai se casar dentro de alguns dias.

O semblante de Carlos continuou impassível quando respondeu:

— Nesse caso foi bom eu ter voltado. Terei o maior prazer em desejar-lhe felicidades. Quero que ela seja muito feliz.

Inês abriu a boca e fechou-a novamente, não sabendo o que dizer. A bomba que guardara durante tanto tempo para explodir diante do irmão não surtira nenhum efeito. Antônio também não sabia o que dizer. Somente Albertina sorria satisfeita.

— Como vão os negócios? — indagou Antônio.

Carlos falou por alto de suas vendas e da empresa que formara com um amigo italiano.

— Continuamos trabalhando com joias. Tem dado bons resultados, tanto que vim despedir-me de vocês. Pretendo morar em Milão.

— Como assim? — exclamou Inês assustada.

— Tem certeza de que vai dar certo? — comentou Antônio.

— Tenho. Está indo bem, e o progresso do comércio de lá, com artigos de classe, beleza e lojas de luxo, é muito grande. Milão tem sido a cidade da moda. É o lugar aonde os turistas ricos vão para fazer compras. Os italianos são muito caprichosos, exigentes com qualidade. Estou certo de que vamos ganhar muito dinheiro.

Antônio não sabia o que dizer. A surpresa o emudecia. Ele nunca imaginara que Carlos conseguiria ser o que dizia. No fundo, ainda duvidava que aquilo fosse mesmo verdade.

Mas a surpresa maior ainda estava por vir. Foi quando Carlos disse:

— Dentro de alguns meses, vou me casar com Gina, uma das irmãs de Benito. Esse é o motivo de eu querer morar lá.

Dessa vez, eles perderam a vontade de conversar. Enquanto Carlos falava dos encantos de Gina, dos momentos de arte que desfrutava com a família, eles foram se sentindo cansados e, pouco tempo depois, Antônio decidiu ir dormir. Inês, a pretexto de ter de se levantar cedo no dia seguinte, também se recolheu.

Carlos e Albertina ainda ficaram alguns minutos desfrutando do prazer daqueles momentos. Depois, ele a ajudou a fechar a casa e também foram dormir.

23

No fim da tarde, Isabel entrou em casa carregando alguns pacotes. Vendo-a entrar, Laura perguntou:

— Comprou tudo?

— Sim. Não falta mais nada.

Colocou os pacotes sobre a poltrona e continuou:

— Estou cansada, mas acabei. Acho que vou subir, descansar um pouco até a hora do jantar.

— Vá mesmo. Precisa se poupar. Uma noiva tem de estar radiante no dia do casamento.

Isabel sorriu e comentou:

— Quando penso que está chegando a hora, sinto um friozinho percorrer meu corpo.

Laura sorriu e respondeu:

— É natural. Sua vida vai mudar. Acalme-se, vai dar tudo certo.

— Eu sei. Gilberto é o homem da minha vida. Vamos ser muito felizes. Vou subir. Me chame quando o jantar estiver pronto.

Isabel foi para o quarto e estendeu-se na cama pensando nos detalhes da arrumação que faria na casa no dia seguinte.

O telefone tocou e ela atendeu:

— Alô?

— Como vai, Isabel?

Ao ouvir a voz de Carlos, ela estremeceu. Apanhada de surpresa, ficou calada durante alguns segundos. Carlos continuou:

— Sou eu, o Carlos. Cheguei ontem e gostaria de conversar com você.

Isabel respirou fundo e respondeu:

— Vou bem, Carlos. Estou surpresa por ter me ligado.

— Eu gostaria de ir até sua casa agora, conversar.

— Não vai ser possível! Tenho um compromisso logo mais.

— Eu sei que deve estar muito atarefada com os arranjos para o seu casamento, mas gostaria muito que me atendesse. Não vou tomar muito do seu tempo.

— Acho melhor não. Afinal, não temos mais nada para dizer. Nosso caso acabou.

— É que pretendo ir embora dentro de alguns dias e gostaria de esclarecer algumas coisas.

Ela se calou. Seu coração batia forte. Temia que ele tivesse voltado para atrapalhar seu casamento.

Carlos insistiu:

— Vou me mudar para a Itália definitivamente. Em nome de nossa antiga amizade, peço que me conceda a oportunidade de uma última conversa.

Isabel pensou um pouco e concordou. Seria melhor mesmo conversar e saber o que ele pretendia, assim evitaria uma surpresa desagradável na hora do casamento.

Assim que desligou o telefone, desceu e contou a Laura a novidade.

— Estou com medo, mãe! O que será que ele quer? Por que reapareceu logo agora, quase no dia do meu casamento?

Laura, preocupada, segurou a mão da filha, tentando não deixar transparecer seus receios:

— Ele não vai fazer nada! Se está se mudando para outro país, é porque já aceitou a separação. É melhor mesmo recebê-lo e ouvir o que ele tem para dizer. Você está pálida, vá se arrumar um pouco. Acalme-se, vamos recebê-lo com naturalidade.

Isabel obedeceu. Pouco depois, Carlos, segurando uma caixa com um arranjo de rosas naturais, tocou a campainha. Laura atendeu.

— Entre, Carlos. Quanto tempo!

Ele entrou, segurou a mão que ela lhe estendia, levando-a aos lábios com delicadeza, e entregou-lhe a caixa dizendo:

— Sempre jovem e bela! Estas rosas são para a senhora.

Laura não escondia a surpresa. Em nada ele fazia lembrar o Carlos que ela vira na última visita. Tinha tomado corpo, estava sorridente, bonito, elegante. Olhando-o, ela sentiu desvanecer todo o receio.

— Obrigada, meu filho! São lindas! Venha, vamos nos sentar e conversar. Isabel já vai descer.

Acomodaram-se na sala e Laura perguntou se ele estivera mesmo na Europa. Carlos, muito à vontade, falou dos países que visitara e do progresso que havia por toda parte.

Isabel logo desceu e, antes de entrar na sala, ouviu um pouco da conversa deles. Percebendo o tom natural e alegre, respirou fundo e entrou.

Carlos levantou-se e, sorrindo, estendeu a mão, perguntando:

— Está tudo bem com você?

— Está. Você parece muito bem — respondeu ela, apertando a mão que ele lhe estendia. — Mas sente-se, fique à vontade.

Ele se sentou, olhou-a nos olhos e disse:

— Quando liguei, notei que você não gostou de me ouvir e não queria que eu viesse.

Ela fez pequeno gesto querendo negar, mas ele continuou:

— Eu entendo suas razões. Quando regressei, depois de tantos anos, e descobri que você não queria mais continuar comigo, eu não quis aceitar. Fiquei muito revoltado. Cheguei a fazer ameaças.

Carlos fez uma pausa, mas vendo que elas o ouviam em silêncio, continuou:

— Hoje sei por que agi assim. Durante todo o tempo em que estive fora, sofrendo o horror da guerra, prisioneiro, longe de todos, passando necessidades, sem saber se um dia poderia regressar, eu me sentia lesado. Essa guerra tinha me tirado os melhores anos da juventude, os sonhos de felicidade que idealizei. Visualizei como recompensa de todo aquele sofrimento a realização do sonho de amor que havíamos construído juntos. Joguei o peso de minhas frustrações sobre você, colocando-a como um prêmio que eu merecia. Eis porque não consegui aceitar que você havia mudado e estava apaixonada por outro.

Ele se calou enquanto as duas, olhos úmidos, tentavam controlar a emoção.

— Deve ter sido muito difícil para você! — tornou Laura.

— Foi. Mas, por outro lado, esse fato me empurrou para frente. Meu orgulho foi ferido e, naqueles dias turbulentos, jurei a mim mesmo que subiria na vida, ganharia muito dinheiro e provaria para você, Isabel, que eu poderia ser melhor do que o homem por quem fui trocado. Ganhei força, aproveitei o conhecimento que adquiri na Europa. Conheci Nicolai, dono de uma fábrica de joias, e, como aprendi russo, pude conversar com ele nessa língua, o que me fez ganhar sua confiança.

Carlos falava com entusiasmo, olhos brilhantes, e as duas começaram a interessar-se pelo que ele dizia. Falou de suas experiências, da amizade com Benito e sua família, do amor que nasceu entre ele e Gina, sem mencionar os sonhos que tivera com ela, mas citando a sociedade nos negócios e o seu casamento por vir. E finalizou:

— Meu relacionamento com essa família mudou radicalmente minha vida. Eles são espiritualistas e me provaram que a vida é muito mais do que parece. Entendi que somos eternos, e esse conhecimento fez com que eu passasse a ver a vida de uma forma melhor. Escolhi casar e morar em Milão. Hoje sou outra pessoa. Quero começar a nova vida de maneira ordenada e produtiva, sem deixar nada para trás. Falei com minha família, e estou aqui para dizer que guardo do passado que vivemos juntos apenas momentos bons de carinho e amizade, e os conservarei para sempre. Gostaria que vocês, ao se recordarem de mim, fizessem isso de um jeito bom. Era isso que tinha para lhes dizer.

Carlos levantou-se e Laura o abraçou comovida:

— Estou feliz por descobrir que você evoluiu, tornou-se íntegro, sereno, sabe o que quer. Suas palavras estarão para sempre na minha lembrança. Parabéns.

Isabel, olhos úmidos, aproximou-se, abraçou-o e beijou levemente na face:

— Agora reconheço o homem por quem me apaixonei na juventude. Você é forte, soube transformar uma frustração em alavanca para o progresso. Hoje você me deu uma grande lição. Estou certa de que será muito feliz com a mulher que escolheu.

— Eu também desejo a você toda a felicidade deste mundo e muito mais. Agora já posso ir.

— Não antes de fazermos um brinde ao casamento dos dois — Laura disse contente.

Eles riram alegres, e Laura deixou a sala. Pouco depois, voltou trazendo uma bandeja com cálices e uma garrafa de vinho do porto. Serviu-os e levantou o cálice, dizendo:

— Que a luz e o amor estejam sempre presentes nas vidas de Carlos, Gina, Isabel e Gilberto.

Eles brindaram, conversaram mais um pouco e Carlos despediu-se. Sentia-se alegre, aliviado, de alma lavada.

Depois que ele se foi, Laura olhou a filha e comentou:

— Que alívio! Como é bom sentir que podemos vencer nossos desafios e viver em paz.

— Parece que tirei um enorme peso do coração. Apesar de estar certa do que eu queria e de saber que estava fazendo a coisa certa, ao pensar em Carlos me vinha uma desagradável sensação de culpa. Agora isso acabou.

— Venha, filha. Vamos orar e agradecer a Deus por mais essa dádiva.

Sentaram-se no sofá, deram-se as mãos e Laura fez sentida oração de agradecimento.

Naquela noite, quando Gilberto chegou, sentou-se na sala junto a Isabel, e, de mãos dadas, ela lhe contou sobre a inesperada visita de Carlos, finalizando:

— Quando ele ligou, fiquei temerosa. Mas foi bom tê-lo ouvido. Você não imagina como estou me sentindo aliviada.

— Você foi verdadeira. Agiu de acordo com seus sentimentos. Fez o que deveria ter feito. Já o orgulho ferido fez com que ele reagisse, colocasse toda a sua força a favor de subir na vida e acabou encontrando um caminho melhor e mais apropriado às suas necessidades.

— Carlos sempre foi um bom rapaz, mas não convivia bem com o pai e a irmã por serem muito críticos e olharem sempre o lado ruim de tudo. Ele se deu bem com a família da moça com quem vai se casar. São pessoas cultas, educadas, sensíveis à arte, mais condizentes com o temperamento dele. Está se mudando para a Itália definitivamente.

— Ele está certo. Nem sempre os laços de família são afins. Viver ao lado de pessoas sensíveis e de sentimentos elevados é muito bom. Na minha família, a falta de afinidade tem sido a causa de muito sofrimento. Minha mãe, que era uma mulher cheia de vida, alegre e de bem com a vida, acabou se tornando fechada, triste e deprimida por esse motivo.

Laura, que ouvia calada, interveio:

— É difícil conviver com alguém que pensa muito diferente de nós, mas o pior é que, em vez de reagir, libertar-se da situação emocionalmente, quase sempre mergulhamos mais nela.

— A senhora está dizendo isso porque minha mãe, apesar de tudo que aconteceu, não reage?

Laura pensou um pouco e respondeu:

— Tenho pensado muito nela. Apesar do que aconteceu, ela permanece lá, tentando por todos os meios conservar a casa, a fazenda, sem fazer nada, esperando que algo aconteça e mude os fatos.

Gilberto baixou a cabeça pensativo, depois disse:

— Infelizmente é verdade. Parece até que ela se compraz em punir-se pelo que ele lhe fez. Não consigo entender. Tenho insistido para que ela venha viver aqui, renove as amizades, toque a vida pra frente. Mas ela se recusa e, com isso, faz com que Nivaldo também permaneça preso àquela situação.

— Não vamos perder a esperança. A vida tem seus caminhos. De uma hora para outra, tudo pode mudar. Você quer que eles venham para cá, mas nós ignoramos o que poderá ser melhor para eles agora. Deus pode estar querendo outra coisa. Eu confio na sabedoria da vida, que sempre faz o melhor.

— Ontem falei com Nivaldo. Até agora não há nenhuma notícia de papai. O pior é que, sem ele, estão de mãos atadas, não podem vender nenhuma propriedade. Nivaldo está negociando um empréstimo no banco para pagar fornecedores e custear as despesas da fazenda, mas fica difícil sem a assinatura de papai.

— Como estão vivendo? — indagou Isabel.

— De algumas economias pessoais, mas elas são insuficientes para o que precisariam. Não sei o que vai acontecer. Se os credores pressionarem, poderão penhorar algum imóvel, o que será ainda pior.

Laura pensou um pouco, depois disse:

— Estão vivendo um momento difícil. Mas, quando não podemos fazer nada, o melhor é pedir inspiração divina. Deus é nosso provedor e tudo pode. Vamos nos unir na fé, colocar essa situação nas mãos Dele e pedir que inspire cada um dos envolvidos a fazer o que for melhor neste momento.

Eles uniram as mãos e Laura fez uma prece emocionada, pedindo a Deus que abençoasse Alberto e toda a sua família, derramando sobre eles energias de serenidade e paz, e inspirando cada um a fazer a parte que lhe competia na solução efetiva para libertação dos problemas.

Enquanto ela falava, uma energia suave os envolveu e aos poucos eles foram se sentindo melhor. Gilberto relaxou, a angústia que o oprimia desapareceu e sentiu-se mais calmo. Quando ela se calou, ele disse:

— Obrigado, dona Laura. Estou me sentindo muito melhor.

— Depois de colocar essa situação nas mãos de Deus, é preciso confiar. Não vamos mais nos preocupar com ela. Dentro de três dias, vocês vão se casar. Pensem no futuro, nos projetos de felicidade que fizeram. Aproveitem a lua de mel, desfrutem toda a alegria de serem jovens e estarem vivendo momentos de amor. É hora de usufruir da felicidade.

Gilberto, sentado ao lado de Isabel no sofá, passou o braço sobre o ombro dela e a beijou na face com amor.

— Tem razão. Esse momento é único e vamos desfrutá-lo em toda sua plenitude.

O ambiente se tornara agradável e eles continuaram conversando com prazer.

Carlos deixou a casa de Isabel de alma lavada. Ter conseguido expressar seus sentimentos dava-lhe uma sensação gostosa de realização, e ter vencido seus desafios lhe conferia certo poder e confiança no futuro. Acreditava-se capaz de assumir a própria vida e levar adiante seus projetos de felicidade e progresso.

Sabia que havia feito a escolha certa, e esse sentimento proporcionava-lhe grande bem-estar. Mas, ao mesmo tempo, reconhecia que a ajuda espiritual que recebera, oferecendo-lhe provas da espiritualidade e da eternidade do espírito, abrira sua consciência e o fizera reavaliar seus valores éticos, esforçando-se para ser uma pessoa melhor.

No caminho, parou em uma mercearia e comprou uma garrafa de vinho e guloseimas para um lanche. Chegou em casa e colocou os pacotes sobre a mesa da sala de jantar. Despertou a curiosidade do pai, que, sentado, lia o jornal e reclamava por ter de esperar alguns minutos para comer.

Ele largou o jornal e aproximou-se perguntando:

— Quanta coisa! O que aconteceu, ganhou na loteria?

Carlos riu e respondeu:

— Nada disso. Estou alegre e tive vontade de comemorar. Olhe, este vinho italiano é maravilhoso! Você precisa experimentar. Vai ver que delícia!

Inês havia se aproximado e comentou, enquanto olhava admirada:

— Não precisava. Já vamos servir o jantar!

Carlos foi à cristaleira, apanhou alguns copos e entregou-os a Inês, dizendo:

— Passe uma água neles.

De má vontade, ela obedeceu. Enquanto isso, Carlos abriu os pacotes, arrumou os frios, os pães e as demais iguarias de maneira bonita. Foi à cozinha e disse à mãe:

— Desligue o fogo e venha. Vamos comer primeiro o antepasto, como se faz na Itália, depois jantaremos.

Albertina, que já havia desligado o fogo e ia colocar a comida nas travessas, parou, olhando-o admirada.

Carlos puxou-a pela mão até a sala, serviu o vinho e propôs:

— Vamos nos sentar e comer com prazer.

Depois, Carlos levantou o copo e continuou:

— Que nossa vida seja cada vez melhor, mais próspera e feliz!

Notando a timidez dos três, continuou:

— Na vida é preciso acreditar nas coisas boas para que elas venham nos abençoar. Como é que vamos progredir se não acreditamos que merecemos o melhor? Deus é um pai rico que nos deu a vida, e tudo que precisamos é desejar a nossa felicidade. Mas cada um precisa fazer a sua parte, acreditar, esforçar-se para fazer o melhor, abrir o coração para receber tudo que Ele quer nos dar.

Carlos levantou seu copo dizendo:

— Agora, vamos brindar! O que vocês gostariam de receber da vida? Cada um pense no que quer brindar.

Carlos fechou os olhos, esperou alguns instantes e depois disse:

— Que os nossos desejos sejam realizados.

Tocou os copos de todos que, de olhos brilhantes, observavam-no admirados.

— Agora, bom apetite.

Eles começaram a saborear coisas a que não estavam habituados, enquanto Carlos contava que, na Itália, o momento de comer era sempre o mais importante acontecimento do dia.

Albertina, orgulhosa pela sabedoria do filho, sorria embevecida. Inês olhava o irmão com admiração e respeito, e o pai, depois do copo de vinho, tinha o semblante distendido, um sorriso satisfeito, enquanto Carlos o fazia experimentar coisas que ele nunca provara.

Claro que quase tudo do jantar que Albertina fizera sobrou, mas, em compensação, o ambiente familiar nunca havia ficado tão alegre e descontraído.

— Agora eu entendo por que você decidiu morar na Itália! Lá a vida é muito melhor do que aqui — tornou Antônio.

— Você está enganado. Lá a vida não é melhor do que aqui. A diferença é que lá a sociedade é mais velha do que a nossa, e o povo, mais instruído. Depois, o país é muito menor e é mais fácil de administrar. Nosso país é maravilhoso e um dia ainda será tão importante como o deles. Estou certo de que este nosso Brasil ainda será um dos mais importantes países do mundo!

Antônio balançou a cabeça negativamente:

— Não acredito! O povo aqui é atrasado, não respeita nada. No escritório, um quer arrasar o outro. Não dá para conviver. É preciso sempre ficar alerta para não ser lesado.

— Pai, tudo isso é falta de conhecimento. É ignorância. As pessoas não sabem ainda que, para viver bem, é preciso agir no bem. A educação é fundamental para que aprendam a conviver bem, a respeitar os outros para serem respeitados.

Inês interveio:

— Papai tem razão. No escritório, eu também estou sempre na defensiva. A inveja anda rondando e, se eu não ficar atenta, acabo me dando mal. Não tenho amizades, não confio em ninguém.

— Pensando assim, você está sendo maldosa, julgando as pessoas de maneira preconceituosa. Aliás, você costuma ver sempre o lado pior das pessoas — disse Carlos.

— Estou me protegendo.

— Não. Você está atraindo a maldade dos outros. Aposto que não é muito bem-vista pelos colegas.

Ela deu de ombros:

— Eu não preciso deles. Não me importo com isso.

Carlos meneou a cabeça:

— Você está se privando de um dos maiores prazeres da vida: a amizade. Todos nós desejamos ser queridos, apoiados, bem-vistos. Não acredito que você não se ressinta disso. É de nossa natureza querer ser elogiados, amados. O espírito quer brilhar, ser feliz, ser respeitado.

Os olhos de Inês encheram-se de lágrimas e ela não respondeu. Carlos olhou-a firme e continuou:

— Você não precisa de nada disso. Não dá para saber o que se passa dentro de cada um. Pare de julgar os outros. Pense em você, perceba o que precisa fazer para viver bem, progredir, ser feliz!

— Não creio que neste mundo perverso alguém consiga viver bem.

— Você está sendo pretensiosa, criticando Deus.

Inês arregalou os olhos, irritada, e protestou:

— Eu não disse isso. Estou falando das pessoas.

— Você está dizendo que Deus fez tudo errado, criou pessoas ruins.

Apanhada de surpresa, Inês não soube o que responder. Carlos continuou:

— Isso não é verdade. Claro que viver nem sempre é fácil, porque nós ainda temos muito que aprender para nos tornarmos pessoas evoluídas. Fomos criados simples e ignorantes, e a Terra é uma escola onde, a cada dia, somos desafiados a mudar para melhor se quisermos viver bem. Enquanto você continuar insatisfeita, criticando as pessoas, reclamando, esquecida de que pode escolher coisa melhor, permanecerá do jeito que está.

Inês, olhos úmidos, levantou-se nervosa:

— Por que está dizendo isso? Acha que sou preguiçosa, que não tenho me esforçado? Que não consigo prosperar porque não quero?

Carlos levantou-se e abraçou-a, dizendo:

— Acalme-se. Não a estou criticando. Só quero que preste atenção em sua maneira equivocada de ver a vida. Claro que você quer ser feliz e merece conquistar tudo que deseja. Só que não está sabendo encontrar o caminho. Venha.

Carlos fez com que ela se sentasse novamente e se acomodou ao lado dela, segurando sua mão com carinho. Antes que ele continuasse, ela suspirou e começou a chorar convulsivamente.

Os pais fizeram menção de intervir, mas Carlos sinalizou que não o fizessem. Albertina levantou-se, chamou o marido e ambos deixaram a sala.

Carlos esperou que ela se acalmasse. Quando Inês, envergonhada, enxugou os olhos com o guardanapo, Carlos perguntou:

— Sente-se melhor?

— Não sei o que deu em mim. Não costumo chorar por qualquer coisa.

— Não se envergonhe. Chorar alivia a tensão.

— Mas você disse que eu estou errada. Só que eu não sei ser diferente.

— É que você só vê o que acontece em volta e não presta atenção no que acontece dentro de você. Você se apoia no que os outros dizem ou fazem em vez de apoiar-se naquilo que está dentro do seu coração. Responda: o que você sente que lhe proporcionaria felicidade?

Inês pensou um pouco e recomeçou a chorar. Carlos a abraçou, acariciou seus cabelos com carinho, depois disse:

— Sinto que você, da mesma maneira que critica tudo e todos, é ainda mais dura em relação a si mesma. Vive se julgando menos, não crê na própria capacidade. Está vivendo em um círculo vicioso e se bate constantemente por não conseguir o que gostaria, assim como não consegue progredir porque não acredita que seja capaz.

Inês fixou-o pensativa e perguntou:

— Estou fazendo isso mesmo?

— Está. Se você deixasse os outros de lado, cuidasse de usar toda a sua capacidade e acreditasse que pode, tudo seria diferente.

— Será?

— Você está escolhendo o pior. Como quer que o bem aconteça? Para ter o melhor é preciso escolher o melhor e acreditar que merece. Você trabalha há anos, mas o faz por obrigação, como se fosse um sacrifício. Não estuda mais, não tenta obter mais conhecimento, não procura sua vocação, não tenta fazer o que gosta. Assim, está perdendo o grande prazer da realização profissional, de fazer algo bem feito, de sentir a própria capacidade. Como quer melhorar se não faz nada para isso?

— Você está me culpando por eu não progredir no trabalho?

— Não. Nem você deve culpar-se. Você tem se deixado levar sem refletir, sem pôr atenção no que realmente importa. Só quero que você acorde, procure se conhecer melhor, saiba o que quer, faça projetos e procure executá-los. Por que você parou de estudar?

— As pessoas riam de mim quando eu errava ou não sabia a matéria.

— Entendo. O orgulho falou mais alto e você desistiu.

— Não foi por orgulho. Papai achou que eu não era boa para estudar por ser mulher. Logo casaria, como todas as moças, e não precisaria mais trabalhar.

Carlos balançou a cabeça negativamente e, percebendo que os pais espiavam curiosos e inquietos, ele disse:

— O mundo mudou, Inês. Hoje as pessoas pensam diferente. Vou ficar aqui mais alguns dias e quero voltar a conversar com você, falar das minhas experiências, contar o que tenho aprendido. É hora de você descobrir que a vida é muito melhor do que pensa e que você pode ser muito mais feliz.

Carlos segurou a mão dela e continuou:

— Eu tenho aprendido o valor da oração. Feche os olhos e vamos pedir a Deus que nos inspire e ensine a encontrar o caminho da felicidade.

Ela obedeceu. Carlos fez sentida prece, pedindo que Deus abençoasse a família. Depois, passou a falar sobre coisas triviais.

Nos dias que se sucederam, ele notou que tanto o pai quanto a irmã haviam mudado o modo de tratá-lo. Ficaram mais respeitosos, querendo mostrar seu lado melhor, o que fez Carlos sentir que estava atingindo seus objetivos.

Isabel acordou e saiu da cama apressada. Faltavam apenas dois dias para o seu casamento e havia ainda muitas coisas a fazer. Sobre o baú, encostado aos pés da cama, a mala estava aberta desde a véspera, e ela havia separado algumas coisas que não queria esquecer de levar. Fazia uma semana que estava de férias na empresa, mas com as arrumações da casa, que já estava quase completamente mobiliada, a preparação da festa e as compras de última hora, o tempo passara rápido.

Tomou um banho, arrumou-se e desceu para o café. Laura já estava atarefada na cozinha, preparando alguns pratos especiais para a noite. Glória e Nivaldo deveriam chegar durante o dia e ficariam para o jantar. Ao ver Isabel se aproximar, Laura convidou:

— Sente-se, Isabel. Estava esperando você para me fazer companhia no café. Estou me sentindo carente.

Isabel admirou-se:

— Por quê? Aconteceu alguma coisa?

Laura a fitou séria e respondeu:

— Você vai nos deixar. Já estou sentindo saudades.

Isabel sorriu:

— Está brincando, dizendo isso só para que eu lhe diga a mesma coisa.

Laura abraçou-a com carinho:

— Sei que está feliz e vai embora de casa com um sorriso nos lábios, mas não consigo evitar essa sensação de vazio só de pensar que não estará mais aqui todas as manhãs, nem tomará o café comigo como sempre fizemos.

Isabel depositou um sonoro beijo na face dela e respondeu:

— É a vida. Eu também sentirei falta, mas não vou abrir mão de nada. Mesmo casada, sempre que puder estarei aqui para fazermos nossas preces, para conversarmos. Muitas coisas vão mudar em minha vida, mas você será sempre minha confidente, amiga, em cujos braços buscarei o apoio e o conforto que sempre me deu.

— Eu sei, filha. A afinidade que nos une é eterna.

— Quero que você me prometa: sempre que precisar de mim ou sentir saudades, não hesitará em me chamar. Virei correndo.

Laura beijou a testa da filha e tornou:

— Eu sei. Agora vamos tomar o nosso café antes que esfrie. Hoje o dia será cheio.

Isabel concordou. Enquanto comiam, ela perguntou:

— Será que dona Glória está bem?

— Parece que sim, apesar de as coisas ainda não estarem resolvidas.

— É. Nivaldo continua tentando pagar o que deve e manter a fazenda, seu Alberto continua desaparecido. Segundo Gilberto, Nivaldo conversou com os credores, renegociou as dívidas, vendeu parte do gado, mas ainda não conseguiu pagar tudo.

— Estou rezando para que ele consiga. É esforçado, inteligente, trabalhador. O que eu mais admiro nele, além da fibra, é a ética com que está lidando com tudo isso.

— De fato. A dedicação dele com a mãe e a maneira como ele age são dignas de louvor. O que me preocupa é dona Glória. Quando a gente liga, ela não se queixa, diz que está tudo indo bem, mas eu sinto que, no fundo, ela continua sofrendo muito.

— Faço votos de que eles possam ficar alguns dias aqui depois do casamento. Gostaria de poder fazer algo por eles.

— Eu também.

— Vamos continuar orando, mandando vibrações de luz tanto para eles como para Alberto. É tudo o que podemos fazer no momento.

— Eu não sinto vontade de rezar por ele. Quero mais que ele saia para sempre das nossas vidas. Assim, com o tempo, dona Glória talvez possa recuperar um pouco de paz.

— Ela mergulhou tão fundo no caso! Se Alberto nunca mais voltar, será que ela conseguirá libertar-se dele?

— Só o tempo pode nos dar essa resposta. Agora vou subir, separar as roupas para colocar na mala. Gilberto ficou de passar aqui mais tarde para irmos até a nossa casa. Ele quer que eu veja algumas coisas.

Ela subiu enquanto Laura voltou à cozinha para ajudar Berta com os preparativos.

Naquele mesmo dia, na fazenda, Glória levantou muito cedo. Acordou Nivaldo, desceu para o café. Estava um dia lindo, ensolarado. Olhou o céu azul, sentiu o perfume das flores do jardim e aspirou o ar puro da manhã, procurando serenar o coração.

Na véspera, Nivaldo desejara ir dormir na cidade para seguir viagem no dia seguinte, mas Glória preferiu sair da fazenda direto para São Paulo. Desde que Alberto sumira, ela ficava na casa de Pouso Alegre apenas o tempo necessário para tomar providências legais, e logo voltava para a fazenda. Não queria ir à cidade. Inclusive, quando Nivaldo precisava conversar com os credores ou tomar alguma providência, ela não o acompanhava.

Quando ele retornava, Glória não perguntava se tivera alguma notícia do pai, mas lançava-lhe um olhar indagador. Nivaldo dizia apenas que não tinha novidades e ela entendia que Alberto ainda não havia aparecido.

Nivaldo insistira para levá-la à cidade a fim de fazer compras e se preparar para o casamento. Como ela não quis, ele mesmo foi e comprou para os dois tudo que achou necessário para a viagem. Levou a melhor modista da cidade até a fazenda, com tudo que ela achou necessário para preparar um vestido à altura do momento.

Ele havia sugerido que fossem a São Paulo alguns dias antes e comprassem tudo, mas Glória não aceitou. Dizia que não precisava de nada, que tinha roupas de festa que quase não usara.

Em vão, Nivaldo tentava entusiasmá-la, mas ela continuava desanimada, triste.

Uma noite, tentou convencê-la inutilmente a se arrumar, e não se conteve:

— Parece que você não está feliz com o casamento de Gilberto! Não tem se interessado em se arrumar para ir a essa festa.

Ela tentou se explicar:

— Não é isso! O que eu mais quero neste mundo é que eles sejam felizes e nunca passem por nada que eu passei!

— Percebo que você está se tornando mais cruel e irresponsável do que papai!

Glória abriu os olhos assustada:

— Por que está me ofendendo dessa forma? O que foi que eu fiz?

— Você está se penalizando e se maltratando em vez de reagir, virar a página, aproveitar o lado bom das coisas que a vida lhe oferece. Está fechada em si mesma, está sendo egoísta. Não se lembra que papai é um homem sem caráter, incapaz de um comportamento equilibrado, mas você tem a nós todos, que a amamos e fazemos tudo para que seja feliz. Gilberto é um médico dedicado, trabalhador. Eu tenho procurado apoiá-la em tudo, assumindo minhas responsabilidades. A Nice tem sido uma moça ajuizada e estudiosa, logo estará formada, já mora sozinha no Rio e sabe se comportar. Nós três somos pessoas de bem, respeitadas, estamos fazendo o melhor que podemos. Mas você não valoriza nada disso. Só vê o que é ruim!

Nivaldo se calou e Glória, que se esforçava para conter o pranto, cedeu às lágrimas, que desceram pelo seu rosto em profusão.

— Desse jeito você vai ficar doente — tornou ele. — Você vê a vida de forma equivocada e não faz nada para mudar.

Glória tentou justificar-se:

— Você está sendo injusto. Como pode dizer que sou egoísta depois de uma vida inteira dedicada à família? Eu era muito ingênua, não tenho culpa de ter me casado com um homem sem caráter.

— Apesar de tudo que viveu, você não aprendeu nada. Continua vivendo de ilusão.

— Bem que eu gostaria de continuar tendo ilusões, pois elas nos fazem viver melhor. Saber a verdade destruiu todas elas! Hoje eu não espero mais nada da vida! Você não vê que tudo para mim acabou? Não entende meu sofrimento e ainda fica contra mim? Quer me abandonar também?

Nivaldo a olhou penalizado. Sentou-se ao lado dela no sofá. Glória, cabeça baixa, tentava conter o pranto. Delicadamente, levantou o queixo dela e disse:

— Mãe, olhe pra mim.

Vendo que ela o fixava, ele continuou:

— Eu a quero muito bem e jamais a abandonarei. O que me incomoda é notar que você, apesar de tudo, continua muito distante da realidade. Perdeu algumas ilusões, mas entrou em outras tão dolorosas quanto as anteriores.

— Por que insiste em dizer isso? Eu perdi a juventude, meus sonhos de felicidade foram destruídos e estou velha demais para recomeçar.

— Isso é mentira! Você é uma mulher inteligente, bonita, querida por todos nós. Não é essa menina mimada, frágil, que se faz de fraca. Na fazenda, diante dos nossos desafios, você sempre se mostrou mais forte do que eu. Quando quer, é criativa, ousada, alcança seus objetivos. Eu quero provar que você pode sim reagir, assumir sua liberdade, sua responsabilidade diante da vida. Pode cuidar de si mesma, reencontrar o prazer de viver! É assim que nós, seus filhos, a vemos de fato.

Glória levantou a cabeça, ergueu os ombros, assumiu uma postura melhor. Nivaldo continuou:

— Há muito você percebeu que papai não iria mudar. Cada pessoa só dá o que tem e papai só poderia ser o que ele é. Mas seu orgulho não permitiu que se separasse dele. Mesmo depois de ter sido abandonada, você relutou muito em aceitar o desquite.

Mãe, acorde! Você se libertou de um peso imenso e ficou livre para construir uma vida melhor. Por que insiste em se penalizar? De hoje em diante, você pode escolher ser o que quiser. O poder de escolha está em suas mãos! Todos nós estamos torcendo para que você volte a ser quem realmente é.

Nivaldo falava com entusiasmo e os olhos de Glória brilharam por alguns segundos, mas logo ela suspirou triste:

— Bem que eu gostaria de ser essa mulher forte e poder esquecer o que passou, corresponder ao que vocês esperam de mim. Mas está difícil.

— Então, feche os olhos e vamos pedir ajuda espiritual. Deus é nosso provedor.

Segurando a mão dela, Nivaldo fez sentida prece, pedindo a Deus que a abençoasse em seu novo caminho, que mostrasse a grandeza da vida, suas belezas e sua inteligência, transformando erros em experiências, desafios em fortalecimento, ignorância em sabedoria, e que ela pudesse enxergar as coisas como realmente são.

E finalizou:

— Eu sei que, quando ela enxergar a verdade, poderá se libertar do passado, assumir toda a grandeza do seu espírito, conquistar muito mais do que um dia sonhou. Agradeço todo o auxílio que estamos recebendo e peço que nos abençoe e nos proteja em nossa caminhada.

Glória suspirou, abriu os olhos e disse admirada:

— Você começou a rezar, mas não sei o que aconteceu. Eu ouvia sua voz, mas não conseguia entender o que estava dizendo. Tive a sensação de estar flutuando e parecia estar em outro lugar.

— Como era esse lugar?

— Uma sala onde o ar era azul, como pode ser? Eu nunca tinha visto nada assim. Como foi isso?

— Seu espírito saiu do corpo e foi levado a um lugar para receber tratamento. Como está se sentindo?

— Aliviada. Parece que tiraram um peso enorme do meu peito. Estou até respirando melhor. Há muito tempo não me sentia assim!

— Você recebeu ajuda espiritual. Para conservá-la, precisa prestar atenção nos seus pensamentos e evitar entrar em sintonia com tudo que for negativo.

— Não sei como fazer isso! Os pensamentos ruins aparecem do nada!

— Sempre que surgir um pensamento ruim, não lhe dê importância e pense em alguma coisa boa. Tudo a que você dá importância passa a fazer parte de seu mundo interior. Quanto mais otimista você for, mais coisas boas atrairá para a sua vida.

— Vou tentar.

— Tentar não basta. Terá de insistir, porque esses pensamentos negativos que tem cultivado há tanto tempo já devem estar gravados em seu subconsciente, atuando automaticamente. Sempre que tiver um pensamento ruim e substituí-lo por um bom, não reforçará mais o antigo, que perderá a força e acabará por desaparecer.

Depois da conversa daquela noite, Glória começou a mudar. Estava mais calma, mostrava mais interesse pelas coisas. Sempre que se arrumava melhor, Nivaldo a elogiava. Satisfeito, percebeu que ela estava mais motivada com o casamento do filho e a viagem a São Paulo.

Na véspera da viagem, Nice ligou entusiasmada, falando sobre as compras que fizera para ir ao casamento do irmão e avisando que, no dia seguinte, estaria em São Paulo para encontrá-los.

Na manhã seguinte, Glória acordou Nivaldo às quatro horas para viajarem e, meia hora depois, já estavam na estrada. Um dia antes, ela arrumara tudo com interesse e disposição. Durante a viagem, estava falante, ora mostrando-se um pouco insegura com relação a suas roupas, ora curiosa para conhecer a casa que Gilberto comprara. Nivaldo ouvia tudo satisfeito e respondia com prazer.

Quando entraram no apartamento, Glória notou que fizera bem em contratar Lídia. Ela os esperava solícita e caprichara na arrumação. Desde o começo, mostrara-se muito eficiente.

Nivaldo encarregara Gilberto de fazer tudo que fosse preciso para deixar o apartamento em ordem e pediu que caprichasse na decoração para agradar a mãe. Tanto ele como o irmão queriam que ela passasse algum tempo em São Paulo para descansar e refazer-se.

Glória comentou admirada:

— Como está lindo! Quem fez tudo isso?

— O doutor Gilberto — respondeu Lídia. — A senhora precisava ver o entusiasmo dele! Ah! E sua nora ajudou muito. Os dois têm bom gosto.

— Têm mesmo! Adorei a cor da sala. Mas essas lindas flores foi você quem colocou.

— Foi, mas quem trouxe foi dona Laura.

Voltando-se para Nivaldo, que a observava alegre, Glória tornou:

— Você não me contou que estavam reformando o apartamento.

— Queríamos fazer uma surpresa. Ficou lindo!

— Também gostei. Nós precisamos sair logo, fazer compras para o almoço. Nice vai chegar, não podemos demorar. Faço questão que nos encontre quando chegar.

Nivaldo pensou um pouco, depois disse:

— É melhor esperá-la para irmos juntos às compras. Do jeito que ela gosta de sair, vai adorar rever a cidade. Almoçaremos em um bom restaurante e, depois, faremos nossas compras com calma.

— Melhor assim.

— Vou ligar para Gilberto e avisar que chegamos.

Pouco depois, Gilberto apareceu e eles o cobriram de perguntas. Queriam saber todas as novidades sobre o casamento, mas ele respondeu:

— Prefiro que vejam tudo de perto. Vou levá-los até a nossa casa. Nós arrumamos tudo com muito carinho.

Uma sombra de tristeza passou pelo rosto de Glória quando disse:

— Um dos meus projetos para o futuro era dar uma bela casa para cada um dos meus filhos quando se casassem. Você é o primeiro e, infelizmente, não tive como realizar esse sonho.

Gilberto abraçou a mãe, beijando-a delicadamente na face:

— Você nos deu a vida, nos rodeou de cuidados, amor e carinho. Com palavras e exemplos, nos ensinou os valores éticos que nos tornaram pessoas de bem. Hoje tenho uma boa profissão, sou respeitado, vivo com dignidade e estou certo de que posso dar à família que vou formar uma vida confortável. Você tem feito um excelente trabalho como mãe. Sou grato por isso.

Glória o abraçou comovida e Nivaldo juntou-se a eles no mesmo abraço.

Ela ia responder, mas o som da campainha fez com que ela dissesse com alegria:

— Deve ser a Nice!

Eles correram para a entrada e Nice deixou a mala no chão para abraçá-los. Depois, afastou-se um pouco e disse:

— Deixe-me vê-los! Estava morrendo de saudades!

— Eu também — tornou Glória. — Você está mais magra! Acho que não está se alimentando bem!

Nice sacudiu a cabeça negativamente:

— Eu estou muito bem! No fim do ano, quando passei as férias na fazenda, engordei tanto que precisei fazer regime para voltar ao normal!

— Você está ótima. Sempre foi bonita, mas mudou nesses quase dois anos em que não nos vimos, ganhou mais atitude — comentou Gilberto.

Nice ria satisfeita. Era alta, de corpo bem-feito, morena clara, grandes olhos vivos e expressivos. Os cabelos curtos ligeiramente ondulados e castanho-claros lhe conferiam certo ar de menina. Ela sabia que chamava a atenção, mas, apesar disso, era espontânea e simples, o que lhe dava um encanto especial.

Todos na família a adoravam. O pai nutria por ela um amor diferenciado. Fazia-lhe todas as vontades e sentia-se orgulhoso sempre que podia desfilar com ela pela cidade.

Enquanto Lídia tomava conta da bagagem, eles foram conversar na sala. Falaram sobre o casamento e Glória os lembrou de que precisariam sair para almoçar e fazer as compras.

Enquanto Nice foi trocar de roupa, Glória e Lídia foram cuidar da lista de compras, e Gilberto, a sós com Nivaldo, perguntou:

— Nice perguntou de papai e vocês desviaram o assunto. Ainda não lhe contaram o que ele fez?

— Mamãe não quis preocupá-la. Nice nunca soube de nada. Mamãe sempre encobriu para não decepcioná-la. Além disso, ela saiu de casa muito cedo, ficou internada no colégio das freiras em Belo Horizonte desde os doze anos. Quando se formou, foi fazer faculdade no Rio de Janeiro. Só ficava em casa nas férias, nunca notou nada.

— Agora vocês terão de contar a verdade. Não vai ser fácil.

— Não temos outra alternativa. Hoje, ela é adulta, terá mais entendimento para lidar com essa situação.

— Ela estranhou papai não estar aqui. Logo vai voltar ao assunto.

— Talvez seja melhor eu mesmo conversar com ela. Receio que mamãe ainda não esteja pronta para falar sobre isso.

— Notei que ela está melhor, mais animada.

— Tenho tentado mostrar-lhe outros lados da situação, procurado encorajá-la a reagir e a perceber que a separação foi o melhor a ser feito no caso dela.

— Você conseguiu. Ela está muito melhor. Eu preciso ir agora, mas no fim da tarde, antes de irmos jantar em casa de dona Laura, passarei por aqui e os levarei para conhecer minha nova casa. Faço questão de irmos lá, ainda que seja rapidamente.

— Está bem. Todos estamos morrendo de curiosidade.

Gilberto lhes indicou o caminho de um bom restaurante, despediu-se e saiu. Pouco depois, os outros três também saíram para almoçar.

25

Ao regressarem das compras, enquanto Glória e Lídia arrumavam os armários e programavam o que fariam no dia seguinte, Nice pediu a Nivaldo que fosse até o quarto dela para conversar.

Assim que se sentaram na beira da cama, ela foi direto ao assunto:

— O que está acontecendo? Por que papai não os acompanhou nesta viagem?

— Ele não virá. Aconteceram coisas desagradáveis. Eu queria contar, mas mamãe quis poupá-la e não permitiu.

— Há tempos eu sentia que havia alguma coisa no ar. Papai nunca estava em casa quando eu telefonava. Quando eu perguntava por ele, mamãe respondia com evasivas. Não sou mais criança e você vai me contar tudo direitinho.

— Nossos pais se separaram e estão se desquitando.

Nice se levantou assustada:

— Eles não tinham muita afinidade, mas não esperava que chegassem a tanto...

— Na verdade, papai apaixonou-se por outra com a qual teve um filho que já é adolescente.

Nice sentou-se novamente, fixando-o séria:

— Então a ligação é antiga!

— É. Infelizmente, essa mulher não é confiável. Papai está muito apaixonado, faz tudo que ela quer. Perdeu o decoro e, nos últimos tempos, circulava com ela por toda a cidade.

— Por que mamãe demorou tanto para se separar? Por que deixou chegar a esse ponto?

— Ela temia que, com a separação, ele fosse viver com ela e juntos depredassem todo o patrimônio da família.

— Será? Não creio que papai chegue a isso!

— Essa mulher é ambiciosa, nunca escondeu sua cupidez.

— Mamãe não deveria ter contemporizado. O melhor teria sido enfrentar tudo e separar-se.

— Ela temia o preconceito, não queria se desquitar.

Nice meneou a cabeça:

— Ela já estava separada, o melhor seria assumir esse papel.

— Você tem razão. Suportar toda a humilhação foi terrível para ela, que vivia mais na fazenda do que na cidade. Mas o pior ainda estava por vir.

Enquanto Nice o olhava séria, Nivaldo em poucas palavras contou que o pai desaparecera levando todo o dinheiro e ninguém sabia onde ele se encontrava. E finalizou:

— Entramos na justiça, mamãe pediu o desquite e estamos tomando conta dos negócios, que ficaram à revelia. Ela queria vender a casa da cidade, mas sem a assinatura dele é impossível.

Nice passou a mão pelos cabelos, pensativa, depois disse:

— Vocês deveriam ter me contado. Eu teria ido para casa ajudar.

— Não queríamos prejudicá-la. Você está no fim do curso, precisa se formar. Depois, a situação estava consumada e você não poderia ter feito nada.

— Mamãe deve ter sofrido muito! Sempre colocou a família em primeiro lugar, deve ter sido difícil aceitar o que ele fez.

— Foi mesmo. Ficou deprimida, teve a saúde abalada, mas Gilberto cuidou dela. Conversamos muito e, aos poucos, ela foi aceitando a situação.

— Estou chocada. Tenho a sensação de que você está falando de outra pessoa, não de nosso pai.

— Seria bom que ele aparecesse porque nossa situação é difícil. Ficamos sem dinheiro para pagar os fornecedores da fazenda, pois o que estamos recebendo não é suficiente. Já que não podemos vender nenhuma propriedade, tivemos que dispor de algumas vacas para as despesas urgentes. Acionamos a justiça, mas o oficial de justiça não tem como entregar-lhe a intimação.

Nice pensou um pouco, depois disse:

— Seria bom investigar, contratar um detetive.

— Eu pensei nisso, mas nós não temos nenhuma pista, seria inútil.

— Pois eu acho que devemos tentar. Ele poderá pesquisar empresas de viagem, passagens, aeroportos, hotéis. Temos de fazer alguma coisa. Não podemos ficar de braços cruzados.

Nivaldo passou a mão pelos cabelos pensativo. Depois, respondeu:

— Vamos deixar passar o casamento, depois conversaremos com mamãe e veremos o que ela diz.

Nice ia responder, mas Glória apareceu na porta dizendo:

— Laura ligou para nos cumprimentar e confirmar o jantar desta noite. Está marcado para as oito horas.

— Gilberto quer nos levar para conhecer a casa dele antes de irmos ao jantar — lembrou Nivaldo.

— Ele ficou de passar aqui às sete — tornou Glória.

— Temos algum tempo, mãe. Sente-se, vamos conversar.

Ao entrar no quarto, Glória notou que trocavam confidências e sentiu que falavam sobre Alberto. Apesar de saber que seria inevitável falar com a filha sobre a separação, ela gostaria de adiar ainda mais aquele momento tão desagradável. Mas Nivaldo não lhe deu tempo para encontrar uma desculpa, segurou a mão dela e a fez sentar-se na poltrona ao lado da cama:

— Nice já sabe de tudo. Está de acordo com todas as providências que tomamos.

Ela tentou controlar a emoção, mas seus olhos encheram-se de lágrimas. Nice aproximou-se e lhe depositou um beijo na face dizendo:

— Mãe, chega de sofrer por um homem que não soube valorizar a família que tem. Por que não me contou antes? Só lamento que tenha demorado tanto tempo para libertar-se de um casamento que já acabou há muitos anos.

— Você sempre foi muito ligada a seu pai e eu não queria decepcioná-la.

— Conhecer a verdade é melhor do que viver na ilusão. Sei que, apesar do que aconteceu, ele continua a gostar de mim. Ele é meu pai e me deu a vida, tratou-me com carinho. E, eu, apesar de lamentar que ele tenha feito o que fez, sinto que sempre terá um lugar em meu coração.

Glória a abraçou emocionada:

— Sua nobre atitude me deixa aliviada.

— Mas, mesmo pensando assim, não vou deixar que continue agindo como um irresponsável. Nós vamos fazer de tudo para encontrá-lo e chamá-lo à razão. Ele nos deve respeito e precisa saber disso.

— Eu preferiria que ele nunca mais voltasse — disse Glória.

— Pois eu só vou sossegar quando puder encará-lo como sua filha e dizer-lhe o que penso. Ele não era obrigado a viver com a família. Bastava dizer que queria se separar e teríamos compreendido. Mas fugir como um bandido, levar todo o dinheiro sem se preocupar com a situação de vocês é no mínimo uma leviandade.

— Você tem razão. Ele precisa aparecer, assumir suas responsabilidades e regularizar toda essa situação. Ele pode viver como quiser, mas nos deve o mínimo de respeito. Depois do casamento, contrataremos um detetive — tornou Nivaldo.

Glória, depois de pensar durantes alguns segundos, disse:

— Talvez não seja preciso. Vamos esperar um pouco mais!

— Não, mãe. O mal está feito e não podemos deixar passar. Ele foi egoísta, não titubeou em nos deixar na maior dificuldade. Portanto, nós precisamos ir atrás do que é nosso. Não é justo que ele desbarate nosso patrimônio, sendo que vocês dois sempre trabalharam muito para construí-lo e mantê-lo. Amanhã mesmo vamos procurar um bom detetive.

— Nós não conhecemos nenhum! Além disso, eu não gostaria de colocar um estranho a par das nossas intimidades — objetou Glória.

— Estamos precisando de ajuda e não podemos ser preconceituosos. Vamos pesquisar. Estou certa de que poderemos conseguir alguém discreto e honesto para nos assessorar. É uma questão de honra para mim.

Glória, meio a contragosto, teve que concordar, e Nice tentou minimizar a preocupação:

— Agora, vamos esquecer esse assunto e pensar no casamento. Vamos nos arrumar e ver a casa de Gilberto. Estou ansiosa para conhecer Isabel.

O rosto de Glória iluminou-se:

— Você vai gostar. Ela é adorável.

— Vocês não têm muito tempo. Dentro de meia hora Gilberto estará aqui.

Glória foi para o quarto e Nivaldo para a sala. Sentou-se em uma poltrona e fechou os olhos, tentando serenar o coração. A atitude digna de Nice o fez sentir-se mais confiante. Mostrou-lhe que não poderia omitir-se, deveria defender o que era direito e justo.

Tal como a mãe, ele preferiria que o pai nunca mais aparecesse, gostaria de não ter de enfrentá-lo em uma questão judicial, pois os direitos de sua família seriam expostos publicamente. Ele temia que Glória sofresse ainda mais. Contudo, o que Nice dissera ecoara dentro de seu espírito. Quando seus pais se casaram, não possuíam bens. Glória tinha sido a companheira fiel e trabalhara durante muitos anos para ajudar a construir aquele patrimônio. Naquele momento, competia a ele, como filho, cuidar para preservar a parte que pertencia a ela para que pudesse manter-se com conforto e dignidade.

Ele elevou o pensamento, orou pedindo inspiração divina e sentiu que uma aragem agradável o envolveu. Adormeceu. Viu-se entrando em uma sala clara, onde uma mulher de meia-idade o esperava. Uma onda de alegria inundou seu coração. Emocionado, arrojou-se aos pés dela e beijou-lhe a mão com carinho:

— Finalmente a encontrei! Que saudade!

Ela o fez levantar-se e sentar-se ao seu lado no sofá. Afagou-lhe os cabelos, dizendo:

— Eu nunca deixei de estar ao seu lado, conforme prometi.

— Preciso de ajuda. Não sei como lidar com os acontecimentos!

— Você sabe, sim. Os desafios só surgem em nosso caminho quando já temos como enfrentá-los e vencê-los. A vida não joga para perder. Acalme seu coração e confie. Tudo tem solução.

— Estou indeciso... Minha mãe é contra enfrentar meu pai na justiça. Contratar um detetive e insistir para que ele apareça vai fazer com que ela sofra ainda mais.

— No fundo você sabe que essa é a melhor atitude. Enfrentar a verdade pode doer, frustrar, mas liberta e fortalece. Depois de tanto tempo, é dada a oportunidade para que os assuntos mal resolvidos de outras vidas, que mantinham ela e Alberto ligados, sejam solucionados. É o momento da libertação. Eles precisam seguir por novos caminhos.

— Apesar de tudo que ele fez, ela nunca quis separar-se dele.

— A vida os uniu para que pudessem resolver suas diferenças através do entendimento. Ela fez sua parte, ele, porém, não resistiu às tentações e cedeu à fascinação que Alda exercia sobre ele.

— O que acontecerá agora? Ela conseguirá seguir adiante sem ele?

— Tem tudo para isso.

— E ele?

— Colherá os resultados de suas escolhas. Mas é bom lembrar que a vida é amorosa e saberá auxiliá-lo mais uma vez para que aprenda a viver melhor. Lembre-se que defender aquilo que nos pertence por direito divino é o melhor caminho. Faça isso de acordo com os sentimentos éticos de justiça que você já possui. Não se deixe envolver pelo orgulho, nem por qualquer sentimento negativo. Não julgue ninguém. Lembre-se que cada um age acreditando que está fazendo o melhor para si, e não com a intenção de magoar as pessoas.

— Apesar do que fez, ele me deu a oportunidade de nascer na Terra. Sei o quanto isso vale e sou muito grato.

— Conheço seu senso de justiça, sua pureza de sentimentos. Aja de acordo com o que sente e tudo ficará bem. Agora, tem que voltar. Confie e dê o melhor de você. Eu sempre estarei ao seu lado.

Ela se levantou, abraçou-o e beijou-o levemente na testa. Nivaldo suspirou fundo e acordou com uma sensação agradável de leveza e prazer.

Olhou à sua volta querendo situar-se. Logo viu Nice se aproximando e dizendo:

— Você ainda não se arrumou! Dentro de alguns minutos Gilberto estará aqui.

— Só vou lavar o rosto e nada mais.

A visita da família à casa de Gilberto fez com que eles esquecessem um pouco das preocupações de momentos antes. A casa, embora não tivesse tudo que eles desejavam ainda, era bonita e confortável. Enquanto a percorriam, Gilberto ia explicando como ficaria quando completassem a decoração.

Depois, durante o trajeto até a casa de Laura para o jantar, eles comentavam com entusiasmo sobre a casa, o casamento, a lua de mel de duas semanas em Buenos Aires.

Quando chegaram, Laura e Isabel os receberam com carinho. Apresentaram Nice, que ficou encantada com tudo que viu. Sônia e Diva juntaram-se ao grupo e a conversa fluiu animada, principalmente entre Nivaldo e Diva, que queria saber como andavam as coisas na fazenda, mas sem mencionar Alberto e os fatos desagradáveis. Falou mais sobre as pesquisas dele e seu trabalho, lembrando a beleza do lugar e os momentos bons que vivera ao lado deles.

A conversa com Diva e o entusiasmo da moça fizeram com que Nivaldo esquecesse suas preocupações, recuperasse o ânimo que sempre sentira com suas descobertas e seu trabalho.

O jantar decorreu muito agradável e todos se sentiam muito à vontade. Quando terminou, enquanto Laura conversava com Glória na outra sala e Gilberto e Isabel, abraçados, conversavam com Sônia sobre a viagem, Nice juntou-se a Nivaldo e Diva, vivamente interessada nas pesquisas do irmão, das quais não sabia quase nada.

Embora Glória tivesse lhe contado alguma coisa, ela não imaginava que fossem tão interessantes. Quis se inteirar de todos os detalhes e, quando ele terminou, ela comentou:

— Logo vou voltar para casa e você vai me mostrar isso tudo de perto.

— As pesquisas dele e o modo como ele vê a vida mudaram minha cabeça. Confesso que, depois do que conversamos, passei a olhar as coisas de outra forma. Eu também gostaria muito de estagiar na fazenda para aprender mais — tornou Diva com entusiasmo.

Ao que Nivaldo respondeu:

— Você pode ir quando quiser. Será um prazer tê-la conosco.

— Não diga isso, porque eu posso aceitar e ficar por lá alguns meses!

— Faça isso! Estou certo de que teremos muito a aprender juntos.

Diva pensou um pouco, olhou-o nos olhos e disse:

— Seria muito bom! Nos últimos tempos tenho refletido, não estou satisfeita com o que tenho feito. Formei-me em biologia, mas, no laboratório, o trabalho é limitado, não há perspectiva de progresso. Você me abriu as portas para algo maior e eu quero mais. Depois que voltei, tenho estado insatisfeita. A vida é muito mais do que eu sei sobre ela.

Sem desviar os olhos, Nivaldo respondeu com voz firme:

— Você tem em suas mãos o poder de mudar, basta querer. Por que não larga tudo aqui e vai conosco para a fazenda?

Os olhos dela brilharam quando respondeu:

— Seria maravilhoso!

— Então faça! Nós ainda ficaremos aqui alguns dias. Resolva o que for preciso e volte conosco.

— Sei que vocês estão lutando contra algumas dificuldades. Talvez o momento não seja oportuno para ir. Não quero incomodar...

Nivaldo balançou a cabeça negativamente e disse:

— Ao contrário. Sua presença nos dará mais força para passar por essas turbulências. Mamãe vai adorar.

Diva sorriu e tornou:

— Vou pensar e, depois do casamento, voltarei ao assunto.

Nice interveio:

— Vá mesmo. Se você sente que isso é bom, faça. Eu só faço as coisas que me deixam bem.

— Eu não quero ser inconveniente.

Nice abanou a cabeça, sorriu e respondeu:

— Se você fosse inconveniente, Nivaldo não a teria convidado e insistido. Ele, assim como eu, só faz o que quer. Neste momento, minha vontade era ir para casa, ficar com os meus, apoiá-los em tudo. Mas eles não querem que eu deixe os estudos. Reconheço que têm razão, mas, assim que me formar, voltarei para casa definitivamente.

Nivaldo abraçou a irmã, beijou-a delicadamente na testa e disse:

— Nós não queremos mais ficar longe de você. Terá que nos suportar pelo resto de sua vida. Mesmo que um dia apareça um galante rapaz que a leve embora de novo, faremos tudo para tê-la sempre por perto.

A conversa estava agradável, mas Glória os chamou, alegando que todos precisavam descansar:

— É tarde. Temos de nos preparar para as emoções de amanhã. Isabel deve acordar cedo.

— Não sei se vou conseguir dormir! — disse Isabel.

— Pense que você vai realizar seu sonho de amor e durma como um anjo — disse Diva sorrindo.

— Relaxe para ficar ainda mais bonita! — disse Nice, abraçando-a. — Você conquistou o melhor marido do mundo!

Gilberto interveio:

— Eu é que estou me casando com a mulher mais linda do mundo!

Todos riram e, em seguida, despediram-se. Depois que as visitas se foram, Laura abraçou Isabel comovida:

— Estou certa de que vocês serão muito felizes! Agora, deite-se e relaxe. Não esqueça de agradecer a Deus por essa felicidade.

De volta ao apartamento, Nice falava entusiasmada com Nivaldo sobre a futura cunhada e sua família:

— Gilberto fez uma boa escolha. Eu não me engano com as pessoas. Gostei de Isabel.

— Eu tenho a mesma opinião — acrescentou Nivaldo. — Ela é inteligente, simples e sincera. Eles serão felizes.

Nice o olhou maliciosa e perguntou:

— O que me diz de Diva?

— É bonita, agradável, inteligente.

— Só isso?

— O que mais poderia ser? Não estou entendendo sua pergunta.

— Tive a sensação de que vocês têm uma química muito boa. Não há nada entre vocês?

— Você está imaginando coisas. Somos apenas bons amigos, nada mais.

Nice sorriu levemente e respondeu:

— Não foi isso que eu vi no brilho dos olhos dela quando se dirigia a você.

— Você está exagerando. O que uma moça linda, culta e da cidade poderia querer com um caipira como eu, preocupado com as dívidas de uma fazenda que eu nem sei se poderei manter?

Ela o fitou séria:

— Pode dizer o que quiser, mas tem alguma coisa no ar entre vocês. O tempo vai dizer.

Ele deu de ombros e não respondeu. O assunto morreu e eles foram cada um para o seu quarto preparar-se para dormir, ambos imersos em seus pensamentos íntimos.

26

O dia seguinte amanheceu nublado e chovia durante a manhã, mas o sol apareceu à tarde para clarear o céu. O casamento estava marcado para as oito da noite. Meia hora antes, os convidados já lotavam o salão do clube onde a cerimônia civil e a festa seriam realizadas.

Em um canto, uma mesa preparada para a cerimônia civil, no outro, um conjunto musical tocando músicas suaves e, ao redor, as mesas preparadas para o jantar. As flores em profusão formavam arranjos coloridos que espargiam delicado perfume e davam ao ambiente um ar alegre e agradável. A beleza do lugar, a elegância dos convidados, o bom gosto da decoração e as músicas em voga, bem executadas, proporcionavam momentos de prazer e bem-estar.

Foi nesse clima que, ao som da marcha nupcial, Laura entrou no salão conduzindo Isabel pela mão, enquanto Gilberto e os demais familiares esperavam perto do juiz.

Isabel achou que, na ausência do pai, falecido há tantos anos, Laura era quem deveria entregá-la ao futuro marido.

Enquanto ambas caminhavam lentamente pelo salão, olhos brilhantes de emoção, os convidados, surpreendidos pelo inusitado da cerimônia, emocionaram-se.

Gilberto as recebeu diante do juiz, beijou a mão de Laura comovido e, com o olhar apaixonado, segurou a mão de Isabel, que entregou o buquê de rosas cor-de-rosa para a mãe segurar. Em seguida, o casal se posicionou diante da mesa do juiz para a cerimônia. Enquanto o juiz oficiava, uma música suave envolvia o ambiente em doce romantismo.

Depois que os noivos assinaram o livro, Laura tomou a palavra e pediu a todos que a acompanhassem em uma prece em favor do casal. Com voz suave e embargada pela emoção, pediu a proteção divina para o casal e as bênçãos para a nova família que se formava. Finalizou agradecendo a Deus por todas as bênçãos que estavam recebendo.

Quando ela se calou, as pessoas aproximaram-se para cumprimentá-los e, em seguida, foram se acomodando nas mesas. O coquetel começou a ser servido em um ambiente descontraído e alegre.

Em meio à festa, depois do jantar, Nivaldo sentou-se ao lado de Laura e expressou seu contentamento, elogiando a beleza do lugar, a cerimônia simples e sua comovente prece. Em dado momento, olhou-a nos olhos e disse sério:

— Tenho um recado para a senhora de alguém muito especial, que não pode fazê-lo pessoalmente. Sei que vai entender.

Os olhos de Laura brilharam e ela respondeu:

— Será de quem estou pensando?

— É de um homem alto, cabelos castanhos, olhos escuros, porte elegante, muito emocionado. Pediu que lhe dissesse que adorou vê-la substituindo-o no que ele gostaria de fazer, mas não pôde.

Os olhos de Laura encheram-se de lágrimas quando respondeu:

— Ele ficou o tempo todo ao meu lado. Estava muito elegante e bonito como sempre foi. Obrigada por me dizer isso.

— Eu sabia que a senhora entenderia.

— É bom saber que você tem essa sensibilidade. Descreveu Orlando perfeitamente.

— Há anos convivo com amigos espirituais que têm me auxiliado bastante em todos os momentos. Às vezes, diante de certos desafios do dia a dia, eu me sinto incapaz, impotente. Então, eles comparecem e me apoiam, renovam minha confiança. Assim, eu tenho coragem para enfrentar o que for preciso.

— Acontece comigo. A presença e o carinho de Orlando, sempre que estou preocupada, têm me sustentado. Agradeço a Deus por ter permitido que ele continue me dando esse apoio.

Observando que Glória conversava com Diva na mesa ao lado, continuou:

— Sei que vocês pretendem voltar logo para a fazenda. Notei que a viagem fez bem para Glória; ela está mais alegre. Por que não ficam um pouco mais?

— Eu não posso. Tenho assuntos urgentes a resolver, mas mamãe poderia ficar. O problema é que ela acha que precisa me ajudar e quer ir comigo.

— Nesse caso, vou insistir para que ela fique. Nós gostaríamos muito de tê-la conosco. Além disso, já estou sentindo falta de Isabel, e ela me faria companhia.

Nivaldo sorriu e considerou:

— Seu argumento é forte. Pode tentar, mas não sei se logrará convencê-la.

— Ela e Diva se dão muito bem. Diva é uma pessoa sensível, alegre, ótima companhia. Falarei com Glória. Ela tem que ficar.

— Seria bom mesmo. Estamos enfrentando problemas na fazenda e ainda não temos uma boa solução. Seria melhor que ela ficasse. Além disso, lá será mais difícil esquecer certos fatos.

Laura colocou a mão sobre a dele, querendo confortá-lo:

— Continuam sem notícias dele?

— Sim. Não temos a mínima ideia de onde possa estar. Os amigos espirituais me pedem para fazer o melhor que puder e confiar na vida, que sempre faz o melhor.

— Em nossas orações, temos pedido ajuda aos espíritos para esse caso. Eles responderam a mesma coisa. Orlando costuma dizer que as pessoas são livres para escolher o próprio caminho e, ao fazê-lo, programam os resultados que terão de colher quando chegar a hora. Aconselhou-nos a mandar energias de luz para todos os envolvidos. E isso é tudo o que podemos fazer.

Nivaldo ficou pensativo durante alguns segundos, depois disse:

— Tem razão.

Glória se aproximou deles com Diva, que pediu a Nivaldo:

— Convença sua mãe a não voltar logo para a fazenda.

— Estou pedindo a Nivaldo que nos ajude a convencê-la a ficar — disse Laura.

— É verdade, mãe. Seria bom você ficar um pouco mais. Elas estão insistindo e acho que lhe fará muito bem. Mesmo porque na fazenda as coisas vão devagar.

— Obrigada pelo convite. Eu o aceitaria de bom grado em outra oportunidade. Mas não ficaria em paz aqui, imaginando o que poderia acontecer de uma hora para outra.

— Se tivermos alguma novidade, você será a primeira a saber. Eu prometo.

Glória meneou a cabeça, sorriu levemente e respondeu:

— Vamos ver. Vou pensar.

De longe, Isabel fez um sinal para Laura, que se levantou, dizendo baixinho:

— Os noivos vão sair discretamente. Vou ver se tudo está em ordem.

— Precisa de alguma coisa? — indagou Nivaldo.

— Fiquem aqui para que ninguém perceba. Está tudo combinado.

— Queria despedir-me deles — pediu Glória.

Laura sorriu com ar de cumplicidade e informou:

— Eles vão para o hotel e, amanhã cedo, poderemos ir ao aeroporto nos despedir.

Ela saiu discretamente e, alguns minutos depois, voltou satisfeita.

— Eles já foram. Está tudo bem.

— Nesse caso, vamos aproveitar a festa — disse Diva. E, segurando o braço de Nivaldo, pediu: — Vamos dançar?

Ele a olhou surpreso e ela continuou:

— Vai me dizer que não sabe dançar?

— Eu sabia na minha época de estudante, mas agora não sei se conseguiria.

— Vamos tentar — disse ela. — Eu adoro esta música!

Começaram a rodopiar pelo salão ao som de um bolero, quando Sônia comentou:

— Eles fazem um belo par. Você não acha, mamãe?

— Nivaldo é uma pessoa muito especial.

Em poucas palavras, ela contou o recado de Orlando que ele lhe passara momentos antes. Sônia sorriu e tornou:

— Diva sente-se bem ao lado dele. Desde que ela voltou da fazenda, seus olhos brilham quando fala nele.

— Ele tem todas as qualidades. A mulher que conseguir conquistá-lo será muito feliz.

Elas ficaram observando os dois, que, depois do bolero, dançaram por mais de uma hora sem parar. Quando voltaram à mesa, estavam corados, olhos brilhantes de prazer, e Sônia comentou:

— Para quem não sabia dançar, você surpreendeu!

Nivaldo sorriu:

— Eu havia me esquecido de como dançar faz bem!

— Você dança muito bem — disse Diva.

— Você é leve, maleável, fácil de conduzir. Dançar com *você* não foi difícil.

Então, Laura e Glória se juntaram a alguns convidados, e Sônia foi dançar. Diva e Nivaldo continuaram na mesa conversando. Em certo momento, Nivaldo lembrou:

— Você disse que não está satisfeita com seu trabalho. Se as circunstâncias fossem outras, eu insistiria para que você fosse trabalhar conosco na fazenda.

— Seria maravilhoso, eu adoraria. Por que você acha que não deve insistir? O que o impede?

Nivaldo hesitou um pouco, mas disse enfim:

— Sua ajuda seria preciosa, mas nós estamos atravessando um momento difícil. Não acho justo que deixe um emprego com todas as garantias para se arriscar em um projeto difícil que eu ainda não sei se dará certo.

Diva fixou-o séria e respondeu:

— Eu gosto de mudar e ousar para conquistar o que quero. Sua maneira de ver a vida e de fazer o melhor bate com a minha. Depois que voltei da fazenda, senti que eu estava trabalhando no laboratório sem prazer, apenas por não ter algo melhor. Seja sincero: se acha mesmo que posso ser útil na fazenda, estou pronta para largar tudo aqui e ir com vocês.

— Você seria mesmo capaz de fazer isso?

— Eu gostaria muito de ir. Sinto que lá está minha vocação.

— Antes de aceitar, precisamos ter uma conversa. Vamos até o jardim.

Eles deixaram o salão e se sentaram em um banco no jardim. A noite estava fresca, e o céu, limpo e estrelado. Ao redor deles, canteiros floridos espargiam suave perfume no ar e podia-se ouvir o som de um sax em surdina vindo do salão.

Em silêncio, Diva esperou que ele falasse. Nivaldo contou tudo que estava acontecendo, sem omitir nenhum detalhe. E finalizou:

— Estou lhe contando isso porque não é justo que você se envolva em uma situação tão incerta.

Diva pousou a mão no braço dele e respondeu:

— Você se engana. Este é o melhor momento para que eu vá. Estou certa de que terei chance de aprender muito e, ao mesmo tempo, apoiar uma causa que acho muito válida. Aconteça o que acontecer, estaremos juntos, e a união faz a força.

Nivaldo segurou a mão dela e a beijou com carinho.

— Ficaremos aqui mais dois dias. Pense com carinho e decida se é isso mesmo o que quer. Antes de irmos embora, você me dirá o que decidiu.

Diva sorriu:

— Eu já decidi. Mas seja feito como quiser. Eu já estou até pensando em como tomar as providências para resolver tudo aqui e ficar livre para ir. Agora vamos voltar ao casamento; já devem ter notado nossa ausência.

Ao entrarem no salão, notaram que havia ainda muitos casais dançando. Nivaldo, sem dizer nada, abraçou Diva e eles recomeçaram a dançar.

Glória, apesar de cansada, ao notar que Nivaldo estava dançando e se divertindo, resolveu esperar um pouco mais antes de ir embora. Porém, ele notou o cansaço da mãe e a convidou para irem embora. Como Nice, que começara a dançar logo no início da festa, queria ficar mais um pouco, Glória concordou.

Eram quatro horas da manhã quando todos se despediram. Ao chegar em casa com Sônia, Laura sentia-se feliz, pois tudo saíra melhor do que imaginara. Enquanto Sônia, exausta, preparava-se para dormir, Laura, em seu quarto, diante do retrato de Orlando, agradeceu a ele pelo apoio. Depois de beijar o retrato com amor, agradeceu a Deus por tudo que havia recebido de bom na vida.

Glória chegou ao apartamento e foi logo dormir. Nice tirou os sapatos e disse a Nivaldo:

— Adorei o casamento, a festa, tudo.

— Você se divertiu muito. Fez muito sucesso. Quem era o rapaz que dançou o tempo todo com você?

— É médico, amigo de Gilberto, trabalham juntos no hospital. Chama-se Márcio.

— É forte, elegante!

— Charmoso, tem um sorriso lindo!

— Pena que ele mora aqui e você no Rio. Isso poderia dar em namoro!

— Ele me disse que vai tirar férias no próximo mês e vai para o Rio.

— Você não deixou ninguém lá?

— Nada que valha a pena.

— Hum... Parece que esse Márcio tem alguma chance.

Nice sorriu maliciosa e respondeu:

— Ele é atraente, mas eu não sei se irá mesmo me ver no Rio. Agora, me diga: você está interessado em Diva?

— Ela é muito especial, mas é apenas uma amiga.

— Amiga? Eu bem vi como vocês dançaram até de rosto colado. Confesse que ela o atrai.

— Confesso que ela é atraente, mas entre nós nunca pintou nada de mais.

— Eu não esperava que essa festa fosse tão boa. Estou cansada, mas tão inspirada que não sei se vou conseguir dormir.

— Pois eu estou cansado. Vou tomar um banho rápido e me deitar. Você vai ao aeroporto amanhã no fim da tarde?

— Vou. Quero abraçar os dois e agradecer Isabel pela linda festa que nos proporcionou.

— Faça isso. Durma com os anjos.

— Você também.

Nivaldo a beijou na face e foi se deitar. Nice, depois de tomar um copo de água, também foi para o quarto preparar-se para dormir.

Carlos verificou se todos os documentos estavam em ordem para viajar e colocou-os na maleta de mão. Olhou a mala aberta, checando se levava tudo de que precisava.

Inês entrou no quarto, dizendo:

— A que horas você vai?

— Sairei daqui dentro de quinze minutos.

— Está abandonando sua família. Você tem certeza do que está fazendo?

— Tenho. Não distorça as coisas. Só vou morar em outro lugar, não estou abandonando ninguém.

— Está sim. Vai viver do outro lado do mundo.

Carlos sorriu bem-humorado:

— Deixe de ser dramática. Manteremos contato, voltarei de vez em quando e vocês irão nos visitar.

Ela se calou e ficou observando-o enquanto fechava a mala e a colocava perto da porta. De repente, ela disse:

— Isabel se casou ontem. Você não precisava ir embora por causa disso.

Carlos olhou-a sério, cenho franzido, e respondeu:

— Sei disso e espero que eles sejam muito felizes. E você, deixe de se incomodar com Isabel. É uma moça muito especial, que tem tudo para viver bem.

— Mamãe ainda chora pelos cantos, isso você finge que não vê.

Carlos suspirou desanimado:

— Em certos momentos não dá para conversar com você. Pensei que tivesse melhorado um pouco. Eu me entendi muito bem com mamãe, portanto, trate de não ficar do lado dela falando o que não deve.

— Você faz o estrago e quer que eu corrija. Ela vai chorar mesmo.

— Eu fiquei cinco anos desaparecido e ela superou bem.

— Vivendo lá com essa gente de quem você gosta, vai se esquecer de nós.

Carlos colocou as mãos nos ombros dela, olhou-a nos olhos:

— Pare com isso, Inês! Cada um tem um caminho na vida. Eu estou assumindo o meu. Trate de encontrar o seu e fazer a parte que lhe compete. Eu estou indo, mas estarei sempre presente porque gosto de vocês.

Os olhos dela estavam cheios de lágrimas. Ele a beijou na testa e continuou:

— Você vai ver que ainda teremos muitos momentos felizes juntos. Anote isso. Agora, tenho de ir.

Quando ele desceu as escadas, carregando a mala, Albertina o abraçou emocionada e indagou:

— Está na hora de ir?

— Está. Mas toda semana vou telefonar para saber como estão as coisas.

— Estarei esperando.

Antônio se aproximou:

— Já arrumou tudo, verificou se não falta nada?

— Já, pai. Dentro de alguns minutos o táxi deverá chegar.

— Nunca pensei que você fosse viver tão longe! — comentou ele com certa preocupação.

— Com a aviação, o mundo ficou pequeno. Bastam algumas horas para estarmos juntos de novo.

— Eu é que não subo numa máquina daquelas!

Carlos riu gostosamente e respondeu:

— Vai subir sim e vai gostar. É uma viagem maravilhosa. Para o meu casamento, quero todos vocês lá comigo. Vou mandar as passagens para os três. Você terá de ir. Não vá fazer feio!

Antônio riu meio encabulado e Albertina tornou:

— Eu vou! Não tenho medo. Estou curiosa para ver a cidade lá de cima.

— Isso mesmo, mãe. Você vai, e ficará muito bonita. Lá, as pessoas se vestem bem. Vou mandar dinheiro e quero que comprem roupas muito elegantes. Vocês precisam conhecer uma vida melhor.

A campainha tocou e Carlos disse:

— Deve ser o táxi, preciso ir.

Carlos abriu a porta e entregou a bagagem ao motorista, enquanto os três esperavam na calçada. Abraçou um a um com carinho, beijou a mãe, prometeu ligar sempre e entrou no táxi.

Enquanto o carro se afastava, ele abanava a mão em despedida. Depois, acomodou-se gostosamente, antegozando o momento de abraçar Gina novamente. Sentia-se feliz e tinha fé no futuro.

Quando o avião pousou em Milão, Carlos saiu o mais rápido que pôde. Assim que desembaraçou a bagagem e seguiu para o desembarque, olhou ansioso ao seu redor. Viu Gina, que caminhava em sua direção e abria os braços. Carlos abraçou-a com força e beijou-a apaixonadamente, enquanto as pessoas observavam sorridentes. Ao lado, Marta sorria contente, com os olhos úmidos, esperando a vez de abraçar o futuro cunhado.

Conversando alegres, eles foram ao apartamento de Carlos para deixar a mala. Depois, seguiram para a casa de Lúcia, que, junto de Benito, esperava por eles. Ela havia preparado um saboroso café da manhã e, depois dos abraços e das boas-vindas, sentaram-se para comer.

Enquanto Carlos queria saber tudo que acontecera em sua ausência, eles contavam e faziam perguntas sobre a viagem ao

Brasil. Gina queria saber como a família dele reagira aos planos que tinham para o futuro.

— Minha mãe é compreensiva. No começo, ficou triste ao saber que moraríamos aqui, mas aceitou bem ao perceber minha felicidade. Meu pai estranhou um pouco e minha irmã, que costuma ver sempre o lado ruim das coisas, ficou enciumada, mas eu os fiz ver que gosto da minha família e estarei sempre em contato. A ideia de irmos visitá-los e eles virem até aqui os confortou. Quero que eles venham assistir ao nosso casamento.

— Fez bem. Eu imagino como ficaria se você preferisse levar Gina para morar no Brasil. Posso entender como eles estão se sentindo.

— É a vida — filosofou Benito. — Os filhos deixam os pais para se casar e formar uma nova família. Quando chega a hora, os filhos deles fazem o mesmo e os pais precisam aceitar.

— Você deve estar cansado — comentou Lúcia, olhando para Carlos. — Quer se deitar um pouco no quarto de Benito?

— Estou bem. Não é preciso.

Durante a manhã, enquanto Lúcia se envolvia com os afazeres domésticos, os três irmãos levaram Carlos à sala que lhes servia de ateliê. Benito havia recebido novas encomendas e os negócios iam muito bem. As duas irmãs haviam desenhado algumas peças novas e esperavam ansiosas que Carlos as aprovasse.

Ele olhou os desenhos com atenção e sugeriu algumas alterações, que elas imediatamente atenderam. Depois, Benito considerou que haviam ficado muito melhor. Os três trabalhavam muito bem juntos, mas era Benito quem dava a aprovação final. Ele não desenhava, mas sabia dizer o que agradaria.

Duas semanas depois, Benito apresentou as novas peças aos clientes e recebeu muitas encomendas. Para entregá-las mais rápido, contrataram dois bons ourives com exclusividade para fazer a montagem das joias.

As peças agradaram tanto que eles começaram a ficar conhecidos, respeitados no meio. As encomendas aumentaram e o dinheiro começou a entrar rapidamente. Com a empresa crescendo, todo o dinheiro era investido em materiais. Os quatro retiravam apenas o suficiente para suas despesas pessoais.

Carlos e Gina desejavam se casar logo, mas resolveram esperar mais um pouco.

Durante todo o tempo que esteve na Europa, Carlos continuou trabalhando para Nicolai. De vez em quando ia a Paris, onde, além de vender as peças costumeiras de Nicolai, conseguiu colocar também algumas das que produziam.

Uma tarde, Nicolai telefonou e mostrou interesse em conhecer as joias que eles fabricavam. Soubera que La Belle as havia comprado e pediu que lhe mandasse um catálogo. Depois de vê-lo, ligou para Carlos dizendo que gostaria de ser o representante de suas joias no Brasil.

Carlos se reuniu com os companheiros para estudarem as possibilidades e resolveram aceitar, começando com pequenas quantidades.

Sabendo disso, os dois ourives que trabalhavam com eles quiseram entrar no negócio. Eles tinham bom capital, amealhado em anos de trabalho, e desejavam juntar-se a eles. Depois de estudar muito bem, aceitaram. A empresa cresceu, progrediu e fez dinheiro.

Seis meses depois, Gina e Carlos tiraram a licença civil e marcaram o casamento para dali a duas semanas. Alugaram uma casa e não tiveram dificuldade em mobiliá-la com conforto. Tudo para eles era felicidade.

No Brasil, dois dias depois do casamento de Isabel, Nivaldo e Glória voltaram para a fazenda em Pouso Alegre. Diva havia aceitado o convite de ir com eles, mas iria na semana seguinte, pois precisava de tempo para deixar o emprego e resolver alguns compromissos pendentes.

Nivaldo foi claro, explicou detalhadamente como estavam os negócios na fazenda e pediu:

— Pense bem se vale a pena arriscar deixar seu emprego para trabalhar em um lugar que não sabemos se vai continuar. Nem sei quanto vou poder lhe pagar.

— Não se preocupe com isso. Vou fazer o que gosto. Sei que vou aprender mais e isso não tem preço. Além disso, sinto uma vontade muito grande de auxiliá-los a vencer essa luta. Estou certa de que nós vamos vencer! Um projeto tão bom e bonito não pode acabar. Só espero ser útil!

— Sua presença levantando nosso astral é maravilhosa, mas eu sei que você fará muito mais. Tem competência e dedicação. Não sei como agradecer tanta dedicação.

— Não agradeça. Eu vou disposta a aprender o que puder. Será uma troca.

Diva prometera telefonar um dia antes de sua viagem para saber se eles já estavam na fazenda, pois Nivaldo tinha ainda alguns compromissos na cidade.

No mesmo dia em que Glória viajou com Nivaldo, Nice voltou ao Rio de Janeiro. Assim que chegou à cidade, tratou de procurar um detetive particular. Não recorreu aos anúncios de jornal, mas a um professor de sua faculdade em quem confiava e que considerava muito competente e ético.

Foi vê-lo, colocou-o a par da situação e pediu-lhe que indicasse alguém capacitado. Ele a ouviu atentamente, indicou uma pessoa e orientou-a sobre como deveria contratá-lo.

Três dias depois, ela foi procurá-lo no centro da cidade. Seu escritório ficava em um prédio antigo e ela subiu as escadas de madeira até o primeiro andar, buscando a sala. Ao lado da porta, havia uma placa dourada onde se lia "Germano Oliveira – Advogado".

Nice hesitou. Ela procurava um detetive, e não um advogado. Através do postigo de vidro, ela viu a luz acesa e tocou a campainha. A porta abriu e um rapaz alto, louro, de olhos vivos e sorriso fácil surgiu.

— Meu nome é Anice Souza Mendes. O professor Adílson me deu o seu endereço, disse que trabalha como detetive. É isso mesmo?

— Sim. Entre, por favor.

A sala era mobiliada com sobriedade e bom gosto. Ele indicou uma poltrona diante da escrivaninha e Nice se sentou.

— Em que posso ajudá-la?

Ela expôs todo o caso em detalhes, e então finalizou:

— Nós precisamos encontrar meu pai. Enquanto ele não aparecer, não poderemos regularizar os negócios da nossa família. Você tem como fazer isso?

— Posso tentar. Preciso ir ao local, conversar com seus familiares, pesquisar na cidade, investigar.

— Quero saber quanto ficaria e a forma de pagamento que o senhor aceita. No momento, não estamos em condições de adiantar dinheiro, porque ele levou o que tínhamos disponível. Mas temos algumas propriedades.

Depois de pensar um pouco, ele disse:

— Há as despesas da viagem até Pouso Alegre. Como eu prefiro ir de carro, seria apenas o combustível e a hospedagem. Em razão da situação, se conseguirem suprir essas necessidades, os honorários poderão ser pagos depois que a tarefa estiver completa.

— Você se importaria de ficar hospedado na casa da família? Tanto a casa como a fazenda são muito confortáveis e garanto que a comida é muito boa.

Ele sorriu e respondeu:

— Adoro comida mineira! Faz-me lembrar de minha avó, que deixou muitas saudades.

— Nós temos urgência. Quando você pode começar?

— Dentro de três dias estarei livre e poderei viajar.

— Vou telefonar para o meu irmão hoje mesmo para dizer que o contratei e que estará lá dentro de três dias. Darei o nome dele e os telefones da casa e da fazenda a você. Ele deve estar em um dos dois lugares. É melhor ligar à noite para me dar tempo de avisá-lo.

Tudo combinado, Nice despediu-se satisfeita. Foi para casa pensando em falar com Nivaldo imediatamente. Ela morava em um quarto que alugara em uma casa de família no bairro do Leme. Quando foi para o Rio de Janeiro estudar, morou durante dois anos em uma república, mas se cansou da desordem e dos problemas de convivência. Temperamento calmo e amante da ordem, resolveu se mudar. Teve a felicidade de encontrar uma família muito boa e se adaptou bem, tornando-se amiga de todos.

Assim que chegou, telefonou para Nivaldo e contou a novidade.

— Você não perdeu tempo — comentou ele satisfeito. — Diga-lhe que estarei esperando.

Assim que ele desligou, Glória aproximou-se do filho, perguntando:

— Quem ligou?

— Nice. Ela contratou um detetive. Dentro de três dias estará aqui.

Glória franziu o cenho, preocupada:

— Não sei se devemos aceitar. Não gosto da ideia de contar nossos problemas a um estranho.

— Trata-se de um profissional que nos foi indicado pelo professor Adílson. Nice teve o bom senso de pedir a orientação dele. Foi rápida e eficiente.

— Essas coisas custam caro, não temos como pagar.

— Do jeito que ela o contratou, não vai custar muito. Vamos hospedá-lo e financiar apenas o combustível do carro e talvez outras pequenas despesas. Os honorários serão pagos depois de o caso ser resolvido.

— Nesse caso, teremos de voltar à cidade.

— Diva vai chegar depois de amanhã. Eu teria mesmo de ir para esperá-la. Mas você pode ficar.

— Eu vou com você. Quero conhecer esse detetive.

— Faça como quiser. Eu conheço o professor Adílson, sei que ele nunca nos indicaria alguém em quem não confiasse. Esse detetive deve ser boa pessoa.

Glória deu de ombros. Ela não concordava com a ideia de ir atrás de Alberto, embora reconhecesse que a maioria dos problemas estaria resolvida se ele reaparecesse.

Diva chegou a Pouso Alegre dois dias depois, muito alegre e bem-disposta. Contou que Gilberto e Isabel haviam regressado da lua de mel, estavam encantados com os arranjos da casa, com os presentes e visivelmente felizes, enfatizando:

— Os dois pareciam duas crianças, tamanho o entusiasmo com que falavam sobre a nova vida.

Enquanto Nivaldo ouvia satisfeito, Glória comentou:

— Espero que essa felicidade dure. No começo, tudo é ilusão. Mas a vida não é fácil assim.

— Eles se amam muito. Foram feitos um para o outro. Entendem-se perfeitamente. Nunca brigaram — disse Diva.

— Têm afinidade. Isso é que faz um bom relacionamento — disse Nivaldo, sorrindo.

Glória não disse nada, ficou pensativa. Ela e Alberto eram muito diferentes. Enquanto ela era caseira e apreciava a vida em família, ele preferia a vida social, a política, o encontro com os amigos. Mas o que ela não gostava mesmo era perceber que ele não selecionava as amizades, fazia vista grossa para a falta de caráter de alguns, convivendo prazerosamente com eles na intimidade.

Na tarde do dia seguinte, conforme o combinado, o detetive chegou. Glória e Diva haviam saído para dar uma volta e Nivaldo o recebeu no escritório.

Mesmo sem Nivaldo ter pedido, Germano fez questão de entregar-lhe alguns documentos, dizendo:

— Meu nome é Germano Oliveira. Aqui estão meus dados e algumas referências. Queira verificar, por favor.

— Não é preciso. A indicação do professor Adílson é mais do que suficiente.

— O senhor está me abrindo as portas de sua casa, eu prefiro que me conheça um pouco mais. Verifique, por favor.

Nivaldo abriu o envelope, tirou uma pasta que continha vários documentos. Folheou-os e depois disse:

— Posso fazer-lhe uma pergunta?

— Quantas quiser.

— Sendo tão qualificado profissionalmente, por que decidiu ser um simples investigador?

— Problemas de família. Meu pai foi caluniado e assassinado. Eu sabia que ele era inocente, então, larguei tudo que havia conquistado profissionalmente e fui investigar o caso. Queria provar sua inocência.

— E conseguiu?

— Sim. Não só provei a inocência dele como coloquei os assassinos na cadeia, onde estão até hoje. Desde então, dediquei-me a essa atividade. Sinto muito prazer em ajudar as pessoas que, como eu, sentem-se impotentes diante da maldade alheia.

Nivaldo estendeu a mão dizendo:

— Sinto-me honrado em conhecê-lo e contar com sua ajuda. Sinta-se em casa. Como pode nos ajudar?

— Inicialmente, conte-me tudo que lembrar sobre seu pai e o relacionamento dele com vocês.

Uma hora depois, quando Glória chegou com Diva, os dois continuavam conversando no escritório. Glória não quis interromper e foi à cozinha ver como andava o jantar. Dete informou que em meia hora o jantar estaria pronto, então Glória e Diva sentaram-se na sala para esperar que os dois terminassem a conversa no escritório.

Pouco depois, os dois apareceram na sala e Nivaldo as apresentou, dizendo:

— Estas são minha mãe e Diva, uma amiga que mora e trabalha conosco e com quem não temos segredos.

Glória lhe deu as boas-vindas e lhe apertou a mão. Depois, Nivaldo explicou:

— Conforme combinamos, o doutor Germano vai ficar alguns dias conosco. Começará a investigar na cidade e eu preciso ficar aqui um pouco mais.

— Mas precisamos ir para a fazenda com urgência. Não podemos ficar...

— Eu sei. Amanhã bem cedo levarei vocês duas para lá e voltarei. Ele precisa de mim aqui.

— Dona Glória, antes de ir, gostaria de conversar com a senhora — disse Germano.

— É necessário? Nivaldo já deve ter lhe contado tudo.

— Tanto ele como sua filha já me falaram sobre o caso. Mas quero ouvir sua versão dos fatos ainda hoje, já que vão viajar amanhã cedo.

Glória suspirou. Ela não gostava de falar sobre o marido nem sobre o que ele fizera. Nivaldo notou a sua contrariedade e colocou a mão sobre o braço dela dizendo:

— Mãe, faça um esforço. Seu depoimento é muito importante. Tenha paciência!

— Para mim, é o mais importante. Sua participação é extremamente valiosa para esclarecer os fatos — disse Germano.

— Apesar de vivermos na mesma casa há anos, estávamos separados. Só conversávamos o indispensável — Glória começou.

— Ainda assim, quero ouvi-la. Prometo não abusar e tomar o mínimo possível de seu tempo. Podemos conversar agora?

Glória pensou um pouco e respondeu:

— O jantar está pronto. Depois da refeição, estarei à sua disposição.

Germano concordou e, alguns minutos depois, todos se acomodaram à mesa para jantar.

28

Depois do jantar, Glória e o detetive foram para o escritório. Sentados um diante do outro, Germano perguntou:

— A senhora se casou por amor?

Apanhada de surpresa, ela corou. Olhou-o assustada e não respondeu. Ele repetiu a pergunta lentamente e acrescentou:

— Responda, por favor.

Glória o olhou com raiva:

— Por que pergunta isso? O senhor foi contratado para descobrir onde Alberto está e não para conhecer meus sentimentos.

— Por que é tão difícil para a senhora responder a essa pergunta?

— Porque o meu casamento foi um fracasso e eu não gosto de falar sobre isso.

— Quando se casou, a senhora esperava mais. Devo concluir que o amava muito.

— Eu não disse isso! Eu o odeio! Depois do que ele fez, depois de me humilhar diante desta cidade inteira e desfilar por toda parte com aquela mulher, ainda teve um filho com ela, que deverá tirar uma parte do patrimônio dos meus filhos.

Os olhos dela brilharam rancorosos, e Germano continuou:

— Mas, apesar de tudo, a senhora ainda não conseguiu acabar com o amor que sente por ele!

O rosto de Glória coloriu-se de intenso rubor e ela o olhou aflita:

— O senhor quer me irritar! Aonde quer chegar com isso? Não é verdade! Ele só merece desprezo. Nenhuma mulher de bem continuaria a amá-lo depois do que ele fez. Eu o odeio!

Germano olhou em volta e viu uma moringa sobre a mesa, com alguns copos em uma bandeja. Encheu um deles de água e ofereceu a ela, dizendo:

— Procure se acalmar. A senhora é uma mulher forte, mas não precisa controlar tanto a manifestação dos seus sentimentos. Está coberta de razão, tem o direito de expressar o seu inconformismo. Mas sufocar a raiva, não querer ver as coisas como são, deve estar lhe fazendo muito mal. É melhor enfrentar a verdade.

Glória franziu o cenho e o olhou séria:

— Como assim? Eu estou vendo a verdade, os fatos estão claros. Bem que eu gostaria que fossem diferentes.

— A senhora está vivendo uma situação desagradável e está olhando para ela superficialmente, não como ela realmente é.

— Não estou entendendo o que quer dizer.

— Para entender o comportamento de Alberto, precisaria conhecer o que aconteceu com os sentimentos dele para que agisse dessa forma. Diga-me como é o temperamento dele. Ele sempre foi mulherengo, desde o início? Não respeitou os filhos, a família? Nos primeiros anos de casamento, ele foi diferente?

Glória olhou-o pensativa e, por seus olhos, passou um brilho diferente quando ela disse:

— No começo, ele era melhor. Mas nós sempre fomos muito diferentes.

— Em quê?

— Eu sempre fui do lar, mas ele gostava de festas, de política, vivia rodeado de amigos, ia ao clube. Eu me dediquei aos nossos filhos, nunca deixei a babá cuidar deles sozinha.

— Além disso, ele fazia alguma coisa de que a senhora não gostava?

— Tinha amigos de caráter duvidoso. Trazia-os em casa e houve até dois deles que me assediaram. Eu os odiava.

— Conversou com ele sobre isso?

— Tentei, mas ele não me ouviu. Claro que não falei que me assediavam. Ele tem temperamento forte, podia ser violento, eu tive medo.

— Quando eu encontrá-lo, o que deseja que seja feito?

— Quero que ele aceite vender esta casa e deixar o dinheiro conosco para que possamos manter a fazenda. Se for possível, não quero vê-lo nunca mais.

Germano disse com voz suave:

— Será feito como a senhora quer. Obrigado por ter me atendido. Assim que abrirmos aquela porta, tudo que dissemos será esquecido. Só me lembrarei daquilo que a senhora deseja que seja feito.

Glória saiu em silêncio e foi direto para o quarto. Em seguida, ele pediu para falar com Dete. Ela entrou nervosa. Germano pediu que se sentasse em frente à mesa. Ela obedeceu e foi logo dizendo:

— O senhor quer me interrogar, mas eu não sei de nada. Nunca me meti na vida dos patrões.

Germano olhou-a sério e permaneceu alguns segundos em silêncio. Depois sorriu e disse:

— Sei. Dona Glória me parece uma pessoa muito boa. Você gosta de trabalhar aqui?

Dete sorriu:

— É a melhor pessoa do mundo. Não merecia ser tão infeliz.

— Mas me disseram que o senhor Alberto sempre foi um bom patrão. Isso é verdade?

Dete o olhou surpreendida:

— Quem disse isso? Ele nunca se incomodou com ninguém. Só sabia reclamar, dar ordens.

— Você trabalha aqui há alguns anos, parece gostar.

— Eu gosto muito. É que ele nunca se meteu com os serviços da casa. Dona Glória é quem cuida de tudo, dá as ordens. Se dependesse dele, há muito eu teria ido embora.

— Dona Glória está muito magoada com o que ele fez. Quero que me conte tudo o que sabe sobre o caso dele com outra mulher.

Era a frase que ela esperava para dar sua versão dos fatos. Disse que sabia de tudo desde o início e que nunca contou nada, mas Glória descobriu logo, separou-se do marido e eles passaram a viver em quartos separados, conversando somente o necessário. Glória era excelente dona de casa, uma mártir que suportava a situação com dignidade, e Alberto precisava sofrer para pagar pelo que tinha feito. E finalizou:

— Ele desprezou a família e eu espero que receba a lição que merece. Onde o senhor acha que eles podem estar?

— Ainda não sei. E você, onde acha que estão?

Dete pensou um pouco, depois disse:

— Ele adorava o clube, gostava de jogar cartas. Às vezes perdia dinheiro. Dona Glória e Nivaldo brigavam com ele. Acho que ele deve ter ido para um lugar onde tem todas essas coisas. Ele pegou todo o dinheiro, deve estar podendo.

— Obrigado, Dete.

Depois que ela saiu, Germano chamou Nivaldo e apenas perguntou:

— Seu pai gostava de jogar?

— Gostava. Quando se excedia, nós conversávamos e ele se esforçava para manter o controle.

Germano avisou que, na manhã seguinte, iniciaria a investigação na cidade. Nivaldo deu algumas informações sobre os amigos do pai e seus hábitos, e ele tomou nota de tudo.

Os demais já haviam se recolhido e Nivaldo se despediu dele, dizendo:

— Amanhã vou levar mamãe e Diva para a fazenda. Sairemos ao amanhecer, mas à tarde estarei de volta. Se precisar de alguma coisa, pode ligar para a fazenda. Quantos dias acha que precisa ficar na cidade?

— Não sei. Pretendo ficar o mínimo possível. Se for necessário me demorar um pouco mais, talvez você não precise acompanhar as investigações de perto.

— Farei o que for preciso. Quero resolver o caso o quanto antes.

— Eu também. Bem, vamos fazer o seguinte: você deve ter muito que fazer na fazenda, então não precisa voltar hoje. À noite, conversaremos. Você só deverá vir se for preciso.

— Está bem. Aguardarei notícias suas.

Na manhã seguinte, ainda estava escuro quando Glória, Nivaldo e Diva se reuniram na copa para o café. Dete servia a mesa, e Glória a informou de que Germano ficaria na casa. Recomendou que cuidasse muito bem dele, não deixasse faltar nada.

Depois, despediram-se, acomodaram-se no carro e partiram. O dia estava começando a clarear, e Diva respirava com prazer o ar puro que entrava pela janela entreaberta:

— Vai ser um dia lindo! Olhe o céu cor-de-rosa, que beleza! Na cidade não prestamos atenção a essas coisas.

— Estou contente por voltar à fazenda — tornou Glória —, ver como estão os bezerros que nasceram na semana passada. Pena que você tenha que voltar ainda hoje.

— Talvez eu não precise. Germano vai começar as investigações e vai telefonar à noite. Só voltarei se for necessário.

— Isso é bom, meu filho, porque temos muito serviço que só pode ser feito com sua orientação.

Na fazenda, Nivaldo levou Diva para conhecer as mudanças que ele fizera. As pesquisas haviam sido suspensas por falta de dinheiro, mas, apesar disso, ele estava confiante que seria por pouco tempo.

A presença de Germano lhe dera ânimo. Sentia que contratara a pessoa certa. Se Alberto aparecesse, tudo se resolveria: aquela situação desagradável acabaria e ele poderia recomeçar. Tudo seria diferente. Alberto seguiria seu caminho e, com o tempo, Glória esqueceria suas mágoas e retomaria a alegria de viver.

— Eu poderei retomar algumas experiências, se você quiser — Diva se ofereceu.

— Infelizmente, como não pude dar continuidade, elas se perderam. Será preciso recomeçar do zero. Eram as mais importantes. Mas ainda não é o momento de retomá-las. Estamos empenhados em equilibrar as despesas e fazer o possível para vender nossos subprodutos.

— Estou aqui para trabalhar. Farei o que for preciso.

— Mamãe está muito deprimida. Tenho tentado deixá-la mais alegre e você é a pessoa mais indicada para me auxiliar nisso.

— Ela não parece tão deprimida. Está muito melhor do que eu imaginava. Faz planos para a fazenda, tem projetos de melhoria. Pessoa deprimida não quer fazer nada.

— Ela tem planos, sim, mas eles são alimentados pela força da raiva. Temo que, quando meu pai aparecer e ela tiver de encarar os fatos e tomar decisões, ela se dê conta da realidade e, então, será pior.

Diva pensou um pouco, depois disse:

— A raiva a está motivando a superar as dificuldades. E a verdade pode fazer sofrer, mas cura. Ela verá que ele deu apenas o que podia dar. Os dois eram muito diferentes, nunca seriam felizes juntos. Reconhecerá a própria ilusão e a mágoa irá embora. Ela vai reagir e tentar recuperar o tempo perdido. É isso que eu sinto.

Nivaldo colocou a mão no braço de Diva, olhou-a pensativo, depois sorriu:

— Obrigado por ter me puxado a orelha. Eu estava precisando. Você está certa. A verdade liberta. Não sei o que está por vir. Meus amigos espirituais que sempre me inspiram quando se trata de outras pessoas, no meu caso, apenas dizem que eu seja otimista, espere o melhor, persista no bem. Eu estava alimentando o medo, mas é preciso confiar. Na verdade eu sei que a vida só faz o melhor.

— Isso mesmo. Juntos vamos vencer e tudo dará certo!

Nivaldo sorriu e beijou a face de Diva delicadamente:

— Obrigado, parceira. Vamos pra frente!

Ela corou, sorriu emocionada, e eles passaram o resto do dia trabalhando com entusiasmo e alegria.

Eram sete horas da noite quando Germano ligou:

— Tenho novidades! Encontrei um motorista de táxi que os levou até São Paulo, sei em que hotel se hospedaram. Como seu pai disse ao motorista que voltaria em seguida para casa, liguei para o hotel e pedi para falar com a Alda, mas disseram que eles haviam viajado.

— Ele disse que voltaria, mas não voltou.

— Ele mentiu para evitar que o motorista comentasse sobre a viagem.

— O que pensa fazer agora?

— Amanhã bem cedo viajarei para São Paulo. Quero investigar as agências de viagens e todas as outras possibilidades. Assim que souber de algo, darei notícias.

— Está bem. Chegando lá, você pode procurar meu irmão, Gilberto. Ele pode ajudá-lo no que precisar. Anote o telefone dele.

Glória e Diva estavam ao lado de Nivaldo e, assim que ele desligou, a mãe perguntou:

— O que ele descobriu?

— O motorista que os levou até São Paulo e o hotel em que se hospedaram. Ligou para lá, pediu para falar com Alda, mas soube que tinham ido embora. Amanhã, Germano irá para São Paulo investigar. Se descobrir algo mais, ligará.

— Eles deixaram os carros em casa e nós não pensamos em ir conversar com os motoristas de táxi — tornou Glória pensativa.

— Seria inútil. Todos eles nos conhecem e não nos diriam nada. Mas com Germano foi diferente, ele sabe como fazer essa abordagem.

— Estou começando a pensar que ele pode encontrá-los.

Na tarde do dia seguinte, Germano ligou novamente informando que os três haviam viajado para Montevidéu, no Uruguai. À noite, Gilberto telefonou para avisar que viajaria com Germano para lá. Tinham esperança de encontrar Alberto e trazê-lo de volta.

Durante os quatro dias que se seguiram, eles esperaram ansiosos por notícias. Quando o telefone tocou naquela tarde, Nivaldo correu para atender. Era Dete:

— Estou ligando porque chegou um telegrama. Vocês vêm para ver o que é?

— Abra e leia o que diz.

Pouco depois, ela leu:

— "Nós o encontramos e tudo está resolvido. Estaremos em Pouso Alegre depois de amanhã. Abraços, Gilberto."

— Está bem. Amanhã, depois do almoço, iremos para aí.

Glória e Diva já estavam ao lado dele quando desligou, e sua mãe perguntou:

— Quem era?

— Dete. Gilberto mandou um telegrama avisando que encontrou o papai e que tudo está resolvido. Estarão no casarão em Pouso Alegre depois de amanhã.

Glória deixou-se cair em uma cadeira, dizendo:

— Você vai voltar para a cidade amanhã, mas eu não vou. Não quero me encontrar com aquele safado.

— Você deve ir. Mesmo que seja difícil, precisa enfrentar. Sua presença é indispensável para resolvermos tudo.

— Ele disse que tudo está resolvido. Não vão precisar de mim.

— Vamos sim. Talvez precisemos de sua assinatura. Amanhã, depois do almoço, iremos para a cidade.

Conforme Nivaldo planejara, voltaram para Pouso Alegre na tarde seguinte. Dete entregou o telegrama e ele notou que Glória ficou inquieta.

À noite, depois do jantar, ela se dirigia para o seu quarto, mas Nivaldo pediu:

— Venha, mãe, sente-se aqui do meu lado, vamos conversar.

Assim ela fez, e ele continuou:

— Você está inquieta, nervosa, parece preocupada. Não há motivo. Gilberto disse que tudo está resolvido. Pense que dentro de alguns dias estaremos livres das preocupações, saldaremos as dívidas, poderemos trabalhar e viver em paz. Isso é motivo de alegria.

— Eu não queria vê-lo nunca mais.

Nivaldo segurou a mão dela e disse com suavidade:

— Feche os olhos. Vamos agradecer a Deus por papai ter sido encontrado.

Nivaldo fez comovida prece de agradecimento e pediu auxílio e discernimento para resolverem a situação da melhor forma possível, de modo que todos os envolvidos ficassem em paz. Pediu também que abrisse o entendimento de cada um para que pudessem se lembrar que todos têm pontos fracos e podem errar, mesmo querendo fazer o melhor. Terminou pedindo que o perdão pudesse surgir para varrer o passado e abrir as portas para um novo caminho de alegria e luz para toda a família.

Então, ele se calou. Fez-se silêncio e ninguém teve coragem de quebrá-lo. O ambiente estava leve e agradável. Glória suspirou e murmurou:

— Obrigada, meu filho. Sua oração tirou toda a angústia que estava me atormentando desde ontem.

— A ligação com Deus tem imenso poder. Você deve recorrer a ela sempre que precisar.

— Eu não tenho esse poder. É a sua oração que me faz bem.

— Você tem o mesmo poder. Por que não experimenta?

— Eu não saberia...

— É fácil. Basta entrar na intimidade do seu coração, conversar com Deus, falar o que sente, quais seus projetos para o futuro, o que precisaria para ser feliz. Ele é nosso provedor, pode tudo e sempre vai nos dar o que for melhor para o nosso bem-estar. Se não for o que pedimos, sempre será o que precisamos.

Continuaram conversando sobre vida e espiritualidade. Apesar das expectativas sobre o que aconteceria no dia seguinte, Glória teve uma noite de sono como há tempos não tinha.

No fim da tarde do dia seguinte, Gilberto e Germano chegaram. Depois dos cumprimentos, quando todos estavam reunidos na sala, Nivaldo perguntou:

— Papai não veio? Você disse que tudo estava resolvido!

— E está. Ele não quis vir, mas concordou em abrir mão desta casa, da sua participação na fazenda e até do apartamento que vocês têm em São Paulo. Passou em cartório uma procuração com plenos poderes para mim, encarregou-me de resolver tudo por aqui. Foi isso. Só temos de planejar o que faremos para colocar tudo em ordem. Germano poderá nos auxiliar com a documentação. Foi ele quem redigiu a procuração.

— Podem contar comigo para o que precisarem — Germano disse.

— À noite, depois do jantar, poderemos ir ao escritório e programar as providências. Eu trouxe todos os livros da fazenda. Temos de fazer um levantamento e decidir o que faremos — Nivaldo concluiu.

Depois do jantar, enquanto Glória e Diva conversavam na sala, os dois irmãos se reuniram com Germano no escritório. Nivaldo queria saber todos os detalhes da viagem.

Germano relatou como conseguiu o endereço da casa que Alberto alugara em Montevidéu, onde vivia com Alda e o filho. Ele ficou um tanto assustado ao vê-los, mas Gilberto não o criticou, apenas falou das dificuldades da família, pedindo-lhe que fosse ao Brasil para colocar tudo em ordem.

Alberto disse que estava feliz com a nova vida e que nunca mais voltaria ao Brasil. Cedeu todos os direitos das propriedades e sugeriu que desse uma procuração para que ele resolvesse tudo.

— Ele estava bem mesmo? — indagou Nivaldo.

Foi Germano quem respondeu:

— Estava. Não quis voltar porque se estabeleceu. Quando ele saiu daqui, já havia feito sociedade com um hotel cassino de lá. Soube que todas as noites ele vai para lá com a mulher.

— Ele está levando a vida que sempre quis — comentou Gilberto.

— Mamãe precisa saber disso — Nivaldo disse.

— Você acha? — tornou Gilberto.

— Ela precisa encarar a verdade, reagir e cuidar melhor da própria vida.

Gilberto meneou a cabeça pensativo. Temia que ela se revoltasse mais ainda. Olhou firme para o irmão e perguntou:

— Você acha mesmo isso?

— Acho. Ele está feliz, realizando o que sempre quis. Quando ela descobrir isso, vai lamentar o tempo que perdeu ao lado dele e querer conquistar uma vida melhor.

Estudando a situação e auxiliados por Germano, planejaram as primeiras providências que deveriam tomar para resolver definitivamente todos os problemas.

O tempo passou. Carlos, Gina, o pequeno Luigi, filho do casal, Lúcia e Benito desembarcavam no aeroporto internacional de São Paulo. Haviam decorrido cinco anos desde os últimos acontecimentos. Marta se casara, mas o marido não pudera acompanhá-la naquele momento.

Por ocasião do casamento de Carlos e Gina, toda a sua família comparecera. Ele mesmo financiara a viagem e mandara dinheiro para as despesas pessoais.

Em uma tarde de outono, Carlos e Gina se casaram diante de um juiz de paz, reunindo um grupo de amigos e convidados. O belo salão repleto de flores, a música suave e as luzes enchiam o ambiente de beleza e alegria.

A cerimônia foi breve, mas a prece de Lúcia pedindo a Deus pela felicidade dos noivos foi emocionante. Quando ela se calou, os olhos de muitos estavam úmidos e brilhantes.

Albertina, Antônio e Inês, muito emocionados, permaneciam calados, surpreendidos por aquele ambiente de classe e beleza a que eles não estavam habituados, deslumbrados com o sucesso de Carlos.

Nunca haviam de fato acreditado que ele fosse capaz de progredir tanto. A empresa, fundada com Gina e sua família, havia crescido muito. Tornaram-se famosos pelo belo design de seus produtos, que caíram no gosto das mulheres.

Haviam chegado a Milão uma semana antes do casamento do filho e, apesar de ocupados com os preparativos, Carlos e Benito lhes proporcionaram muitos passeios. Depois do casamento, Carlos preparara um roteiro para que eles viajassem pelo país durante as duas semanas que ainda ficariam por lá.

Aos poucos, os três foram rompendo a timidez, a dificuldade com o idioma e, impressionados com a gentileza e o carinho com que eram tratados, mostravam-se atenciosos, educados e gentis.

Carlos sentia-se feliz ao notar o esforço que os três faziam para serem agradáveis. Tudo em que ele sempre acreditou estava se realizando. Ele sabia que o exemplo era a melhor forma de ensinar e disciplinar as pessoas.

Carlos havia comprado uma casa não muito distante da de Lúcia, onde foi morar com Gina. Dois anos depois, Luigi nasceu e coroou a felicidade de toda a família.

A cada dia estavam mais apaixonados e, muitas vezes, ao pensar no passado, Carlos se perguntava o que teria sido feito de Isabel, se estava feliz com o marido.

Apesar de continuar mantendo negócios com Nicolai, nunca mais voltara ao Brasil. Continuava mantendo estreito contato com a família, mas os negócios cresciam e ele ia protelando a prometida visita aos seus.

Finalmente, quando soube que Inês iria se casar, decidiu que não podiam faltar e marcou a viagem para dois dias antes do casamento.

Assim que saíram no saguão do aeroporto, depois de desembarcarem as malas, Carlos viu Albertina e Inês acenando, e Antônio os aguardava mais atrás. Depois dos abraços e das boas-vindas, só tinham olhos para Luigi, encantados. Albertina queria levá-los para a sua casa e preparar um almoço, mas Carlos preferiu ir direto ao hotel para que comessem no restaurante.

Durante o almoço, Inês falou com entusiasmo sobre o casamento, e seus olhos brilhavam alegres. Carlos notou que ela estava mais expansiva, havia perdido aquele ar maldoso que tanto o incomodava.

Quando chegou o momento de eles irem embora, Carlos a abraçou e disse satisfeito:

— O amor lhe fez muito bem. Você mudou, ficou mais bonita, alegre.

Inês sorriu e respondeu:

— Aquela estadia em Milão abriu muito a minha cabeça! Aprendi que a vida pode ser muito melhor quando a gente olha as coisas com otimismo, mas o que funcionou mesmo foi ver que você tinha razão. É preciso acreditar, buscar o que queremos com disposição e fazer por merecer. Eu adorei os desenhos das joias de vocês e lembrei que, na escola, o que eu mais gostava de fazer era desenhar.

— Foi por isso que você começou a desenhar moda? Gostei dos desenhos que me enviou.

— Aqueles eram os primeiros. Eu fiz um curso de modelagem feminina e adorei. Agora estou fazendo o que gosto.

— Você me escreveu que está trabalhando para gente importante, em um grande ateliê.

Inês sorriu, seus olhos brilhavam maliciosos quando respondeu:

— É verdade. Mas agora estou lá como sócia. Acabo de comprar algumas cotas, espero prosperar ainda mais.

Albertina, que os olhava emocionada, aproximou-se dizendo:

— Não foi só ela que mudou depois daquela viagem. Eu e Antônio também mudamos muito. Nós começamos a estudar italiano. Queremos voltar à Itália e conversar direito com todos. Antônio tomou gosto, voltou a estudar e este ano entrou na faculdade de direito. As aulas começam daqui a quinze dias.

Carlos comentou admirado:

— Papai sempre quis ser advogado!

Antônio olhou-o sério e tornou:

— É isso mesmo. Certa vez cheguei a prestar vestibular, mas acabei desistindo.

Verificando o quanto eles haviam mudado para melhor, Carlos sentia-se realizado. Sabia que seu esforço e persistência fora a chama que acendera neles a vontade de progredir.

Luigi, então, adormeceu. Gina o levou para o quarto e Inês a acompanhou. Lúcia também foi descansar enquanto Benito e Antônio foram dar uma volta para admirar o jardim. Carlos aproveitou para conversar com a mãe sobre o futuro cunhado:

— O que você acha do Júlio? Ele e Inês se dão bem?

Albertina sorriu:

— Muito bem! Júlio não é de falar muito, mas quando fala sabe o que diz. É um pouco mais velho do que Inês, mas ao lado dele ela parece outra pessoa. É muito culto e ela o admira muito. Formou-se médico há dez anos e tem uma clínica bem estruturada. O que mais admiro nele é o bom humor; por mais que as coisas estejam difíceis, ele sempre consegue ver o lado bom.

— Estou ansioso para conhecê-lo.

— Você vai gostar dele. Já viajou muito, como você. Fala bem inglês e italiano.

— Desejo que sejam felizes.

— Eu também.

Inês aproximou-se do irmão e da mãe, lembrando-os de seus compromissos. Então, eles se despediram. Carlos prometeu ir até a casa deles para conhecer o futuro cunhado, mas todos estavam cansados e a visita ficaria para o dia seguinte.

No dia seguinte, chegaram à casa deles no fim da tarde e foram apresentados a Júlio. Carlos fixou-o curioso. Ele sustentou o olhar e estendeu a mão, dizendo:

— Você é o famoso Carlos! Estava ansioso por conhecê-lo. Nesta família só se fala de você!

— Eu digo a mesma coisa.

Carlos continuou fixando-o, depois continuou:

— Nós já nos conhecemos de algum lugar?

Júlio olhou-o atento por alguns segundos e respondeu:

— Não, acho que não.

Inês se aproximou dos dois para mostrar ao noivo um presente que havia chegado, e Carlos desviou a atenção.

Algum tempo depois, Júlio foi embora para encontrar-se com os amigos. Eles fariam uma despedida de solteiro.

Pouco depois, Inês chamou o irmão:

— Venha comigo, quero lhe mostrar algumas coisas.

Ela levou-o até o quarto e fechou a porta, olhando-o séria.

— O que foi? Você parece misteriosa — disse Carlos.

— Precisamos conversar. Não sei como você vai reagir.

— Fale! O que foi?

— Antes me diga: você esqueceu mesmo a Isabel?

— Claro. Meu amor por Gina é mais forte do que tudo. Nós estamos muito bem. Por que pergunta?

Inês sentou-se na cama, suspirou e disse:

— Porque o Júlio foi colega de classe do Gilberto, o marido de Isabel. São muito amigos e trabalham juntos. Ele escolheu os dois para padrinhos de casamento.

Carlos sentou-se, também a olhando surpreso. Antes que dissesse alguma coisa, ela continuou:

— Eu contei ao Júlio toda a sua história com ela, e lhe pedi para mudar de ideia. Mas ele respondeu que vocês dois estavam casados, felizes e não iriam se importar. Eles serão nossos padrinhos.

Carlos passou a mão nos cabelos, depois deu de ombros e respondeu:

— Júlio tem razão. O que houve entre nós acabou. Não se preocupe com isso.

— Mamãe estava nervosa, papai também. Não sabíamos como você reagiria.

Carlos sorriu e havia um brilho orgulhoso em seus olhos quando disse:

— Quando estive aqui antes do meu casamento, fui à casa de Isabel e nos entendemos. Tudo ficou muito bem. Não há motivo para vocês se preocuparem.

— Ainda bem. Sabe de uma coisa? Eu estava enganada com relação à Isabel. Eu e Júlio já fomos algumas vezes jantar na casa dela e fui muito bem recebida. O doutor Gilberto é muito educado e eles vivem bem.

— Fico feliz em saber. Desejo que você seja tão feliz quanto nós.

— Eu serei, Carlos. Estou certa disso.

Gina estava muito animada com os preparativos para o casamento, porque Inês lhe dissera que pretendia que a cerimônia fosse igual à que ela e Carlos haviam feito. Comentou alegre com o marido:

— Ela até pediu à mamãe para fazer a prece depois que o juiz terminar a cerimônia.

— E ela aceitou?

— Claro! Ficou muito emocionada! Disse que vai falar bem devagar para que todos possam entender suas palavras.

— Inês soube escolher. Quando dona Lúcia está orando, o ambiente se eleva.

Naquela noite, deitaram-se e Gina logo adormeceu. Mas Carlos se lembrou do que sentira ao conhecer Júlio. Ele era-lhe familiar e, ao mesmo tempo, despertava nele uma reação de defesa, como se algum perigo o ameaçasse.

Examinando os fatos, esses sentimentos não tinham razão de existir. Então, fez uma oração, pediu aos espíritos de luz que o inspirassem e que auxiliassem Inês a ser feliz com Júlio.

Assim que adormeceu, Carlos se viu ao lado de um homem cujo rosto era de certa forma familiar. Ele se aproximou, segurou Carlos pelo braço e disse:

— Venha, precisamos conversar.

No mesmo instante, eles começaram a deslizar sobre a cidade adormecida, enquanto Carlos sentia uma alegria imensa invadir seu peito, dilatando-o.

Ele olhava as luzes da cidade brilhando lá embaixo e sentia-se livre, forte, feliz. Pararam diante de um prédio alto, rodeado de jardins floridos, cujo perfume ele aspirou com prazer.

— Chegamos. Vamos entrar.

A porta se abriu e eles entraram no hall. Seguiram por um corredor e chegaram a uma outra porta que se abriu. Admirado, Carlos se viu diante de uma senhora de meia-idade cujo rosto suave o encantou.

Ela abraçou-o dizendo:

— Deus o abençoe!

Emocionado, Carlos segurou a mão dela e a beijou, reverente. Ela conduziu-o até o sofá, sentou-se e o puxou para que se sentasse perto dela. Carlos olhava emocionado, com medo de falar e quebrar o encanto daquele momento. Ela continuou:

— Há muitos anos você saiu daqui disposto a vencer muitos dos problemas que o atormentavam. E hoje você retorna, já tendo vencido quase tudo. Este é o momento decisivo em que será testado pela vida.

— De fato, passei por problemas terríveis, mas agora estou muito feliz.

— Para que consiga manter o que conquistou, vai precisar enfrentar uma situação antiga para saber se libertou-se dela em definitivo.

Ela ergueu a mão e colocou-a sobre a cabeça de Carlos. Começou a orar pedindo a Deus que o fortalecesse.

Carlos sentiu que uma energia agradável o envolveu, deixando-o inebriado numa onda de alegria e prazer.

Ela o beijou delicadamente na testa e disse:

— É hora de ir. Fique com Deus.

A porta se abriu e seu companheiro entrou, segurou seu braço e disse:

— Vamos.

Eles deslizaram de volta e, pouco depois, Carlos se viu no quarto do hotel, tendo a sensação de que caía sobre o seu corpo adormecido.

Abriu os olhos, ainda sentindo a leveza de momentos antes. Acomodou-se gostosamente na cama macia e adormeceu.

Pouco depois, viu-se em um salão de um casarão antigo, onde havia uma festa e todos dançavam, mas ele sentia-se angustiado e nervoso. Seu olhar inquieto pousou sobre um casal. Estavam sentados um ao lado do outro e ele estremeceu. De repente, foi como se um véu se rasgasse diante dos seus olhos, e ele se lembrou: ela era Gina, a mulher que ele amava, e ele era Júlio, o noivo de Inês. Os dois estavam juntos.

O passado voltou com força total e ele recordou todos os acontecimentos.

Assustado, acordou e sentou-se na cama. Faltava-lhe o ar. Levantou, tomou um copo de água, depois se sentou na poltrona, tentando se acalmar.

Agora ele sabia por que sentira certo medo ao conhecer Júlio. Recordar-se do passado era ir para um tempo que ele desejava esquecer.

Lembrou-se das palavras que aquela senhora lhe dissera momentos antes e tentou se acalmar. Ele precisava enfrentar o passado. Não podia fracassar agora, depois de tudo que sofrera.

Precisava rever os fatos e sentir se poderia encarar o futuro, convivendo com Júlio em sua família.

Na encarnação anterior, quando viu Gina pela primeira vez, Carlos apaixonou-se perdidamente. Mas ela era casada com um homem da alta sociedade, um pouco mais velho do que ela — Júlio.

Carlos notou que, ao vê-lo, ela não ficou indiferente, o que fez com que sua paixão se acendesse ainda mais. Começou a assediá-la de várias formas, houve um primeiro encontro e tornaram-se amantes. Mas a paixão de Carlos aumentava a cada dia e ele quase morria de angústia imaginando-a nos braços do marido.

Louco de paixão e ciúme, forjou um plano para tirar o marido indesejado do caminho. Em uma noite escura em que Júlio regressava à sua casa, Carlos, escondido entre as árvores do jardim do casarão, apontou a arma e atirou.

Júlio caiu diante do portão e Carlos fugiu sem ser visto. O crime nunca foi desvendado.

Ao rever aquela cena, Carlos sentiu uma dor violenta no corpo e suou muito. Seus pensamentos se misturaram e, sentindo-se culpado, viu novamente Adriano ensanguentado à sua frente, morto.

Carlos passou a mão nos cabelos, apanhou um lenço e enxugou o suor que lhe cobria o rosto. Respirou fundo, tentando recuperar a calma. Apesar de o crime nunca ter sido descoberto enquanto esteve no mundo, nunca pôde ser feliz com Gina. Depois da morte de Júlio, os pais de Gina venderam todos os bens do falecido e mudaram-se do país.

Durante anos, Carlos a procurou inutilmente. Sua vida se tornou um inferno. Quando dormia, o espírito de Júlio não lhe dava sossego, até que, acometido de uma moléstia de difícil cura, acabou seus dias precocemente.

Chegou ao astral fraco, deprimido, sem vontade de lutar para melhorar. Vendo que continuava vivo, quis procurar Gina. Foi informado de que ela também já havia voltado para o astral, mas estava em uma colônia espiritual distante, para onde ele só poderia ir quando já estivesse melhor. A vontade de encontrá-la fez com que ele se esforçasse para melhorar. Dedicou-se, trabalhou, estudou, aprendeu, entendeu que a violência não resolve.

Ao encontrar-se de novo com Gina, falou do imenso amor que sentia e soube que ela sentia a mesma coisa. Queriam ficar juntos para sempre. Sabiam que tinham errado muito e desejavam pedir perdão a Júlio.

Ao encontrá-lo, descobriram que ele também havia mudado. A princípio, ficara revoltado por ter sido traído e morto por Carlos. Enquanto os dois estavam na Terra, Júlio os perseguira como podia. Mas depois cansou-se de tudo e quis cuidar de si mesmo. Ele também havia cometido muitos erros e, por isso, tornara-se vulnerável. Desejou esquecer e tentar viver melhor, ser mais otimista. Procurou estudar e, na comunidade onde vivia, conheceu Inês, uma artista que o encantou. Desejaram ficar juntos.

Carlos, então, lembrou-se da reunião preparatória para a nova encarnação deles, na qual, diante dos mentores espirituais, programaram ficar juntos.

Carlos passou a mão sobre a testa como se limpasse da mente as lembranças ruins. Pensou em Isabel e lembrou-se de que, quando iniciara seu tratamento espiritual no astral, ela fora uma dedicada enfermeira que o auxiliara a recuperar a alegria de viver. Ao lembrar-se disso, Carlos sorriu alegre. Ela era uma mulher maravilhosa que muito o ajudara, mas o processo de evolução de cada um era diferente.

Pelas frestas da cortina, Carlos viu que o dia estava amanhecendo e então sorriu. Era o dia do casamento de Inês e Júlio. Ele agora sabia que ele e Gina, Inês e Júlio, dali para frente, poderiam desfrutar em paz de muitos anos de felicidade. Afinal, a vida sempre sabe o que faz.

30

Isabel virava-se em frente ao espelho, observando o vestido e sorrindo satisfeita. Alegre, colocou os brincos de brilhantes, que haviam sido presente de Gilberto. Estava pronta.

Laura surgiu na porta do quarto, entrou e não se conteve:

— Você está linda! Nem parece que deu à luz há tão pouco tempo.

— Não faz tão pouco assim. Linda já completou oito meses.

Laura pensou um pouco, depois disse:

— Soube que Carlos chegou com toda a família da esposa. Será que ele já sabe que vocês serão padrinhos do noivo?

Isabel deu de ombros.

— Não sei. Inês já deve ter lhe contado que Júlio é muito amigo de Gilberto.

— Como será que ele reagiu?

— Espero que bem. Afinal, o tempo passou, ele casou com a paixão de sua vida, tem um filho, ganhou fama, dinheiro. Deve estar feliz.

— É. Orlando me disse que eles já se amavam em vidas passadas. E você, como está se sentindo em relação a isso?

— Muito bem. Afinal, nossa relação acabou bem, está tudo certo. Gilberto queria que dona Glória viesse para o casamento, mas ela preferiu ficar na fazenda.

— Ela mudou muito nos últimos tempos.

— Foi a influência de Diva. Depois que ela e Nivaldo se casaram, Glória mudou, remoçou, ficou mais alegre.

— Mas a felicidade dela desabrochou depois que Renato nasceu. Você viu como ela estava feliz quando ele completou um ano?

— É verdade. Nunca mais falou no Alberto. Tem até acompanhado Nivaldo e Diva quando vão dançar no clube! Ontem, quando eles chegaram, contaram que, atualmente, Glória tem muitos amigos na cidade, participa de algumas festas do clube e até dança com os amigos. Parece outra pessoa.

— Ainda bem. Eles nunca comentaram, mas será que têm tido notícias de Alberto?

— Nunca mais falaram nada. Gilberto não gosta do assunto e nunca comenta nada.

Nesse momento, Gilberto entrou e se aproximou da esposa, dizendo:

— Está na hora de irmos!

— Vou ficar com Linda — Laura disse.

— Vou com você. Quero dar um beijo nela antes de sair.

Apesar de a pequena Linda estar com uma babá, Laura ficaria em casa enquanto os dois estivessem ausentes.

Pouco depois, Gilberto e Isabel chegaram ao salão onde se realizaria o casamento. Muitos convidados já estavam no local e Gilberto uniu-se aos colegas, alguns com as esposas e já conhecidos de Isabel.

O clube elegante onde a cerimônia se realizaria estava muito bem decorado, e a beleza do lugar era enriquecida pela elegância das mulheres, assim como as luzes bem dosadas e o perfume das flores. Havia uma atmosfera agradável, preenchida pelo som de um grupo musical que embalava os convidados com músicas de reconhecido sucesso.

Isabel, ao lado do marido, estava perto da porta quando Carlos chegou com Gina. Viram-se um diante do outro. Ele sorriu e estendeu a mão:

— Isabel! Que bom encontrá-la!

Ela corou um pouco e apertou a mão que ele lhe estendia:

— É um prazer vê-lo. Este é Gilberto, meu marido.

Os dois apertaram as mãos e Carlos apresentou Gina, assim como Lúcia e Benito, que vinham mais atrás.

Depois do primeiro momento, Isabel sentiu-se muito à vontade. Gina era muito bonita e ela entendeu a paixão que ele sentia por ela. Gilberto, disfarçadamente, observou Carlos com curiosidade, mas pouco depois ambos ficaram à vontade. Benito conseguiu reunir o grupo com seu habitual bom humor e, em poucos minutos, todos pareciam velhos conhecidos.

Albertina chegou pouco depois, avisando que a noiva entraria com o pai. Todos se postaram ao lado da mesa, onde o juiz já os esperava.

De um lado, Albertina, Carlos e Gina, Benito e Lúcia. Do outro lado, os pais e a irmã de Júlio, Isabel e Gilberto.

A marcha nupcial começou e Inês entrou segurando o braço de Antônio, que se esforçava para segurar as lágrimas.

Inês estava radiante. Os olhos brilhantes, o rosto corado de emoção, os lábios entreabertos em um sorriso a tornavam mais bonita, e as pessoas olhavam com prazer e admiração.

Antônio entregou-a a Júlio e postou-se ao lado de Albertina. O juiz falou um pouco sobre a vida conjugal, depois oficiou a cerimônia com as clássicas perguntas e, por fim, todos assinaram o livro. Estavam casados.

Nesse momento, Lúcia tomou a palavra, pronunciando uma prece emocionada. Falava lentamente, expressando tudo o que sentia. As pessoas entenderam e rezaram, pedindo a Deus pela felicidade do casal.

Enquanto os noivos recebiam os cumprimentos, a música continuava tocando e os garçons começaram a servir os convidados. Em um canto do salão, duas pessoas que ninguém podia ver estavam emocionadas e felizes.

Orlando estava ao lado de uma jovem senhora. Depois de alguns momentos, ela lhe disse:

— É hora de ir.

— Eu gostaria de ficar mais um pouco.

— Agora é preciso ir. Você sabe que eles encontraram o melhor caminho e, daqui para frente, saberão se conduzir muito bem. É hora de você começar a pensar em si e nos seus projetos para o futuro.

— Tem razão. Vamos embora.

Ele segurou no braço dela e ambos se elevaram. Saíram do prédio e seguiram adiante.

A noite era fria, mas estrelada, e Orlando, erguendo os olhos para o alto, disse contente:

— Agradeço a Deus pela bênção da vida! Ela é maravilhosa! Estou feliz por poder conhecer essa realidade e continuar seguindo em frente, sem medo.

Ela sorriu e completou:

— Eu também confio porque sei que a vida sempre sabe o que faz!

Então, eles ouviram uma música suave ecoando no ar à volta deles, enquanto uma alegria muito grande lhes banhava o coração.

Fim

Aceitar o que não se pode mudar revela sabedoria. Confie na vida. Ela sempre sabe o que é melhor pra você.

GRANDES SUCESSOS DE

ZIBIA GASPARETTO

Com 20 milhões de títulos vendidos, a autora tem contribuído para o fortalecimento da literatura espiritualista no mercado editorial e para a popularização da espiritualidade. Conheça os sucessos da escritora.

Romances

pelo espírito Lucius

A força da vida
A verdade de cada um
A vida sabe o que faz
Ela confiou na vida
Entre o amor e a guerra
Esmeralda
Espinhos do tempo
Laços eternos
Nada é por acaso
Ninguém é de ninguém
O advogado de Deus
O amanhã a Deus pertence
O amor venceu
O encontro inesperado
O fio do destino
O poder da escolha
O matuto
O morro das ilusões
Onde está Teresa?
Pelas portas do coração
Quando a vida escolhe
Quando chega a hora
Quando é preciso voltar
Se abrindo pra vida
Sem medo de viver
Só o amor consegue
Somos todos inocentes
Tudo tem seu preço
Tudo valeu a pena
Um amor de verdade
Vencendo o passado

Crônicas

A hora é agora!

Bate-papo com o Além

Contos do dia a dia

Conversando Contigo!

Pare de sofrer

Pedaços do cotidiano

O mundo em que eu vivo

Voltas que a vida dá

Você sempre ganha!

Coletânea

Eu comigo!

Recados de Zibia Gasparetto

Reflexões diárias

Desenvolvimento pessoal

Em busca de respostas

Grandes frases

O poder da vida

Vá em frente!

Fatos e estudos

Eles continuam entre nós vol. 1

Eles continuam entre nós vol. 2

Sucessos
Editora Vida & Consciência

Carlos Torres

A mão amiga
Passageiros da eternidade
Querido Joseph (pelos espírito Jon)
Uma razão para viver

Cristina Cimminiello

A voz do coração (pelo espírito Lauro)
As joias de Rovena (pelo espírito Amira)
O segredo do anjo de pedra (pelo espírito Amadeu)

Eduardo França

A escolha
A força do perdão
Do fundo do coração
Enfim, a felicidade
Um canto de liberdade
Vestindo a verdade
Vidas entrelaçadas

Floriano Serra

A grande mudança
A outra face
Amar é para sempre
A menina do lago
Almas gêmeas
Ninguém tira o que é seu
Nunca é tarde
O mistério do reencontro
Quando menos se espera...

Gilvanize Balbino

De volta pra vida (pelo espírito Saul)
Horizonte das cotovias (pelo espírito Ferdinando)
O homem que viveu demais (pelo espírito Pedro)
O símbolo da vida (pelos espíritos Ferdinando e Bernard)
Salmos de redenção (pelo espírito Ferdinando)

Jeaney Calabria

Uma nova chance (pelo espírito Benedito)

Juliano Fagundes

Nos bastidores da alma (pelo espírito Célia)
O símbolo da felicidade (pelo espírito Aires)

Lucimara Gallicia

pelo espírito Moacyr

Ao encontro do destino
Sem medo do amanhã

Márcio Fiorillo

pelo espírito Madalena

Lições do coração
Nas esquinas da vida

Maurício de Castro

A outra (pelos espíritos Hermes e Saulo)
Caminhos cruzados (pelo espírito Hermes)
O jogo da vida (pelo espírito Saulo)
Sangue do meu sangue (pelo espírito Hermes)

Meire Campezzi Marques

pelo espírito Thomas

A felicidade é uma escolha
Cada um é o que é
Na vida ninguém perde
Os desafios de uma suicida (pelo espírito Ellen)
Uma promessa além da vida

Rose Elizabeth Mello

Como esquecer
Desafiando o destino
Livres para recomeçar
Os amores de uma vida
Verdadeiros Laços

Sâmada Hesse

pelo espírito Margot

Revelando o passado

Sérgio Chimatti

pelo espírito Anele

Lado a lado
Os protegidos
Um amor de quatro patas

Thiago Trindade

pelo espírito Joaquim

As portas do tempo
Com os olhos da alma
Maria do Rosário
Samsara

ZIBIA GASPARETTO

Eu comigo!

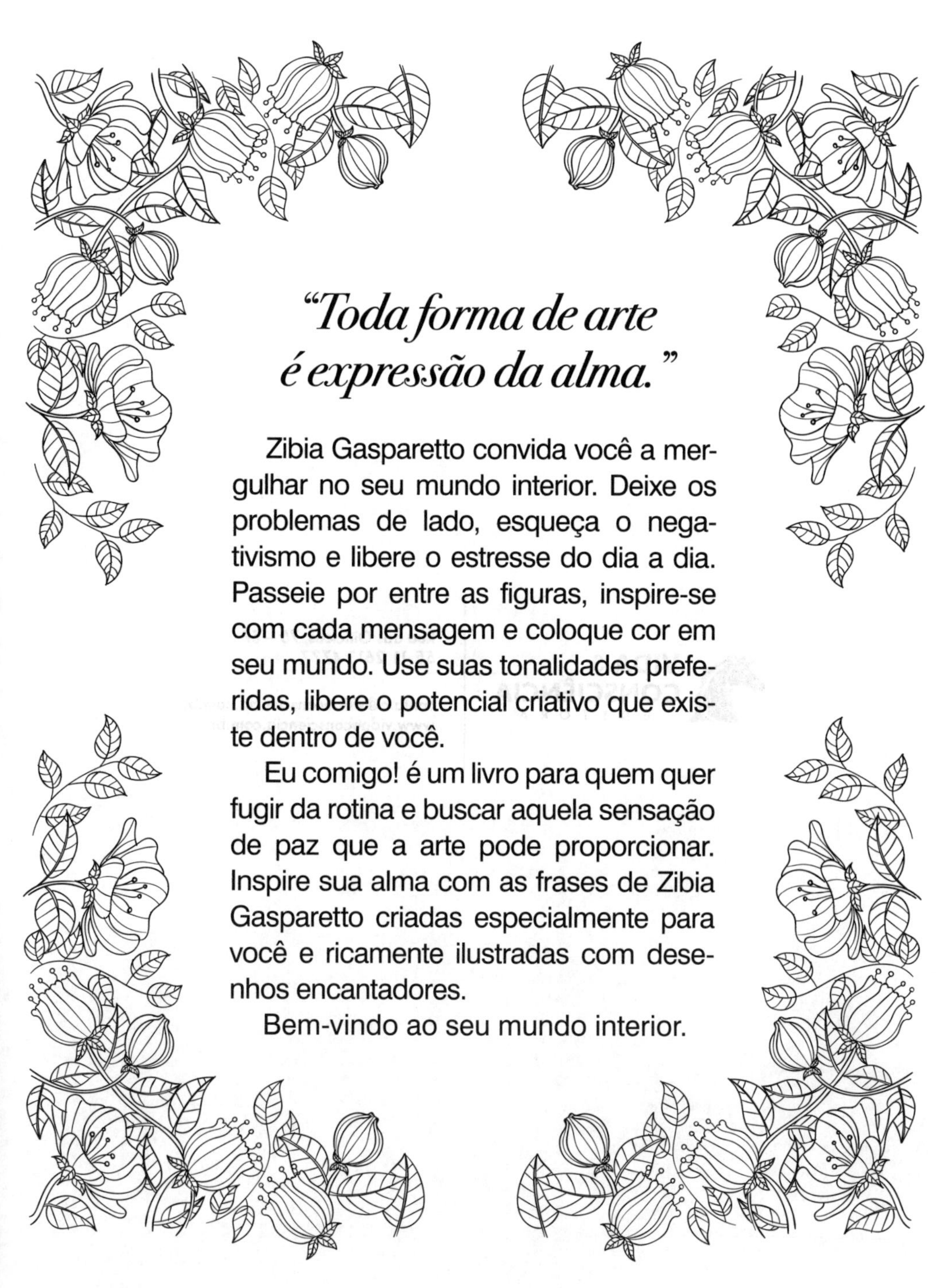

"Toda forma de arte é expressão da alma."

Zibia Gasparetto convida você a mergulhar no seu mundo interior. Deixe os problemas de lado, esqueça o negativismo e libere o estresse do dia a dia. Passeie por entre as figuras, inspire-se com cada mensagem e coloque cor em seu mundo. Use suas tonalidades preferidas, libere o potencial criativo que existe dentro de você.

Eu comigo! é um livro para quem quer fugir da rotina e buscar aquela sensação de paz que a arte pode proporcionar. Inspire sua alma com as frases de Zibia Gasparetto criadas especialmente para você e ricamente ilustradas com desenhos encantadores.

Bem-vindo ao seu mundo interior.

www.vidaeconsciencia.com.br

Rua das Oiticicas, 75 – SP
55 11 2613-4777

contato@vidaeconsciencia.com.br
www.vidaeconsciencia.com.br